Lehr- und Arbeitsbuch
mit Audio CD

# Mittelpunkt
## neu B2.1

Deutsch als Fremdsprache für Fortgeschrittene

Lektion 1 – 6

Ilse Sander
Albert Daniels
Renate Köhl-Kuhn
Barbara Bauer-Hutz
Klaus F. Mautsch
Heidrun Tremp Soares

D1205336

Ernst Klett Sprachen
Stuttgart

Symbole in **Mittelpunkt neu B2.1**

LB (1) 4    Verweis auf CD und Tracknummer vom Lehrbuchteil

AB (●) 3    Verweis auf Tracknummer der CD vom Arbeitsbuchteil

(P) GI    prüfungsrelevanter Aufgabentyp: Goethe-Zertifikat B2

(P) telc    prüfungsrelevanter Aufgabentyp: telc Deutsch B2

⚿    Strategietraining

(▷) G 3.5    Verweis auf den entsprechenden Abschnitt in der Referenzgrammatik im Anhang

AB: A2 ▶    Verweis im Lehrbuchteil auf die passende Übung im Arbeitsbuchteil

LB 8    Seitenverweis auf Mittelpunkt B2 Lehrbuch

AB 8    Seitenverweis auf Mittelpunkt B2 Arbeitsbuch

1. Auflage    1 5   |   2016   15

Alle Drucke dieser Auflage sind unverändert und können im Unterricht nebeneinander verwendet werden. Die letzte Zahl bezeichnet das Jahr des Druckes. Das Werk und seine Teile sind urheberrechtlich geschützt. Jede Nutzung in anderen als den gesetzlich zugelassenen Fällen bedarf der vorherigen schriftlichen Einwilligung des Verlags. Hinweis zu § 52a UrhG: Weder das Werk noch seine Teile dürfen ohne eine solche Einwilligung eingescannt und in ein Netzwerk eingestellt werden. Dies gilt auch für Intranets von Schulen und sonstigen Bildungseinrichtungen. Fotomechanische oder andere Wiedergabeverfahren nur mit Genehmigung des Verlags.

**Autoren der Lektionen:** Ilse Sander, Albert Daniels, Renate Köhl-Kuhn, Barbara Bauer-Hutz, Klaus F. Mautsch, Heidrun Tremp Soares; Ellen Butler, Stefanie Dengler, Christian Estermann
**Autoren der Referenzgrammatik:** Stefan Kreutzmüller, Ulrike Tallowitz
**Fachliche Beratung:** Barbara Ceruti

**Redaktion:** Angela Fitz-Lauterbach
**Layoutkonzeption:** Anastasia Raftaki, Nena und Andi Dietz, Stuttgart
**Herstellung:** Anastasia Raftaki
**Gestaltung und Satz:** Nena und Andi Dietz, Stuttgart
**Illustrationen:** Jani Spennhoff, Barcelona
**Umschlaggestaltung:** Annette Siegel
**Reproduktion:** Meyle + Müller GmbH + Co. KG, Pforzheim
**Druck und Bindung:** Druckerei A. Plenk KG, Berchtesgaden
Printed in Germany

ISBN 978-3-12-676656-2

9 783126 766562

# Arbeiten mit **Mittelpunkt neu B2**

**Mittelpunkt neu B2** ist eine gründliche Bearbeitung von Mittelpunkt B2. Dabei wurde der grundlegende Ansatz beibehalten. Alle Lernziele und Inhalte leiten sich konsequent aus den Kannbeschreibungen (Niveau B2) des Gemeinsamen Europäischen Referenzrahmens für Sprachen ab. Die Lernziele jeder Lerneinheit werden auf der jeweiligen Doppelseite rechts oben aufgeführt. Diese Form der Transparenz bietet Ihnen und den Kursleitern / -innen eine schnelle Orientierung und eine einfache Zuordnung der Aufgaben zu den Kannbeschreibungen.

**Mittelpunkt neu B2.1** und **B2.2** sind jeweils in sechs Lektionen mit Themen aus Alltag, Beruf und Wissenschaft gegliedert, dabei wurden Themen und Inhalte aus Mittelpunkt B2 aktualisiert bzw. sprachlich bearbeitet und neue Themen aufgenommen. Jede Lektion ist wiederum in sechs Lerneinheiten A – F aufgeteilt. Diese übersichtliche Portionierung der Lernsequenzen fördert Ihre Motivation als Lerner und erleichtert die Unterrichtsplanung. Außerdem ermöglicht diese Aufteilung es, modulartig zu arbeiten und Lerneinheiten bei Bedarf wegzulassen.

Bei der Bearbeitung von Mittelpunkt B2 wurde noch größerer Wert darauf gelegt, die Lernenden auf B1 abzuholen. Dafür wurden Texte und Aufgaben in den ersten Lektionen so bearbeitet, dass Sie als Lerner Schritt für Schritt vom B1-Niveau auf das B2-Niveau gelangen. Aus diesem Grund auch räumt **Mittelpunkt neu B2** der Grammatikvermittlung einen größeren Raum ein. Die behandelten Grammatikthemen werden auf jeweils zwei Seiten pro Lektion gebündelt. Anhand passender Textsorten erarbeiten Sie systematisch die jeweiligen Themen und üben diese gezielt im Arbeitsbuchteil.

▶ **G 3.5**  Passend erhalten Sie bei jeder Grammatikaufgabe einen Abschnittsverweis auf die entsprechende Erklärung in der Referenzgrammatik im Anhang des Buchs, hier z. B. auf den Abschnitt 3.5.

Der Arbeitsbuchteil ist notwendiger Bestandteil für den Unterricht. Denn hier werden die jeweilige Grammatik und der Lektionswortschatz kleinschrittig geübt und vertieft. Zudem werden im Arbeitsbuchteil – passend zu den Aufgaben im Lehrbuchteil – Strategien bewusst gemacht und geübt; solche Aufgaben sind mit einem Schlüssel gekennzeichnet. Am Ende jeder Lektion finden Sie darüber hinaus den Abschnitt „Aussprache" mit für die Kommunikation relevanten Ausspracheübungen. Eine CD mit diesen Übungen sowie weiteren Hörtexten im Arbeitsbuchteil ist in B2.1 integriert,

**AB** ⏺ **3**  in diesem Fall wird auf die passende Tracknummer hingewiesen, hier z. B. auf Track 3.

**AB: A2** ▶  Der Zusammenhang von Lehr- und Arbeitsbuchteilteil wird durch klare Verweise im Lehrbuchteil verdeutlicht, hier wird z. B. auf die Übung 2 im Teil A der jeweiligen Lektion im Arbeitsbuchteil verwiesen.

Bei der Arbeit mit **Mittelpunkt neu B2** werden Sie zudem mit den Aufgabenformaten der B2-Prüfung des Goethe-Instituts (Goethe-Zertifikat B2) und von telc (telc Deutsch B2) vertraut gemacht.

ⓟ **GI**  Die prüfungsrelevanten Aufgabentypen finden Sie immer wieder im Lehr- und Arbeitsbuchteil eingestreut und zur
ⓟ **telc**  leichteren Übersicht gekennzeichnet. Darüber hinaus finden Sie im Lehr- und Arbeitsbuch B2.2 eine Probeprüfung zum „Goethe-Zertifikat B2", die Ihnen eine Vorbereitung unter Prüfungsbedingungen ermöglicht.

**LB** ① **4**  Zum Lehrbuchteil gibt es zwei Audio-CDs. Bei den Hörtexten ist die passende CD samt Tracknummer angegeben, hier z. B. CD1, Track 4.

**LB 8**  In B2.1 und B2.2 steht am Seitenende jeweils ein Hinweis darauf, wo man diese Seite in den Ganzbänden findet, hier z. B. auf Seite 8 im Lehrbuch.

Wir danken den vielen Kursleiterinnen und Kursleitern, die durch ihr Feedback zur Arbeit mit Mittelpunkt B2 dazu beigetragen haben, **Mittelpunkt neu B2** noch besser auf Ihre Bedürfnisse zuzuschneiden.

Viel Spaß und Erfolg bei der Arbeit mit **Mittelpunkt neu B2** wünschen Ihnen der Verlag und das Autorenteam!

# Inhaltsverzeichnis – Lehrbuchteil

5

# Inhaltsverzeichnis – Arbeitsbuchteil

# 1A Reisen

## 1 Reisebilder

**a** Mit welchem Foto identifizieren Sie sich am meisten, wenn Sie an Urlaub oder Reisen denken? Warum? Oder spricht Sie kein Foto an? Warum? Sprechen Sie mit einem Partner / einer Partnerin. `AB: A1–2`

**b** Berichten Sie im Kurs, was Ihr Partner / Ihre Partnerin gesagt hat.

## 2 Sprüche übers Reisen

**a** Lesen Sie die Sprüche. Sind Sie mit allem einverstanden? Warum / Warum nicht? Sprechen Sie zu zweit und berichten Sie dann im Kurs. `AB: A3`

> Erst die Fremde lehrt uns, was wir an der Heimat haben.
>
> *Theodor Fontane (1819 – 1898)*

> Den Toren packt die Reisewut, indes im Bett der Weise ruht.
>
> *Sprichwort*

> Die Welt ist ein Buch, von dem man nur die erste Seite gelesen hat, wenn man nur sein Land gesehen hat.
>
> *Fougeret de Moubron (1706 – 1760)*

> Liebst du dein Kind, so schicke es auf Reisen.
>
> *Indisches Sprichwort*

> Wer sein Land nie verlassen hat, ist voller Vorurteile.
>
> *Carlo Goldoni (1707 – 1793)*

> Wenn jemand eine Reise tut, so kann er was erzählen.
>
> *Matthias Claudius (1740 – 1815)*

**b** Kennen Sie andere Sprüche zum Thema „Reisen"? Tauschen Sie sich im Kurs aus.

## 3 Reisemotive

a   Was sind die Hauptreisemotive der Deutschen? Ordnen Sie die Motive den Prozentzahlen in der Grafik zu.

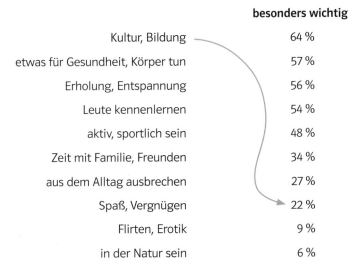

|  | **besonders wichtig** |
| --- | --- |
| Kultur, Bildung | 64 % |
| etwas für Gesundheit, Körper tun | 57 % |
| Erholung, Entspannung | 56 % |
| Leute kennenlernen | 54 % |
| aktiv, sportlich sein | 48 % |
| Zeit mit Familie, Freunden | 34 % |
| aus dem Alltag ausbrechen | 27 % |
| Spaß, Vergnügen | 22 % |
| Flirten, Erotik | 9 % |
| in der Natur sein | 6 % |

b   Vergleichen Sie im Kurs Ihre Zuordnung mit der Lösung unten. Wo gibt es Unterschiede?

Erholung, Entspannung: 64 %, Spaß, Vergnügen: 57 %, in der Natur sein: 56 %, aus dem Alltag ausbrechen: 54 %, Zeit mit Familie, Freunden: 48 %, etwas für Gesundheit, Körper tun: 34 %, aktiv, sportlich sein: 27 %, Kultur, Bildung: 22 %, Leute kennenlernen: 9 %, Flirten, Erotik: 6 %

c   Und Sie? Warum reisen Sie eigentlich? Tauschen Sie sich mit einem Partner / einer Partnerin aus und berichten Sie dann im Kurs. `AB: A4`

> **Fragen:** Was ist für Sie / dich der wichtigste Grund, … zu …?
> Und was ist für Sie / dich am zweitwichtigsten?
> Was ist dir am wenigsten wichtig, wenn …?
>
> **Antworten:** Das wichtigste Motiv / Der wichtigste Grund, warum ich …, ist …
> Ich möchte am liebsten …
> Gleich danach kommt: …

## 4 Reisepläne

LB 1   a   Hören Sie ein Gespräch im Haus von Familie Funke. Wer möchte was machen? Notieren Sie.

Eva: .......................................................................................................................................................

Andreas: ...............................................................................................................................................

Frau Funke: .........................................................................................................................................

Herr Funke: .........................................................................................................................................

b   Versuchen Sie, für Familie Funke eine Lösung zu finden. `AB: A5`

> Ich glaube, … | Ich denke, … | Ich meine, … |
> Vielleicht könnten sie … | Sie sollten … | Es wäre gut, wenn …

# Urlaubsreisen

GI / telc **1** ## Wer fährt wohin?

Findet jede Person ein geeignetes Reiseziel? Notieren Sie den passenden Buchstaben und begründen Sie Ihre Zuordnung. AB: B1–2

**1** Andrea Reuter (24), Bankangestellte in München
Ihr Hobby ist Bergwandern. Leider kommt sie kaum dazu. Im Urlaub möchte sie viel Bewegung und frische Luft. Sie möchte möglichst nicht weit fahren, aber auch nicht fliegen.

**2** Ina Steiger (36), Abteilungsleiterin in einer Exportfirma
In ihrem Job hat sie meist 10-Stunden-Tage. Im Urlaub möchte sie nichts anderes tun als sich erholen, gut essen und ein bisschen Sport treiben.

**3** Herbert Siebertz (33), Pianist
Er reist viel mit seinem Orchester und führt ein ziemlich anstrengendes Leben. Deshalb möchte er sich im Urlaub entspannen und möglichst viel an der frischen Luft sein. Am liebsten würde er eine gemütliche Radtour machen, z. B. entlang der Donau.

**4** Max Orthwin (48), Zahnarzt
Er möchte im Urlaub etwas Besonderes erleben und liebt es, an seine Grenzen zu gehen. Und je exotischer der Ort, desto besser.

**5** Holger Fürst (53), Versicherungsvertreter
Er ist ständig unterwegs – von einem Ort zum anderen. Aber meistens hat er keine Zeit, diese Orte richtig kennenzulernen. Deshalb macht er gern Städtereisen. Er legt aber Wert darauf, dass er mindestens fünf Tage in der jeweiligen Stadt verbringen kann und nicht viel Geld ausgeben muss.

**A** ### Überlebenstraining in Surinam

Ein außergewöhnliches Abenteuer wartet im tiefen Dschungel von Guyana bzw. Surinam auf Sie. Entscheiden Sie selbst, ob Sie belastbar sind oder die Grenzen Ihrer Leistungsfähigkeit kennenlernen wollen. Wenn ja, liegen Sie bei uns richtig! Preis für das 14-tägige Survival-Training: 2.550,- € p. P. Leistungen: Flug von vielen Flughäfen Europas via Amsterdam nach Paramaribo und zurück. Alle Transfers, drei oder vier Nächte in Paramaribo inkl. Frühstück, Instruktionen und Survival-Trip.

**B**

### Namibia & Südafrika
13-tägige Kombinationsreise in Mittelklassehotels inkl. Frühstück und Wüstenfahrt in die Kalahari- und Namib-Wüste, ab 1399,- €. Es erwarten Sie faszinierende, bizarre und endlos weite Landschaften. Die spannenden Kontraste des Landes werden Sie beeindrucken.

**C** ### WEIMAR UND DIE DEUTSCHE KLASSIK

für 1.200,- € im Luxushotel
1. Tag bis 18 Uhr: Anreise
2. Tag: Das dichterische Weimar – Rundgang mit Besuch des Goethe- und Schillerhauses
3. Tag: Das höfische Weimar – Rundgang vom historischen Markt bis zum Schlösserbereich, dem politischen Zentrum der Weimarer Klassik. Besichtigung der Herzogin-Anna-Amalia-Bibliothek. Vorbei am Haus der Frau von Stein geht es zu Goethes Gartenhaus. Am Abend Besuch einer Vorstellung im Deutschen Nationaltheater
4. Tag: Tagesausflug zu den Schlössern in der Umgebung
5. Tag morgens: Abreise

**D**

## Von Oberstdorf nach Meran
• zu Fuß über die Alpen
• 7-tägige Trekkingtour

Diese Wanderung führt auf einem besonders beliebten und abwechslungsreichen Abschnitt des E5 von Oberstdorf an der Alpennordseite nach Meran an der Alpensüdseite.
Gipfelglück in 3.000 m Höhe.
Hüttenerlebnisse in gemütlicher Atmosphäre.
Übernachtung in Alpenvereinshütten und Pensionen.
Routenverlauf: Oberstdorf – Kemptener Hütte – Holzgau – Memminger Hütte – Seescharte – Zams – Pitztal – Braunschweiger Hütte – Rettenbachjöchl – Vent – Similaunhütte – Schnalstal – Meran.
Teilnehmeranzahl: mindestens 6; höchstens 12 Personen.

**F**

HERBST – TOPANGEBOT: GOLDENE HERBSTWOCHEN:

7 Tage mit ¾-Verwöhnpension: 742 Euro pro Person in der traumhaften Suite DELUXE
Inklusive: Hallenschwimmbad, Freibad, riesige Saunawelt mit 6 Saunen, Wassergymnastik, Yoga, großes neues Fitness-Center, Nordic-Walking, Mountainbikes.

**G**

## * Steiermark / Österreich *

6-tägiger Wellnessurlaub im 4-Sterne-Schlosshotel inkl. Frühstück und 3 x Abendessen ab 399 €.
Ihr Urlaubsort: Fohnsdorf – zwischen Graz und Klagenfurt.
Vergessen Sie in der kürzlich eröffneten Sauna-Oase den Alltag und tauchen Sie ein in die Welt der Entspannung. Die Oase verfügt über 5 Saunen, 2 Dampfbäder und 3 Ruhebereiche.

**E**

## » 3 TAGE ZÜRICH

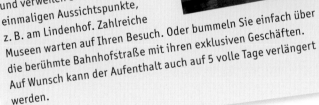

3-Sterne-Hotel inkl. Frühstück und Zürich-Card ab 149 €.
Erleben Sie die heimelige Altstadt und verweilen Sie an einem der einmaligen Aussichtspunkte, z. B. am Lindenhof. Zahlreiche Museen warten auf Ihren Besuch. Oder bummeln Sie einfach über die berühmte Bahnhofstraße mit ihren exklusiven Geschäften.
Auf Wunsch kann der Aufenthalt auch auf 5 volle Tage verlängert werden.

## 2 Was machen Sie am liebsten im Urlaub?

Befragen Sie sich gegenseitig, wer was am liebsten im Urlaub macht. AB: B 3–4

• Schreiben Sie auf einen Zettel Ihre drei wichtigsten Beschäftigungen im Urlaub.
• Alle Zettel werden auf dem Tisch gesammelt.
• Ziehen Sie einen Zettel, gehen Sie im Kurs herum und versuchen Sie, den Schreiber des Zettels durch Fragen herauszufinden.

Was machen Sie / machst du am liebsten / am häufigsten …? | Interessieren Sie sich / Interessierst du dich am meisten für …? | Ist Ihre / deine Lieblingsbeschäftigung …?

# 1C

# Reiseplanung

## ① Reiseplanung in der Wohngemeinschaft – zwei Gespräche

LB ① 2 **a** Susanne, Carla, Peter und Jens überlegen gemeinsam, wohin sie zusammen in Urlaub fahren können. Leider haben sie ganz unterschiedliche Vorstellungen. Hören Sie das Gespräch. Wie beurteilen Sie es?

Ich finde das Gespräch ☐ harmonisch. ☐ kontrovers. ☐ aggressiv.

**b** Hören Sie das Gespräch in 1a noch einmal. Wer mag was (nicht)?

| Name | er / sie mag | er / sie mag nicht |
|------|-------------|--------------------|
| Susanne | | |
| Carla | | |
| Peter | | |
| Jens | | |

LB ① 3 **c** Hören Sie nun eine Variante des Gesprächs in der WG. Versuchen Sie herauszufinden, was der Hauptunterschied ist.

**d** Lesen Sie dann die Variante im Arbeitsbuch und notieren Sie die Ausdrücke, die für die Gesprächsführung wichtig sind. `AB: C1`

## ② Eine kontroverse Diskussion

Sie wollen zu viert in Urlaub fahren. Aber leider haben Sie alle verschiedene Vorstellungen, was Sie im Urlaub machen möchten. Versuchen Sie, die anderen von Ihren Ideen zu überzeugen. `AB: C 2–3`

- Bereiten Sie sich auf die Diskussion vor: Notieren Sie zunächst Ihre Vorstellungen. Schreiben Sie dann Rollenkarten: Wer sind Sie? Wie alt sind Sie? Was machen Sie beruflich? Was sind Ihre Hobbys?

- Notieren Sie dann Ihre Reisevorstellungen und sammeln Sie Argumente für Ihre Wünsche.

- Verwenden Sie bei der Diskussion die Redemittel, die Sie in 1d gesammelt haben, bzw. die folgenden Redemittel.

- Ärztin
- 34 Jahre alt
- fahre Rad, gehe gern ins Kino
- interessiere mich für Kunst
- kann Italienisch und fahre gern nach Italien

---

**Meinung ausdrücken und begründen:**
Ich finde, dass …, denn … | Meiner Meinung / Ansicht nach …, denn … |
Ich bin der Meinung / der Ansicht / der Auffassung, dass …, weil …

**Nachfragen:**
Könntest du das bitte noch mal erklären? | Du meinst also, dass … |
Entschuldigung, ich habe dich nicht ganz verstanden.

**Gegenvorschläge kombinieren:**
Wir könnten doch … und gleichzeitig … |
Dein Vorschlag ist gut, aber die Idee von … ist auch nicht schlecht.

---

◐ G 2.1 **3** # Sprache im Mittelpunkt: Die Satzklammer

a Lesen Sie die Sätze. Welche Regeln für die Wortstellung können Sie ableiten? Stellen Sie die Regeln auch grafisch dar.

1. Die WG hat diskutiert .

3. Die WG hat am Sonntag über ihre Urlaubspläne diskutiert.

2. Die WG hat am Sonntag diskutiert.

4. Die WG hat am Sonntag zwei Stunden lang über ihre Urlaubspläne diskutiert.

> 1. Der konjugierte Verbteil steht ............................ . 2. Der zweite Verbteil steht ............................ .

b Wie verändert sich die Wortstellung im Mittelfeld, wenn man die unterstrichenen Satzteile jeweils auf Position 1 setzt? Schreiben Sie.

| Position 1 | Position 2 | Mittelfeld | | | Satzende |
|---|---|---|---|---|---|
| Die WG | hat | am Sonntag | zwei Stunden lang | über ihre Urlaubspläne | diskutiert. |
| Am Sonntag | | | | | |
| | | | | | |
| | | | | | |

c Welche Regeln für die Wortstellung können Sie ableiten? AB: C 4 ▸

> 1. Das Subjekt kann auf Position ...... stehen oder als Erstes im ............................ direkt nach dem konjugierten Verb.
>
> 2. Im ............................ können fast alle anderen Satzglieder stehen (als Wort oder als Wortgruppe).

◐ G 3.3 **4** # Sprache im Mittelpunkt: Nebensätze

a Schreiben Sie die Sätze in die Tabelle und kreuzen Sie in den Regeln unten an.

1. Peter möchte, dass sie nach Frankreich fahren.
2. Carla möchte nicht nach Rom, weil es dort so heiß ist.
3. Wenn sie in Rom sind, können sie bei Freunden wohnen.

| Hauptsatz | | Nebensatz | | |
|---|---|---|---|---|
| Peter möchte, | | dass | sie nach Frankreich | fahren. |
| | | | | |

| Nebensatz | | | Hauptsatz | |
|---|---|---|---|---|
| | | | | |

> 1. Nebensatz: Der Nebensatzkonnektor steht am    ⓐ Anfang.    ⓑ Ende.
> 2. Im Nebensatz steht das Verb    ⓐ auf Position 2.    ⓑ am Satzende.
> 3. Hauptsatz vor Nebensatz: Das Verb steht im Hauptsatz auf    ⓐ Position 1.    ⓑ Position 2.
> 4. Nebensatz vor Hauptsatz: Das Verb steht im Hauptsatz auf    ⓐ Position 1.    ⓑ Position 2.

b Warum möchten Sie nicht nach … fahren? Ergänzen Sie die Sätze. AB: C 5 ▸

1. Ich möchte nicht nach ............................ fahren, weil ............................ .

2. Weil ............................ , ............................

# Mobilität im globalen Dorf

## 1 Nomaden der Neuzeit

a   Sie lesen in einer Reisezeitschrift einen Zeitungskommentar mit dem Titel „Nomaden der Neuzeit".
Was haben die Fotos mit diesem Thema zu tun?

telc   b   Lesen Sie die Überschriften und den Kommentar. Entscheiden Sie, welche Überschriften zu den Textabschnitten 1–6
am besten passen. Notieren Sie. Vier Überschriften bleiben übrig. **AB: D1**

A. Verlust fester Strukturen

B. Nomadische Lebensweisen

C. Mobilität – das Modewort der heutigen Zeit

D. Arbeit macht mobil

E. Klagen über Entfremdung

F. Mobilität – die zentrale Forderung der Arbeitswelt

G. Gut für die Persönlichkeit

H. Pendler und Mobile

I. Die Nomaden von heute

J. Zunahme an Fernlieben

### Nomaden der Neuzeit

**1** D  *Arbeit macht mobil*

Die einen nehmen täglich lange Fahrzeiten zu ihrem Arbeitsplatz auf sich, die anderen sind im Job ständig auf Achse. Und dann gibt es noch diejenigen, die gleich an den Arbeitsort gezogen sind, weil er einfach zu weit entfernt ist. Viele von uns sind dauernd in Bewegung, wenn es um Job oder Ausbildung geht.

**2** ☐

Die Buchautorin Gundula Englisch bezeichnet uns daher als Jobnomaden, die durch die zivilisierte Wildnis ziehen – von Arbeitsplatz zu Arbeitsplatz, von Abenteuer zu Abenteuer. Wir sind die „Generation N": Denn wie die Tuwa-Nomaden in der Mongolei trainieren wir dabei nomadische Lebensweisen wie

„die Fähigkeit, immer wieder aufzubrechen, wenig Ballast mit sich zu nehmen, lockere Beziehungsnetze zu knüpfen, autark zu sein."

**3** ☐

Mobilität bedeutet Beweglichkeit und Flexibilität. Und diese beiden Eigenschaften werden immer häufiger als Persönlichkeitsmerkmale erwartet. Sie sind die zentralen Stichworte der heutigen Arbeitswelt und oft die Voraussetzung für beruflichen Erfolg. Die moderne Ökonomie verlangt nämlich, sich rasch auf Veränderungen einzustellen, nicht zu fest an Bestehendem festzuhalten und offen für neue Entwicklungen zu sein.

**4** ☐ .................................................

Und so gibt es Wochenendpendler mit einem zweiten Haushalt am Arbeitsort, Fernpendler mit täglichen langen Anfahrtswegen zur Arbeit, Umzugsmobile, die gleich zum Arbeitsort gezogen sind, und Varimobile, sprich Beschäftigte mit mobilen Berufen. Vor allem viele Studenten und Paare unter 30 führen deshalb eine Beziehung auf Distanz. Insgesamt ist jede sechste Beziehung (16 Prozent der bundesdeutschen Erwerbsfähigen) eine Fernliebe.

**5** ☐ .................................................

Das ewige Hin und Her bringt gewohnte Strukturen in Partnerschaft, Familie und öffentlichem Leben ganz schön durcheinander. Lebenspläne ändern sich viel schneller als zuvor. Verbindungen werden geschlossen und rasch wieder gelöst. Das hat Folgen. 67 Prozent aller Mobilen zwischen 20 und 49 Jahren, die der Soziologe Norbert Schneider in einer Studie befragte, klagen über lange, anstrengende Fahrten, den Verlust sozialer Kontakte, Zeitmangel, Entfremdung vom Partner bzw. von der Familie und finanzielle Belastungen. Das ist die eine Seite.

**6** ☐ .................................................

Auf der anderen Seite hat die Studie von Herrn Schneider ergeben, dass Mobilität die individuelle Autonomie stärkt und gut für die Persönlichkeitsentwicklung ist. Und dies wiegt teilweise die Probleme wieder auf.

Paul Breuer

c   Wird das Nomadentum der Neuzeit positiv (+) oder negativ (–) beurteilt? Welche Belege gibt es dafür im Text?

| positiv (+) | negativ (–) |
|---|---|
|  | *täglich lange Fahrzeiten zum Arbeitsplatz* |
|  |  |
|  |  |
|  |  |
|  |  |

d   Welche Vor- und Nachteile der modernen Mobilität fallen Ihnen selbst ein? Notieren Sie sie auf Kärtchen.

*Vorteil:*

*vieles ausprobieren*

*Nachteil:*

*zu lockere Beziehungen*

**telc**   e   Diskutieren Sie nun mit einem Partner / einer Partnerin über die Vor- und Nachteile des modernen Nomadentums. Verwenden Sie die Argumente aus dem Zeitungskommentar und Ihre eigenen aus 1d. Sprechen Sie über mögliche Lösungen. AB: D2 ▸

f   Haben Sie selbst Erfahrungen mit „Nomadentum" oder kennen Sie jemanden, der so lebt? Tauschen Sie sich in Gruppen aus und berichten Sie dann im Kurs. AB: D3 ▸

# Wenn einer eine Reise tut ...

## ① Eine nicht ganz einfache Dienstreise

 **a** Lesen Sie die Mail von Eva und notieren Sie den Ablauf der Dienstreise mithilfe der W-Fragen unten. AB: E1

---

Hallo Pia,

hab' mich lange nicht gemeldet – dafür heute länger: Inzwischen war ich 2 Wochen auf Dienstreise in Brasilien, denn ich sollte in Recife Interviews mit unseren Mitarbeitern und ihren Familien führen. (Ihre Erfahrungen sind uns wichtig, weil wir ein Vorbereitungsprogramm für den Auslandseinsatz planen.) Da ich noch nie in Südamerika war, habe ich mich natürlich total über diesen Auftrag gefreut. Aber als ich dann am 15. März im Zug nach Frankfurt Flughafen saß, hab' ich mir schon Gedanken gemacht: „Wie wird das alles laufen? Wirst du das schaffen? Du kannst doch nur ein paar Brocken Portugiesisch ..."
Auf einmal schreckte ich aus meinen Gedanken auf; der Zug bremste nämlich plötzlich sehr stark und blieb stehen. „Ein Unfall auf der Strecke", hieß es nach einer Viertelstunde und dann „es kann dauern". Wir standen und standen und langsam bekam ich Panik: „Mein Gott, mein Flug!!" Nach anderthalb Stunden ging es endlich weiter. Am Flughafen raste ich zum Info-Schalter. Eine Stewardess rief am Gate an, alle waren schon eingestiegen, aber sie wollten auf mich warten. Ich rannte los. Völlig fertig mit den Nerven kam ich am Gate an und stieg in allerletzter Minute ins Flugzeug. Uff! Glück im Unglück!
In Recife klappte dann alles Berufliche wunderbar, die Kollegen waren sehr nett und ich wurde überallhin eingeladen. Deshalb war ich total zufrieden. Am Samstagmorgen vor dem Heimflug am Abend wollte ich unbedingt noch auf den berühmten Markt von Caruaru gehen. Deswegen fuhr ich schon um halb sechs morgens mit dem Bus dorthin. (Die Stadt ist 135 km von Recife entfernt und der Bus fährt etwa 2 Stunden.) Eine Kollegin holte mich ab und wir bummelten über den tollen Markt. Um 14.30 wollte ich zurückfahren, weil mein Flug um 18.15 ging. Wir warteten längere Zeit am Busbahnhof, aber kein Bus kam. Es stellte sich heraus, dass der Bus wegen eines Defekts nicht fahren konnte und wir auf den nächsten Bus (um 17.00 Uhr!!) warten sollten. Der Horror!! Mein Flug ging um 18.15!! Was tun? Schließlich hatte meine Kollegin eine Idee: „Es gibt einen Typen, Hans, der hat ein kleines Privatflugzeug, der macht schon mal Sonderflüge – meistens ist er unterwegs, aber vielleicht ist er zufällig noch da."
Wir fuhren mit einem klapprigen Taxi zu einem kleinen Flugplatz. Dort sahen wir ein kleines Gebäude und klopften. Hans, ein junger Deutscher, blondes schulterlanges Haar, sonnengebräunt, in einen langen Wickelrock gekleidet, kam langsam heraus. Ich schilderte ihm mein Problem und hatte Glück. Zuerst klärte er mich über seine Bekleidung auf: „Ich habe mir beide Beine mit kochendem Teewasser verbrannt und kann keine Hose tragen. Ich muss nach Recife in die Klinik. Sie können gern mitfliegen! Übrigens, ich heiße nicht Hans, sondern Heiner, aber da ich Deutscher bin, nennen mich alle ‚Senhor Hans'."
Wir hoben ab, das winzige Flugzeug kam mir sehr instabil vor. Es schaukelte ziemlich heftig hin und her, auf und ab, und manchmal sah man wegen der dicken Wolken gar nichts. Dann wieder konnte man die herrliche Sicht über das Land genießen. Als wir sicher in Recife gelandet waren, war ich aber doch sehr froh.

Wenn wir uns wiedersehen, erzähle ich dir mehr und zeig' dir Fotos. Was machst du und wie geht's dir?
Liebe Grüße von Eva

---

| Wer? / Was? | Wann? | Was? / Wo(hin)? | Warum? |
|---|---|---|---|
| Eva | 15. März | Dienstreise / Brasilien | Interviews |
| Zug | ... | ... | ... |

**b** Fassen Sie mithilfe Ihrer Notizen den Text kurz zusammen und tragen Sie ihn einem Partner / einer Partnerin vor. Sie können im Perfekt erzählen.

## ○ G 3.4 ② Sprache im Mittelpunkt: Gründe im Haupt- und im Nebensatz

a   Lesen Sie folgende Sätze aus der Mail in 1a und markieren Sie jeweils den Satz bzw. Satzteil, in dem der Grund steht.

1. Ich war auf Dienstreise in Brasilien, denn ich sollte Interviews mit unseren Mitarbeitern führen.
2. Ich schreckte aus meinen Gedanken auf; der Zug bremste nämlich plötzlich sehr stark.
3. In Recife klappte alles wunderbar. Deshalb war ich sehr zufrieden.
4. Um 14.30 wollte ich zurückfahren, weil mein Flug um 18.15 ging.
5. Da ich Deutscher bin, nennen mich alle „Senhor Hans".
6. Manchmal sah man wegen der dicken Wolken gar nichts.

b   Schreiben Sie die Sätze in 2a in die Tabelle. AB: E2a–b ▸

| 1. Hauptsatz | 2. Hauptsatz = Grund |
|---|---|
| 1. Ich war auf Dienstreise in Brasilien, | denn ich sollte Interviews mit unseren Mitarbeitern führen. |
| 2. | |
| **1. Hauptsatz = Grund** | **2. Hauptsatz** |
| 3. | |
| **Hauptsatz** | **Nebensatz = Grund** |
| 4. | |
| **Nebensatz = Grund** | **Hauptsatz** |
| 5. | |
| **Satz mit Präposition** | |
| 6. | |

c   Markieren Sie in den Sätzen in 2b die Konnektoren und die konjugierten Verben und ergänzen Sie die Regeln. AB: E2c–e ▸

1. Hauptsätze mit „denn" geben einen Grund an; „denn" steht im .............. Hauptsatz auf Position Null.

2. Hauptsätze mit „nämlich" geben einen Grund an; „nämlich" steht im .............. Hauptsatz. Es steht nie auf Position 1, sondern meist nach dem Verb oder weiter hinten im Mittelfeld.

3. „deshalb / deswegen / darum / daher" stehen im .............. Hauptsatz, nach dem Hauptsatz, in dem der Grund steht. „deshalb / deswegen / darum / daher" können auf Position 1, nach dem Verb oder weiter hinten im Mittelfeld stehen.

4. Nebensätze mit „weil" und „da" geben einen Grund an. Sie können vor oder .............. einem Hauptsatz stehen. Nebensätze mit „da" stehen meist vor dem Hauptsatz.

d   Verbinden Sie die zwei Sätze mit den Konnektoren und der Präposition aus 2a. AB: E3 ▸

Es gab einen Unfall auf der Strecke. Der Zug konnte nicht weiterfahren.

*Der Zug konnte nicht weiterfahren, denn es gab einen Unfall auf der Strecke.*

.......................................................................................................................

## ③ Eine Reise, die ich einmal gemacht habe

Notieren Sie Stichworte und halten Sie im Kurs einen kleinen Vortrag über eine Reise. Was ist alles passiert?
Was hat Ihnen besonders gut, was gar nicht gefallen? Warum? AB: E4 ▸

# Arbeiten, wo andere Urlaub machen

## 1 Am Strand

Was haben diese Fotos mit Arbeit zu tun? Sprechen Sie im Kurs.

## 2 „Klopf, klopf, liebes Pärchen!"

**a** Was glauben Sie, worum wird es in einem Interview mit dem Titel „Klopf, klopf, liebes Pärchen!" gehen? Versuchen Sie, die Fragen zu beantworten.

Waltraud Jahnke, 65, lebt in Prerow auf der Halbinsel Fischland-Darß-Zingst. Nach der Wiedervereinigung haben sie und ihr Mann sich mit einem Strandkorbverleih selbstständig gemacht. Eine Journalistin hat Frau Jahnke interviewt und folgende Fragen gestellt:

1. Wie sind Sie eigentlich auf diese Geschäftsidee gekommen?
2. Strandkörbe – sind die typisch deutsch? Wie sind die eigentlich entstanden?
3. Gibt es manchmal Probleme mit dem Vermieten?

LB ① 4 **b** Hören Sie das Interview und vergleichen Sie es mit Ihren Antworten in 2a.

ⓟ telc **c** Hören Sie nun das Interview in 2a noch einmal und entscheiden Sie, ob die Aussagen richtig (r) oder falsch (f) sind. **AB: F1–2** ▶

1. Die Jahnkes haben mit 35 Strandkörben angefangen.    r f
2. Vor der Wiedervereinigung hat Frau Jahnke bei der Kurverwaltung gearbeitet.    r f
3. Der erste Strandkorb ist um 1880 hergestellt worden.    r f
4. Die Strandkörbe sind aus Holz.    r f
5. Frau Jahnke hat Stammgäste.    r f
6. Frau Jahnke sitzt gern in einem Strandkorb und arbeitet.    r f
7. Es gibt Kunden, mit denen Frau Jahnke Streit hat.    r f
8. Frau Jahnke spricht von sich aus keine Kunden an.    r f

**d** Was halten Sie von der Geschäftsidee der Jahnkes? Bilden Sie zwei Gruppen und sammeln Sie Argumente dafür und dagegen. Versuchen Sie, die anderen von Ihrer Meinung zu überzeugen!

> + Strandkorbverleih
>
> Arbeit an frischer Luft

> – Strandkorbverleih
>
> nur Saisongeschäft

## 3 Ein mysteriöses Geräusch – eine Fortsetzungsgeschichte

a   Bilden Sie Gruppen. Jede Gruppe liest den Anfang der folgenden Geschichte und schreibt sie dann
fünf Minuten lang weiter.

> Endlich Ferien. Wir waren zu viert mit Fahrrädern und Zelten unterwegs und entschlossen uns, schon
> spät am Abend, auf einer ruhigen Wiese an einem kleinen Fluss zu zelten. Bis wir alles aufgebaut
> hatten, war es dunkel geworden. Wir zündeten ein Lagerfeuer an. Es war richtig romantisch: das flackernde
> Feuer, ein sternenklarer Himmel, Vogelstimmen … Wir redeten nicht viel, weil wir von der langen Fahrt mit
> schwerem Gepäck ziemlich müde waren, und gingen bald schlafen. Ich versuchte einzuschlafen, aber das
> war gar nicht so einfach – es war so still und gleichzeitig hörte man viele Geräusche: Es raschelte und piepte,
> dann herrschte wieder tiefe Stille und plötzlich – da war etwas, ein mysteriöses Geräusch hinter meinem Zelt:
> Es klang irgendwie maschinell, ein merkwürdiges Klopfen. Ich bekam eine Gänsehaut …

b   Tauschen Sie nun Ihre Geschichte mit der einer anderen Gruppe, die wiederum fünf Minuten lang die Geschichte
weiterschreibt. Tauschen Sie dann Ihre Geschichte noch einmal und verfassen Sie einen Schluss.

c   Vergleichen Sie Ihre Geschichten im Kurs. Welche Geschichte ist die spannendste?

## 4 Reise durchs Alphabet: Buchstabenrätsel

Bilden Sie aus den neun Buchstaben rechts deutsche Wörter.
Bedingung: Der blau unterlegte Buchstabe muss immer enthalten sein.
Jeder Buchstabe darf nur so oft verwendet werden, wie er im Schema
vorkommt.
Jeder Buchstabe zählt einen Punkt (ö = oe). Für ein Wort mit allen neun
Buchstaben gibt es zwanzig Punkte extra.

| O | I | F |
|---|---|---|
| R | E | R |
| E | N | T |

**Lösungsbeispiele:** Ei, ein

**Wertung:**

| | |
|---|---|
| über 100 Punkte: | ausgezeichnet |
| 85 – 100 Punkte: | sehr gut |
| 60 – 84 Punkte: | gut |

## 5 Vom Reisen und Bleiben

a   Lesen Sie das Gedicht von Peter Reik und sprechen
Sie im Kurs. In welcher Situation spricht der Autor?
Was könnte die letzte Strophe bedeuten?
Worum geht es in dem Gedicht?

b   Schreiben Sie ein eigenes Gedicht.
Orientieren Sie sich an der Gedichtform in 5 a.

Immer ein …

*Immer eine*
*Handvoll*
*Erde fremder Länder*

*Immer eine*
*Nase voll*
*Luft fremder Städte*

*Immer einen*
*Mund voll*
*Sprache fremder Menschen*

*Immer ein*
*Auge voll*
*Licht fremder Sonnen*

*Immer eine*
*Hoffnung voll*
*Traum eigenen Lebens*

(Peter Reik, * 1955)

# Einfach schön

## 1 Wer oder was ist schön?

a Wählen Sie ein Foto aus. Was verbinden Sie mit diesem Foto? Empfinden Sie die dargestellte Person als schön? Warum? / Warum nicht? Sprechen Sie mit einem Partner / einer Partnerin.

b Was macht etwas oder jemanden Ihrer Meinung nach „schön"? Sprechen Sie im Kurs.

## 2 Zitate und Sprüche zum Thema Schönheit

LB ❶
5–10

a Fügen Sie die Zitate und Sprüche richtig zusammen. Hören Sie sich danach zur Kontrolle die Lösung an. AB: A1

1. Alles, .................................................................................................................................................................... .

2. Schönheit ............................................................................................................................................................. .

3. Schönheit ist, ....................................................................................................................................................... .

4. Schönheit liegt ..................................................................................................................................................... .

5. Schönheit ist ........................................................................................................................................................ .

6. Wer ...................................................................................................................................................................... .

| | | |
|---|---|---|
| bedeutet Selbstbewusstsein, nach dem wir streben sollten. | was man mit Liebe betrachtet, ist schön. | schön sein will, muss leiden. |

| | | |
|---|---|---|
| was von der Natur abweicht. | im Auge des Betrachters. | nach drei Tagen genauso langweilig wie Tugend. |

b   Welche der Aussagen in 2a beschreibt für Sie Schönheit am besten? Warum?

c   Schreiben Sie in „Zitat-Form" auf, was für Sie Schönheit darstellt. Hängen Sie dann alle Papiere im Kursraum auf,
    gehen Sie herum und lesen Sie die „Zitate" der anderen.

Schönheit ist …        „Schön" bedeutet für mich, …        … ist schön, wenn …

## ③ Schönheitswettbewerb

a   Bilden Sie mehrere Gruppen. Sammeln Sie drei Minuten lang Wörter und Ausdrücke aus dem Wortfeld „schön".
    Welche Gruppe findet die meisten?

b   Ordnen Sie die Wörter in die Tabelle ein.  AB: A2 ▸

> mittelmäßig | fürchterlich | hübsch | großartig | hässlich | eigenartig | grandios | toll | durchschnittlich |
> wunderschön | furchtbar | umwerfend | akzeptabel | fantastisch | nicht schlecht | hervorragend | perfekt |
> schlimm | beeindruckend | normal

| positiv / sehr positiv | eher neutral | negativ / sehr negativ |
|---|---|---|
| hübsch, | mittelmäßig, | fürchterlich, |

## ④ Mir ist wichtig …

a   Lesen Sie die folgende Einleitung eines Fragebogens zum Selbsttest. Welche Fragen erwarten Sie?

### Ist dir dein Aussehen wichtig?

★ Wie wichtig sind dir dein Aussehen und die Attraktivität deiner Mitmenschen?
★ Wolltest du schon immer wissen, wie du im Grunde deines Herzens auf andere Personen wirken willst?
★ Dann teste dich hier!

b   Testen Sie sich nun mit dem Fragebogen im Arbeitsbuch. Welcher Typ sind Sie?  AB: A3 ▸

c   Sprechen Sie in Gruppen über Ihre Ergebnisse beim Fragebogentest: Haben Sie dieses Ergebnis erwartet?

> Die meisten meiner Antworten gehörten zu Typ … | Was mich überrascht hat, war … |
> Ich denke, dass solche Tests (nicht) sinnvoll sind, denn … | Ich kann mir nicht vorstellen, dass …

# Schön leicht?

## 1 Macht Schönheit das Leben leichter?

In welchen Situationen könnten es schöne Menschen leichter haben? Wie könnte sich das zeigen?
Diskutieren Sie mit einem Partner / einer Partnerin.

☐ im Beruf?   ☐ bei der Partnerwahl?   ☐ in der Schule?   ☐ bei Schwierigkeiten?   ☐ …

> Vielleicht …  |  Möglicherweise …  |  Wahrscheinlich …  |  … wohl …  |  Es könnte sein, dass …  |  Schöne könnten …

## 2 Die Macht der Schönheit

a   Lesen Sie auf der nächsten Seite einen Kommentar aus dem Magazin „scinexx" und vergleichen Sie seine Aussagen mit Ihren Vermutungen in 1. `AB: B1–3`

telc  b   Welche Überschrift passt am besten zu welchem Textabschnitt (1–4) im Kommentar? Notieren Sie.
Zwei Überschriften passen nicht.

☐ A. Finanzielle und andere Vorteile       ☐ D. Kampf um Chancengleichheit bei Bewerbungsverfahren

☐ B. Probleme unattraktiver Menschen       ☐ E. Prägung durch Vorurteile

☐ C. Beurteilung schöner Menschen          ☐ F. Alltagsgesicht – schönes Gesicht?

c   Markieren Sie nun im Artikel alle Informationen, die sich auf die passenden Überschriften in 2b beziehen.

d   Lesen Sie den Kommentar auf der nächsten Seite noch einmal. Was ist die Hauptaussage jedes Abschnitts? Notieren Sie.

e   Fassen Sie nun den Kommentar mithilfe Ihrer Notizen in 2d und des folgenden Textgerüsts zusammen.

Die Hauptaussage des Kommentars „Die Macht der Schönheit" ist, dass ......................................................

..........................................................................................................................................................................

Denn ................................................................................................................................................................

Als Beispiele nennt die Autorin u. a., dass ................................................................................................

.......................................................................................................................................................... und dass

..........................................................................................................................................................................

Die Autorin schließt daraus, dass ..............................................................................................................

f   Sammeln Sie die Adjektive im Kommentar auf der nächsten Seite, die sich auf gutes Aussehen und positive
Eigenschaften beziehen. `AB: B4a–b`

| Gutes Aussehen | Positive Eigenschaften |
|---|---|
|  |  |
|  |  |
|  |  |

g   Suchen Sie Synonyme im Wörterbuch und ergänzen Sie die Liste in 2f. `AB: B4c`

telc  h   Diskutieren Sie mit einem Partner / einer Partnerin über den Kommentar. Äußern Sie Ihre Meinung und berichten Sie von
eigenen Erfahrungen. Sehen Sie Lösungen für das Problem?

# Die Macht der Schönheit

## Das Schöne ist das Wahre, ist das Gute

**1** Werden Sie oft mit anderen Leuten verwechselt? Hören Sie den Spruch „Sie kommen mir irgendwie bekannt vor" fast täglich? Kurz: Sie sehen vollkommen durchschnittlich aus? Gut für Sie, denn
5 zahlreiche Forschungsergebnisse weisen darauf hin, dass durchschnittliche Gesichter von den meisten Menschen als attraktiv bewertet werden. Doch egal, ob Sie durchschnittlich schön sind oder umwerfend aussehen, Tatsache ist: Schöne haben es leichter im
10 Leben. Das ist zwar nicht gerade fair, bestätigt sich aber immer wieder.

**2** Schöne Menschen sind im Allgemeinen beliebter bei ihren Mitmenschen und es werden ihnen
15 automatisch positive Charaktereigenschaften zugesprochen. So werden gut aussehende Menschen in der Regel als erfolgreicher, intelligenter, glaubwürdiger, geselliger, kreativer und fleißiger eingeschätzt; unattraktive Menschen gelten viel eher als
20 faul, fantasielos und langweilig.

**3** Doch damit nicht genug: Sogar vor Gericht werden gut aussehende Menschen manchmal milder beurteilt. Und in der Schule erhalten gut aussehende Kinder oft bessere Noten und hübsche Abschreiber werden weniger hart bestraft als schlechter aus- 25 sehende Kinder. Attraktive Frauen heiraten häufiger reiche und gebildetere Männer und haben im Falle einer Autopanne mehr Chancen auf Hilfe. Kurz: Schöne haben überall Vorteile. Und dies gilt auch für das Berufsleben: Männliche Beaus haben ein etwa 30 fünf Prozent höheres Gehalt als ihre Kollegen mit den uninteressanten Gesichtern, gut aussehende Frauen verdienen immerhin noch vier Prozent mehr, haben dafür aber weniger Chancen auf Führungspositionen – vermutlich wird ihnen weniger Härte zugetraut. Um 35 die Chancengleichheit bei der Bewerbung zu erhöhen, ist es deshalb in den USA inzwischen eher unüblich, ein Bewerbungsfoto beizulegen.

**4** Anscheinend beurteilen wir instinktiv Schönes 40 als besser oder wertvoller. Diese Einschätzung führt zu unterschiedlichen Verhaltensweisen gegenüber attraktiven und unattraktiven Menschen: Zu schönen Menschen sind wir netter, zu hässlichen unfreundlicher. Hierfür gibt es aber keinen rationalen 45 Grund. In Wirklichkeit bestätigen wir nur unsere eigenen Vorurteile. Und das war bereits in der Antike so. Denn schon bei den alten Griechen galt: Wer schön ist, ist auch gut.

*Kerstin Fels*

# 2 C Schönheitskult

## 1 Schönheitskult – Weg zum Glück?

LB (1) 11  **a** Hören Sie Teil 1 eines Interviews mit der Psychologin Frau Bauer. Welche Antworten sind richtig: a oder b? Kreuzen Sie an.

1. Was versteht Frau Bauer unter Schönheit?
   - a  Sie sagt, dass man Schönheit nur schwer definieren kann.
   - b  Sie versteht unter Schönheit das Aussehen von Fernsehstars.

2. Was sagt Frau Bauer zum Thema „Schönheitskult"?
   - a  Sie findet es normal, dass die Menschen schöner sein wollen.
   - b  Sie betrachtet den Trend, schöner aussehen zu wollen, kritisch.

3. Wie beantwortet Frau Bauer die Frage, ob Schönheit glücklicher macht?
   - a  Positiv, weil schöne Menschen weniger Probleme haben.
   - b  Negativ, weil man mit schönem Aussehen zu viele Hoffnungen verbindet.

4. Warum streben wir nach der Meinung von Frau Bauer überhaupt nach Schönheit?
   - a  Weil schöne Menschen ein höheres Ansehen in der Gesellschaft haben.
   - b  Weil wir gerne den Vorbildern in den Medien folgen.

LB (1) 12  **b** Hören Sie Teil 2 des Interviews mit Frau Bauer und beantworten Sie die Fragen in Stichworten.

1. Wie können wir uns vom Schönheitsideal des perfekten Menschen lösen?
2. Welche Folge hat es, wenn man die Vorzüge des eigenen Körpers betont?
3. Welche Konsequenz hat es, wenn man sich zu sehr mit attraktiveren Menschen vergleicht?
4. Welchen Ratschlag gibt Frau Bauer den Zuhörern am Ende?

**c** Hören Sie Teil 2 des Interviews noch einmal. Welche der folgenden Redemittel verwendet die Psychologin, um einen Ratschlag zu geben? Kreuzen Sie an.

- 1. Ich kann Ihnen / dir / jedem nur raten, … zu + Inf.
- 2. Ich kann Ihnen / dir nur den Rat geben, … zu + Inf.
- 3. Man sollte / kann darauf achten, … zu + Inf.
- 4. Man sollte … + Inf.
- 5. Mein Tipp wäre, … zu + Inf.
- 6. Ich kann Ihnen / dir / jedem nur empfehlen, … zu + Inf.
- 7. Ich würde vorschlagen, … zu + Inf.
- 8. Ich möchte Sie / dich / jeden dazu ermutigen, … zu + Inf.

G 3.18  ## 2 Sprache im Mittelpunkt: Der Infinitivsatz

**a** Lesen Sie folgende Sätze aus dem Interview in 1a und 1b und markieren Sie jeweils den Infinitivsatz.

1. Ich kann nur jedem empfehlen, sich nicht zu stark mit anderen zu vergleichen.
2. Ich kann jedem nur raten, die Vorzüge des eigenen Körpers hervorzuheben.
3. Viele Menschen sind von der Idee fast besessen, schöner und perfekter aussehen zu müssen.
4. Und so hoffen wir, mehr gemocht zu werden.
5. Ich möchte jeden dazu ermutigen, sich freundlicher zu betrachten.
6. Sich zu stark mit anderen zu vergleichen, macht eher unglücklich.

b   Lesen Sie die Sätze in 2a noch einmal und kreuzen Sie in den Regeln an. `AB: C1`

> 1. Der Infinitivsatz steht meist     **a** vor     **b** nach   dem Hauptsatz.
> 2. In Infinitivsätzen wird das Subjekt     **a** genannt.     **b** nicht genannt.
> 3. In Infinitivsätzen mit Modalverb steht „zu"   **a** zwischen Vollverb und Modalverb.
>                                                   **b** vor dem Vollverb.
> 4. In Infinitivsätzen im Passiv steht „zu"   **a** vor dem Partizip Perfekt des Vollverbs.
>                                              **b** zwischen dem Partizip Perfekt des Vollverbs und „werden".
> 5. Infinitivsätze   **a** können     mit einem Präpositionaladverb (darauf, dazu , …) eingeleitet werden.
>                      **b** können nicht

c   Vergleichen Sie folgende Sätze und ergänzen Sie die Regeln.

1. Ich kann jedem nur raten, sich nicht mit Fernsehstars zu vergleichen.
2. Vielen Menschen ist es sehr wichtig, attraktiv zu sein.
3. Im ersten Moment waren sie oft sehr zufrieden, eine Diät gemacht zu haben.
4. Sie bestätigen mir aber fast alle, anschließend in ihrem Leben nicht glücklicher gewesen zu sein.

> 1a. Hier finden die Geschehen im Infinitivsatz und im Hauptsatz gleichzeitig statt.
>
>     → Sätze: ...................................................
>
>   b. Wenn die Geschehen gleichzeitig stattfinden, verwendet man den Infinitiv Präsens. Den bildet man so:
>
>     „zu" + ................................................... vom Vollverb.
>
> 2a. Hier findet das Geschehen im Infinitivsatz vor dem Geschehen im Hauptsatz statt.
>
>     → Sätze: ...................................................
>
>   b. Wenn das Geschehen im Infinitivsatz vorher stattfindet, verwendet man den Infinitiv Perfekt. Den bildet man so:
>
>     Partizip Perfekt + „zu" + ................................................... vom Hilfsverb „haben" oder „sein".

d   Finden die Geschehen / die Handlungen im Haupt- und Infinitivsatz gleichzeitig (g) statt oder findet das Geschehen im Infinitivsatz vorher (v) statt? Kreuzen Sie an. `AB: C2`

1. Vielen jungen Frauen ist es sehr wichtig, schlank und attraktiv zu sein.      **g** **v**
2. Als ich jung war, war es mir auch sehr wichtig, schlank und attraktiv zu sein.      **g** **v**
3. Mir war es immer wichtig, mehr abgenommen zu haben als meine beste Freundin.      **g** **v**
4. Heute ärgere ich mich, früher so viele Diäten gemacht zu haben.      **g** **v**

e   Ergänzen Sie die Satzanfänge mit Infinitivsätzen in der Gegenwart und Vergangenheit.

> Ich habe (keine) Lust, … | Ich erinnere mich, … | Ich hatte nie die Möglichkeit, … |
> Ich finde / fand es leicht / schwierig, … | Ich denke oft daran, … | Ich bin froh / traurig, … |
> Es ist gut / schlecht / wichtig, … | Ich hatte immer den Wunsch, …

## ❸ Schönheitskult: Gründe, Folgen – Auswege?

Arbeiten Sie in Gruppen. Jede Gruppe behandelt eine der folgenden Fragen. Stellen Sie dann Ihre Ergebnisse im Kurs vor und tauschen Sie sich aus.

• Viele Menschen meinen, unbedingt schöner und perfekter aussehen zu müssen. Welche Gründe könnte es dafür geben?
• Das Aussehen ist überhaupt nicht wichtig, es kommt nur auf den Charakter des Menschen an. Wie sehen Sie das?
• „Ich würde für meine Schönheit alles tun!" Wie beurteilen Sie diese Aussage?

# Schöne Diskussionen

**1** **Schön und gut, aber …**

Lesen Sie die folgenden Beiträge in einem Internet-Forum. Welche Aussage trifft für welche Beiträge zu? Manchmal sind mehrere Antworten möglich. Kreuzen Sie an und notieren Sie die Textstellen.

1.  ☐ 2beautee
    ☐ tobie        … hält sich selbst für gut aussehend.            ........................
    ☐ hella5                                                          ........................

2.  ☐ 2beautee
    ☐ tobie        … hält wenig vom Versuch, sich schöner zu machen. ........................
    ☐ hella5                                                          ........................

3.  ☐ 2beautee
    ☐ tobie        … ist der Meinung, dass es schöne Menschen leichter haben. ........................
    ☐ hella5                                                          ........................

4.  ☐ 2beautee
    ☐ tobie        … macht soziale Umstände für diese Entwicklung verantwortlich. ........................
    ☐ hella5                                                          ........................

5.  ☐ 2beautee
    ☐ tobie        … glaubt, dass Schönheit zu wichtig genommen wird. ........................
    ☐ hella5                                                          ........................

**2beautee** | 28.11., 12:10
Es stimmt sicher, dass „schöne Menschen" bevorzugt behandelt werden. Ich will mich jetzt nicht hervorheben, aber ich erlebe das „hautnah" …
Für mich hat Schönheit überhaupt NICHTS mit Charakter oder inneren Werten zu tun!!!
Es ist nur der erste Eindruck von einer Person, den man eben bekommt. Das äußere Erscheinungsbild sagt nicht alles aus. Schönh. sollte man nicht überbewerten.
Auch wenn es vermutlich Wichtigeres im Leben gibt, als nur auf äußere Schönh. zu achten –
es scheint, dass Schönheit DAS Thema unserer Zeit wird. Traurig, aber wahr …

**2beautee**
Beiträge: 7

**tobie** | 28.11., 14:27
Klare Sache. Es liegt sicher nicht nur daran, dass manche schöne Menschen in ihrer Kindheit bevorzugt wurden, denn das glaube ich eher weniger. Eine liebende Mutter wird ihr Kind wohl immer lieben, egal, wie es aussieht. Aber die Gesellschaft hat sehr viel Einfluss darauf. Denn jeder möchte lieber mit einem hübschen Menschen befreundet sein, da der meist viele Leute kennt, und man will ja gut dastehen. Und es gibt keinen Zweifel daran, dass ein hübscher Mensch anziehender wirkt als ein „Durchschnittsbürger". Man kann nur hoffen, dass man gut aussieht auf dieser Welt. ;-)

**tobie**
Beiträge: 2

**hella5 | 28.11., 14:45**

Ich möchte aber nicht wissen, wie viele „Schönheiten" echt sind??? Z. B. die Superstars in Hollywood. Ich bin mir 100 % sicher, dass viele Stars ohne die eine oder andere Schönheits-OP nicht so berühmt wären. Aber persönlich halte ich absolut nichts davon, sich unters Messer zu legen, auch Make-up trag ich selten. Ich kenne eine, die ständig geschminkt ist, man kennt sie gar nicht anders, einmal abgeschminkt und es ist ein ganz anderes Gesicht. Man kann soooooo viel verstecken mit Make-up. Ich hoffe, dass die Menschheit zur Vernunft kommt und endlich wieder mehr als nur Schönheit zählt.

**hella5**
Beiträge: 5

## ② Vermutung oder Überzeugung?

Geben Sie den folgenden Aussagen aus den Beiträgen eine andere Bedeutung. Drücken Sie entweder eine Vermutung oder eine Überzeugung aus. `AB: D1–2`

> **Vermutungen ausdrücken:** ich nehme an | vermutlich | es könnte sein | unter Umständen
> **Überzeugungen ausdrücken:** zweifellos | auf jeden Fall | ohne Zweifel | es steht außer Frage

| Vermutungen ausdrücken | Überzeugungen ausdrücken |
|---|---|
| *Es könnte sein, dass „schöne Menschen" bevorzugt behandelt werden.* | Es stimmt sicher, dass „schöne Menschen" bevorzugt behandelt werden. |
| | Für mich hat Schönheit überhaupt NICHTS mit Charakter oder inneren Werten zu tun!!! |
| Auch wenn es vermutlich Wichtigeres im Leben gibt, als nur auf äußere Schönheit zu achten. | |
| Es scheint, dass Schönheit DAS Thema unserer Zeit wird. | |
| Eine liebende Mutter wird ihr Kind wohl immer lieben, egal, wie es aussieht. | |
| | Und es gibt keinen Zweifel daran, dass ein hübscher Mensch anziehender wirkt als ein „Durchschnittsbürger". |
| | Ich bin mir 100 % sicher, dass viele Stars ohne die eine oder andere Schönheits-OP nicht so berühmt wären. |

## ③ Ganz schön deutsch: Diskussionen

Diskutieren Sie mit Ihrem Kurs wie in einem Internet-Forum. `AB: D3`

- Schreiben Sie einen Forumsbeitrag zum Thema „Schönheit" auf ein Blatt Papier.
- Hängen Sie alle Papiere im Unterrichtsraum auf und lesen Sie die Beiträge der anderen durch.
- Schreiben Sie Kommentare zu den interessantesten Beiträgen auf Zettel und hängen Sie diese zu dem entsprechenden Papier.
- Falls Sie die Möglichkeit dazu haben, können Sie diese Aktivität natürlich auch online in einem echten Internet-Forum durchführen.

# Was ist schön?

## 1 Schönheitsideale

a Lesen Sie den Zeitungskommentar aus einer Frauenzeitschrift und markieren Sie, was über die Schönheitsideale der verschiedenen Kulturen gesagt wird. AB: E1–2 ▸

### Schönheitsideale

*Was als schön betrachtet wird, ist nicht überall und für immer gleich. Aber eins gilt immer: Schön ist, was nicht alle haben. Da ist manchmal jedes Hilfsmittel recht.*

Schön ist also, was nicht jeder hat, was man nur schwer erreichen kann. Schönheit steht nämlich auch für Wohlstand und Erfolg. So galten in Europa in früheren Jahrhunderten die Frauen als schön, die eher
5 üppige Rundungen hatten, weil dies u. a. ein Hinweis darauf war, dass man es sich leisten konnte, reichlich zu speisen. Ähnlich gilt es auch heute noch in manchen weniger wohlhabenden Ländern als schön, eher kräftig gebaut zu sein.
10
In den reichen Industrienationen aber, wo jeder genug zu essen hat, bedeutet Schlanksein heute, dass man erfolgreich, sportlich und dynamisch ist. Dicke Leute haben deshalb oft wesentlich schlechtere Karriere-
15 chancen, weil sie als undiszipliniert und weniger belastbar gelten.

Auch die Frage, welchen Hautton man als attraktiv empfindet, sagt viel über den Wunsch aus, sich als
20 Teil einer privilegierten Gesellschaftsschicht darzustellen. In Regionen, in denen die Einwohner von Natur aus eher eine dunkle Hautfarbe haben, gilt oft eine helle Hautfarbe als schön und erstrebenswert. Deshalb tragen viele Asiatinnen immer eine Kopf-
25 bedeckung oder haben einen Sonnenschirm dabei. Und zahlreiche Frauen in Asien und Afrika verwenden Cremes zur Hautaufhellung. Denn wer blass ist, hat es nicht nötig, auf dem Feld zu arbeiten. Wer blass ist, ist also vornehm, ist reich, hat es geschafft.
30
Ganz anders in den westlichen Kulturen: Wer braun ist, gilt als attraktiv, weil er es sich leisten kann, stundenlang in der Sonne zu liegen, statt im Büro zu sitzen; weil er das Geld hat, im Winter Urlaub auf den Seychellen zu machen, während die anderen daheim
35 frieren und immer blasser werden. Braun sein ist sexy, weil es für die Welt außerhalb des ungeliebten Büros steht, für Sonne, Strand und Meer, für Lebensfreude, Freiheit und Jugend.
40
Wie abhängig das jeweilige Schönheitsbild von den gesellschaftlichen Verhältnissen ist, zeigt auch ein Beispiel aus Lateinamerika. Lange Zeit galt es in Brasilien als schön, eine kleine Oberweite zu haben. So wollte man sich in der weißen Oberschicht vom
45 Rest der Bevölkerung abheben. In den USA war – und ist – es genau umgekehrt. Und wer nicht die gewünschte Figur hat, aber über das nötige Kleingeld verfügt, der kann sich die passende Figur für den Bikini einfach kaufen. Inzwischen folgen übrigens auch
50 viele Brasilianerinnen diesem Trend, ihrer „Wunschfigur" nachzuhelfen, und lassen sich daher operieren.

Sie folgen damit einem Trend, der inzwischen in vielen Kulturen sichtbar ist: Die Schönheitsideale Europas
55 und Nordamerikas werden immer mehr zum Maßstab. Denn noch immer steht die westliche Gesellschaft für Wohlstand und Fortschritt; daher erscheint auch ihr Schönheitsbild vielen als erstrebenswert. In Asien zum Beispiel sind westliche, also große und
60 runde Augen in Mode, sodass sich viele Asiaten die Augen operieren lassen. Und Afrikaner wiederum lassen sich ihre Haare glätten. Aber trotz dieser momentanen Orientierung nach Westen bleiben viele kulturbedingte Schönheitsideale erhalten. Und wer
65 weiß, an welchen Schönheitsidealen sich der Westen morgen orientieren wird.

Ina Lau

b Sammeln Sie, was in Ihrer Heimat als schön gilt bzw. galt, und vergleichen Sie die Ergebnisse im Kurs. Wo gibt es Unterschiede, wo Parallelen? AB: E3 ▸

c Was meinen Sie: Wird sich die Welt auch weiterhin an dem westlichen Schönheitsideal orientieren oder werden die Schönheitsideale anderer Kulturen in den Vordergrund treten? Sprechen Sie im Kurs.

## G 2.3 **2** Sprache im Mittelpunkt: Angaben im Mittelfeld und am Satzanfang

a   Ordnen Sie die Angaben aus dem Schüttelkasten in die Tabelle ein.

> auf dem Operationstisch | vermutlich | durch die Operation ausgelöst | später | wegen des Charakters |
> selten | nach Hollywood | sicherlich | aufgrund ihrer Schönheit | in der Kindheit | im Internet |
> mit einem hübschen Menschen | heutzutage

| temporal: wann? (Zeitangaben) | kausal: warum? (Kausalangaben) | modal: wie? mit wem? (Modalangaben) | lokal: wo? wohin? woher? (Ortsangaben) |
|---|---|---|---|
| später, | durch die Operation ausgelöst, | vermutlich, | auf dem Operationstisch, |

b   Bestimmen Sie in folgenden Sätzen, welche der markierten Angaben temporal (te), kausal (ka), modal (mo) oder lokal (lo) sind.

1. Maria hat sich (a) letztes Jahr (b) beim Schönheitschirurgen operieren lassen.

2. (a) Vor der Operation hatte sie sich eigentlich gar keine Sorgen gemacht.

3. Sie musste aber (a) nach der Operation (b) wegen ihrer Schmerzen noch (c) intensiv (d) im Krankenhaus betreut werden.

4. (a) Seither geht sie nur noch (b) ungern (c) zum Arzt.

5. (a) Vermutlich haben die Schmerzen sie traumatisiert.

6. (a) In einem Internet-Forum hat sie Tipps gegen ihre Ängste bekommen.

1. a = _te_   b = ........            4. a = ........   b = ........   c = ........

2. a = ........                       5. a = ........

3. a = ........   b = ........   c = ........   d = ........   6. a = ........

c   Die Stellung der Angaben im Satz ist zwar frei, aber es gibt ein paar Tendenzen, besonders im Mittelfeld. Lesen Sie noch einmal die Sätze in 2b und kreuzen Sie dann die richtige Lösung an. `AB: E4a`

> **Im Mittelfeld steht / stehen:**
> 1. die Zeitangabe (te) meistens    **a** nach   **b** vor   der Ortsangabe (lo).
> 2. kausale (ka) und modale (mo) Angaben oft   **a** zwischen   **b** nach   der Zeitangabe (te) und der Ortsangabe (lo).
> 3. kausale Angaben (ka) öfters   **a** nach   **b** vor   modalen Angaben (mo).
> 4. Die häufigste Reihenfolge der Angaben im Mittelfeld kann man sich so merken:
>    **a** lo ka te mo.   **b** te ka mo lo.
>
> **Im Satz:**
> 5. Alle Angaben können auch auf   **a** Position 1   **b** Position 2   stehen.
>    Das hängt von der Absicht des Autors und dem Zusammenhang im jeweiligen Text ab.

d   Formulieren Sie neue Sätze. Verwenden Sie dabei immer alle Satzteile. Wie viele Sätze kann man bilden? `AB: E4b–6`

Maria will sich nächste Woche wegen einer Schönheitsoperation vielleicht in einer Spezialklinik beraten lassen.

_Nächste Woche…_

# 2 F

# (Un)Schöne Momente

## 1 (Fast) zu schön / schrecklich, um wahr zu sein ...

**a** Mit welchen Ereignissen verbinden Sie positive oder negative Erinnerungen?

> eine Reise | ein Sportereignis | ein Autokauf | eine Beerdigung | eine Geburt |
> ein politisches Ereignis | eine Hochzeit | ein Konzert | eine Wiedersehensfeier |
> ein Abschiedsfest | ein Unfall | ein Geschenk | ein anderes Ereignis: …

**b** Lesen Sie die Aussagen über ein besonders wichtiges Erlebnis im Leben dieser Personen. Welches Erlebnis könnte gemeint sein? Notieren Sie die passende Bildnummer in den Kästchen links.

 A

 B

 C

 D

 E

 F

*B* 1. Wenn ich daran denke, habe ich das Bild vor Augen: **a** einzigartiges **b** herrliches  Wetter, meine Freunde bei mir und daneben meine glücklichen Eltern, die vor Freude weinten. Es war wirklich ein **a** sehr bewegendes **b** ganz tolles  Fest. Das Fest meines Lebens!

2. Ich erinnere mich daran, als ob es gestern gewesen wäre: Ein **a** fürchterliches **b** besonderes  Gedränge, unglaublich heiß, aber die Stimmung war **a** wunderschön. **b** toll.

3. Zuerst die Verletzung, dann der Schock. Es war so **a** schrecklich, **b** schlecht,  dass ich heute nicht mehr daran denken will. Obwohl meine Gedanken komischerweise in dem Moment absolut klar waren.

4. Es war unglaublich. Die Leistung der Mannschaft war wirklich **a** langweilig, **b** miserabel,  aber als der Sieg am Ende feststand, war die Stimmung **a** großartig. **b** außerordentlich.

5. Als ich dort stand und wusste, dass ich mich für immer von ihr verabschieden musste, war das ein **a** furchtbares **b** überwältigendes  Gefühl.

6. Was soll ich sagen? Als dieser Traum von so vielen Menschen endlich Wirklichkeit wurde, fühlte ich nichts – außer einer unendlichen Erleichterung. Es war so **a** hervorragend, **b** unglaublich,  sich frei bewegen zu können!

**c** Lesen Sie die Aussagen in 1b noch einmal. Welches Adjektiv passt jeweils besser: a oder b? Kreuzen Sie an. `AB: F1-2`

## 2 Ein besonderes Erlebnis in meinem Leben

Führen Sie in Ihrem Kurs Interviews und befragen Sie sich gegenseitig zu einem besonderen Erlebnis in Ihrem Leben. AB: F3

- Wählen Sie ein besonderes (positives oder negatives) Erlebnis in Ihrem Leben.
- Bereiten Sie sich auf das Interview vor. Überlegen Sie sich, was Sie Ihrem Interviewpartner / Ihrer Interviewpartnerin sagen möchten.
- Machen Sie einen Spaziergang im Kurs und führen Sie mit einigen Personen ein Interview. Fassen Sie danach Ihre Gespräche für den Kurs kurz zusammen.

## 3 Schön gesagt

a  Gibt es in Ihrer Muttersprache ein Wort, das zu den Beschreibungen passen könnte?

1. .............................. = Es drückt aus, dass etwas nur auf den ersten Blick eine Tatsache ist.

2. .............................. = Es beschreibt Chaos so, dass es jeder versteht.

3. .............................. = Es ist so vorsichtig und liebevoll, wie das, was es beschreibt.

4. .............................. = Es spiegelt die Zeitspanne zwischen zwei Lidschlägen.

5. .............................. = Es beschreibt, dass man ein Wort nimmt und noch ein zweites Wort und ein
drittes und am Ende entsteht eine Geschichte.

6. .............................. = Es stellt den Schmerz dar, wenn man weg sein möchte und bleiben muss.

b  Welches deutsche Wort passt zu welcher Beschreibung in 3a? Verwenden Sie ggf. ein einsprachiges Wörterbuch.

> der Augenblick | zärtlich | wahrscheinlich | das Fernweh | erzählen | der Wirrwarr

c  Gibt es diese Wörter in Ihrer Muttersprache?

Wenn Sie in einem internationalen Kurs sind, können Sie ein Rätsel machen: Schreiben Sie die Wörter aus 3b in Ihrer Muttersprache an die Tafel und lesen Sie sie laut vor. Die anderen sprechen die Wörter nach und raten, welches Wort welche Bedeutung hat.

## 4 Mein schönstes deutsches Wort

Welche deutschen Wörter finden Sie besonders schön? Notieren Sie drei Wörter und erklären Sie, warum diese Wörter für Sie schön sind.

..............................................     sind für mich     ..............................................
..............................................     schöne Wörter     ..............................................
..............................................     im Deutschen,     ..............................................
                                                   weil …

Heimat          atemberaubend          *fuchsteufelswild*

*Habseligkeiten*          **Sehnsucht**

*Weltanschauung*          Fingerspitzengefühl          *Rhabarbermarmelade*

Vollmondnacht          Geistesgegenwart

*bittersüß*          *Zeitgeist*          Firlefanz

# 3 A Freundschaft

## 1 Was ist Freundschaft?

a   Was haben die Fotos oben mit Freundschaft zu tun? Sprechen Sie in Gruppen und tauschen Sie sich dann im Kurs aus.

b   Wie sollte ein Freund / eine Freundin sein? Ordnen Sie folgende Adjektive nach ihrer Bedeutung für Sie.
    Ergänzen Sie auch eigene. **AB: A1**

> zuverlässig | ordentlich | fröhlich | gut aussehend | verschwiegen | sportlich | pünktlich |
> intelligent | freundlich | optimistisch | unternehmungslustig | fleißig | ruhig | gesellig |
> nachdenklich | verständnisvoll | sensibel | vertrauenswürdig | humorvoll | großzügig | ehrlich |
> hilfsbereit | reich | kulturell interessiert | schick

| nicht wichtig | wichtig | muss sein |
|---|---|---|
|  |  |  |
|  |  |  |
|  |  |  |

c   Machen Sie eine Statistik im Kurs. Welches sind die wichtigsten Eigenschaften?

> Zuverlässigkeit: |||
> ...

d   Was ist Freundschaft für Sie? Schreiben Sie ein oder zwei Sätze dazu. Beginnen Sie mit „Freundschaft ist …".
    Hängen Sie dann den Zettel im Kurs auf.

e   Lesen Sie die Sätze der anderen und ordnen Sie sie nach ähnlichen Inhalten. Tauschen Sie sich dann im Kurs darüber aus.

## 2 Beste Freunde – enge Freunde – Freunde

a   Lesen Sie die Beiträge zum Thema „Freundschaft" aus einem Forum für Deutschlerner. Notieren Sie Stichworte zu den unterschiedlichen Beschreibungen von Freundschaft. `AB: A2`

**A**   Freundschaft? Da muss man unterscheiden: Es gibt beste Freunde, enge Freunde und Freunde allgemein. Ich habe zum Glück eine „beste Freundin". Zwischen uns herrscht absolutes Vertrauen: Wir erzählen uns alles und können sicher sein, dass die andere es nicht weitersagt. Wir helfen uns gegenseitig und sind immer füreinander da. Uns verbindet wirklich ein tiefes Gefühl. Manchmal streiten wir uns auch, aber das ist nicht schlimm. Das ist sogar ein Zeichen von Freundschaft, wenn man auch mal richtig scharfe Kritik anbringen darf! Man weiß ja, dass es gut gemeint ist.

**B**   Bei uns in Burkina Faso gibt es ein Sprichwort: „Man sieht sich nicht selbst, bis ein Freund einem seine Augen leiht." Es ist z. B. so: Ein Freund hat etwas Bestimmtes vor, dann kritisiert man ihn nicht, sondern man sagt einfach: „Lass das besser!" Er wird das dann lassen, denn er weiß, dass er dem Urteil des Freundes vertrauen kann. In Deutschland muss man immer alles diskutieren und endlos erklären. Wir meinen: Man kann und muss auch nicht alles erklären. Es gibt auch oft Freundschaften über Generationen hinweg. Einer meiner ganz engen Freunde ist ein alter Mann, von dem kann ich viel lernen und der ist immer für mich da – ich aber auch für ihn!

**C**   Wir Amerikaner haben meist viele Freunde – leben in größeren Gruppen. Meine deutsche Tandem-Partnerin meint, dass Freundschaften in den USA oberflächlich sind. Ich finde, das kann man so nicht sagen. Die meisten von uns leben sehr mobil und müssen sich daher immer wieder einer neuen Umgebung anpassen. Deshalb lösen sich auch Beziehungen immer wieder, und darum ist es sehr wichtig, dass man offen ist und schnell neue Kontakte knüpfen kann. Das ist uns wichtiger, als „tiefe Beziehungen" zu pflegen. Die gibt es eher in der Familie.

**D**   Freunde sind wichtig, aber bei uns in Bolivien ist die Familie am wichtigsten. Sie ist der Dreh- und Angelpunkt des Lebens. Und echte Freunde hat man sowieso nur 4 oder 5. Ich habe zum Glück zwei „beste Freunde", Julio und Marco, die ich schon seit der Schulzeit kenne. Wir sind ganz auf einer Wellenlänge, wir verstehen uns ohne Worte, lachen über dasselbe, sind glücklich, wenn wir zusammen sind.
Während meines Studiums habe ich auch ein paar Jahre in Deutschland gelebt. Dort hatte ich auch gute Freunde, aber die Beziehung war viel weniger emotional – wir haben viele Sachen zusammen gemacht, es war gesellig und schön, aber es wurde nie wirklich persönlich. Dieses Gefühlsmäßige habe ich wirklich vermisst. Übrigens hatte ich in Deutschland eine Freundin, mit der war es wie mit meinen Freunden zu Hause. Ob Männer und Frauen dort andere Freundschaftskonzepte haben?

b   Tauschen Sie sich anhand Ihrer Stichworte aus 2a über die Gemeinsamkeiten und Unterschiede der vier Beschreibungen aus.

c   Welche Vorstellung von Freundschaft ist der in Ihrer Heimat am ähnlichsten? Welche Unterschiede gibt es?   `AB: A3`

d   Glauben Sie, dass es Unterschiede zwischen Frauen- und Männerfreundschaften gibt? Sprechen Sie im Kurs und begründen Sie Ihre Meinung.

# Vereine

**Deutschland e.V.**
In Deutschland gibt es
**594 277 Vereine**,
davon so viel Prozent
in den Bereichen

| | |
|---|---|
| Sport | 38 % |
| Freizeit, Heimat-pflege, Brauchtum | 18 |
| Soziales, Wohlfahrt, Religion, Entwicklungshilfe | 13 |
| Kultur und Kunst | 12 |
| Berufs-/Wirtschafts-verbände und Politik | 10 |
| Interessenverbände u. Bürgerinitiativen | 8 |
| Umwelt und Naturschutz | 1 |

Quelle: BDVV
© Globus 0284

**1** **Deutschland, deine Vereine …**

**a** Schauen Sie sich die Grafik rechts an und kommentieren Sie sie.
Kennen Sie Vereine, die man den Kategorien dort zuordnen könnte?

**b** Lesen Sie den Bericht in der Online-Ausgabe einer Tageszeitung und
bearbeiten Sie die Aufgaben. AB: B1–2

- Notieren Sie in Gruppen Schlüsselwörter zum Vereinswesen und zu
  den Phasen der Geschichte der Vereine in Deutschland.
- Vergleichen Sie Ihre Schlüsselwörter im Kurs und einigen Sie
  sich auf die aussagekräftigsten.
- Formulieren Sie die Hauptinformationen des Textes mithilfe der
  Schlüsselwörter so, dass ein zusammenhängender Text entsteht.

◄ ►  _____  _ □ ✕

### Vereine in Deutschland

Die Deutschen werden gern als „Vereinsmeier" bezeichnet, also als Menschen, die sich übertrieben stark in
Vereinen engagieren. Wenn man davon ausgeht, dass es über 500.000 Vereine gibt, so könnte dieses Bild
stimmen. Statistisch gesehen ist jeder Deutsche in mindestens einem vertreten. Die „Vereinsmeierei" scheint
5 also wirklich „typisch deutsch" zu sein. Darüber gibt es auch zahlreiche Witze, z. B. „Was machen zwei
Deutsche, die sich treffen? – Sie gründen einen Verein." Dieses hartnäckige Klischee stimmt jedoch nicht.
Denn nicht in Deutschland gibt es, bezogen auf die Bevölkerungszahl, die meisten Vereine, sondern in
Skandinavien und den Niederlanden.

10 **Kurze Geschichte der Vereine**
Das Vereinsleben geht auf das 18. Jahrhundert zurück. Das revolutionär Neue an den Vereinen, die man
damals „Gesellschaften" oder „Assoziationen" nannte, war, dass in ihnen Menschen unterschiedlicher Stände
zusammenkamen. Adlige und Bürger diskutierten in sogenannten „Lesegesellschaften" oder „Sprachgemein-
schaften" über Tagesereignisse und politisch-philosophische Zeitprobleme. Das Vereinswesen trug entschei-
15 dend dazu bei, dass der Adel bürgerliche Werte übernahm. Ein Beispiel für einen solchen Verein ist die
„Patriotische Gesellschaft" in Hamburg, die bereits 1765 gegründet wurde und heute noch sehr aktiv ist. Auch
viele Turn-, Gesangs- oder Kleingärtnervereine haben eine lange, wechselvolle Geschichte.
Von „Vereinen" sprach man ab dem 19. Jahrhundert. Aufgrund der Industrialisierung und der zunehmenden
Verstädterung setzte sich ab Mitte des Jahrhunderts ein reges Vereinsleben durch. Viele Vereine übernahmen
20 öffentliche Aufgaben, die der Staat damals nicht erfüllte. Es entstanden die Wohlfahrtsverbände, wie die
Diakonie, das Deutsche Rote Kreuz oder die Caritas. Und viele Kultur- und Freizeitorganisationen wurden
gegründet, in denen sich politisch Gleichgesinnte zusammenschlossen, die sich aber politisch nicht frei
betätigen durften, wie zum Beispiel die Arbeitervereine. Aber auch konservative und national gesinnte Vereine
bekamen immer mehr Zulauf.
25 1848 wurde das Vereinsrecht zum Grundrecht. Aber bald danach wurden Vereine vom Staat wieder kritisch
beäugt, kontrolliert oder sogar verboten. Im Nationalsozialismus z. B. wurden alle jüdischen Vereine,
Arbeitervereine und solche, die den Machthabern politisch verdächtig erschienen, verboten und jüdische
Mitglieder wurden aus vielen Vereinigungen ausgeschlossen.
Nach dem Krieg gibt es viele Neugründungen. Darin spiegelt sich im Westen die neu entstehende Freizeit-
30 und Konsumgesellschaft wider. Rock'n'Roll-Tanzclubs, Zusammenschlüsse von Vespa-Fahrern oder zum
Beispiel Freddy-Quinn-Fanclubs, von denen es Ende der 60er-Jahre 2000 gibt, sind der Renner. Waren bis zur
NS-Zeit die Vereine vor allem auch weltanschauliche Gemeinschaften, so treten die Menschen in den 50er-
und 60er-Jahren einem Verein vor allem zur Ausübung eines Hobbys bei.

In den 70er-Jahren entstehen zahlreiche Bürgerinitiativen und Selbsthilfegruppen, die – wenn sie dauerhaft
35    bestehen – sich zu Vereinen zusammenschließen. Innerhalb der „Neuen sozialen Bewegungen" schießen
Frauen-, Umwelt-, Friedens- und Kulturinitiativen wie Pilze aus dem Boden. Anti-Atomkraft-Gruppen,
Selbsthilfe für Behinderte oder Dritte-Welt-Initiativen etablieren sich als moderne Vereine zur privaten
Selbsthilfe oder für politisches und soziales Engagement. Erfolgreiche Beispiele der letztgenannten sind die
„Deutsche Krebshilfe" oder der „BUND". Rund 40 Prozent der heutigen Umweltvereine entstehen zwischen
40    1976 und 1989.
In den letzten Jahren ist der Trend zur Vereinsgründung wiederum gestiegen. Dabei geht es vor allem um
Freizeit- und Fördervereine. Letztere dienen dazu, bestimmte Ziele finanziell zu unterstützen. Diese „neuen"
Vereine geraten kaum in den Verdacht der spießigen „Vereinsmeierei", aber es gibt Gemeinsamkeiten mit den
„alten" Vereinen, z.B. den Wunsch nach Geborgenheit in einer Gruppe oder einfach nach Geselligkeit.

c    Berichten Sie über Vereine in Ihrer Heimat, die Sie kennen, oder über Ihre eigenen Erfahrungen mit Vereinen / Klubs /
Gesellschaften / organisierten Gruppen.

## G 6.4 ② Sprache im Mittelpunkt: Präpositionaladverbien – „da(r)-auf / -zu / -bei / …"

a    Markieren Sie die Präpositionaladverbien im Bericht in 1b.

b    Lesen Sie die Sätze und ergänzen Sie die Regeln bzw. notieren Sie die Satznummern.

1. Wenn man davon ausgeht, dass es über 500.000 Vereine gibt, so könnte dieses Bild stimmen.
2. Die „Vereinsmeierei" scheint also wirklich „typisch deutsch" zu sein. Darüber gibt es auch zahlreiche Witze.
3. In den 70er-Jahren engagierten sich viele für politische und soziale Fragen. Aus Interesse dafür bildeten
   sich viele Vereine.
4. Inzwischen gibt es auch viele Fördervereine. Diese dienen dazu, bestimmte Ziele finanziell zu unterstützen.

1. Präpositionaladverbien bildet man so:
   - „………………………" + Präposition, wenn diese mit einem Konsonanten beginnt,
   - oder „………………………" + Präposition, wenn diese mit einem Vokal beginnt.
2. Präpositionaladverbien stehen für einen präpositionalen Ausdruck und beziehen sich auf
   - ein Nomen: Satz: ………………………
   - oder eine ganze Aussage: Sätze: ………………………
3. Präpositionaladverbien können auf eine Aussage verweisen,
   - die später gemacht wird. Sie sind „vorwärtsverweisend": Sätze: ………………………
   - die vorher gemacht wurde. Sie sind „rückverweisend": Sätze: ………………………

c    Ordnen Sie die anderen Präpositionaladverbien im Bericht in 1b der Regel 3 oben zu.

d    Ersetzen Sie die markierten Teile durch Präpositionaladverbien bzw. ergänzen Sie ein Präpositionaladverb. `AB: B 3 – 5`

1. Eine ganze Reihe von Vereinen entwickelt Hilfsprogramme. Bei den Hilfsprogrammen geht es meist um Hilfe

   zur Selbsthilfe.

   → ……………………… geht es meist um Hilfe zur Selbsthilfe.

2. Viele entscheiden sich für den Beitritt in einen Förderverein.

   → Viele entscheiden sich ………………………, einem Förderverein beizutreten.

3. Die Zahl der Freizeitvereine ist stark gewachsen. Über das Wachstum wird in letzter Zeit häufig berichtet.

   → ……………………… wird in letzter Zeit häufig berichtet.

# Nebenan und gegenüber

## ① Die lieben Nachbarn

Was haben die Wörter im Kreis oben mit dem Thema „Nachbarschaft" zu tun? Sammeln Sie in Gruppen mindestens zwei Ideen zu jedem Wort. Ordnen Sie sie nach positiven und negativen Assoziationen und tauschen Sie sich dann im Kurs aus.

+ Nachbarschaft

− Nachbarschaft

## ② Eine Umfrage in der Kölner Fußgängerzone zum „Tag der Nachbarschaft"

LB ①
13–18

a  Hören Sie die Umfrage. Über welche Themen sprechen die Personen? Notieren Sie Stichworte.

b  Hören Sie die Umfrage in 2a noch einmal und notieren Sie, wie Nachbarn charakterisiert werden. **AB: C1**

| positive Eigenschaften | negative Eigenschaften |
|---|---|
|  |  |
|  |  |
|  |  |

c  Gibt es weitere Eigenschaften, die Sie bei Ihren Nachbarn schätzen oder ablehnen? Wie wichtig ist Nachbarschaft für Sie persönlich und warum? Sprechen Sie im Kurs.

d  Schreiben Sie einen kurzen Text (ca. 150 Wörter) über Nachbarschaftsbeziehungen in Ihrer Kultur. Folgende Fragen können Ihnen dabei helfen. **AB: C2**

1. Wie ist das Verhältnis zu Nachbarn in Ihrer Heimat: eher persönlich nah oder eher neutral distanziert?
2. Hat sich in den letzten Jahren etwas verändert? Wenn ja, wie sahen / sehen diese Veränderungen aus?
3. Wie sollte eine gute Nachbarschaftsbeziehung aussehen? Wie kann man sie aufbauen und pflegen?
4. Gibt es Eigenschaften, die Sie bei Ihren Nachbarn schätzen oder ablehnen?
5. Gibt es Unterschiede je nachdem, wo man wohnt?

# 3 Auf gute Nachbarschaft!

a Sie ziehen in ein Mehrfamilienhaus und möchten keinen Stress mit Ihren Nachbarn. Daher informieren Sie sich bei einem Mieterforum und lesen dort folgende Regeln. Welche Überschrift passt zu welcher Regel? Ordnen Sie zu. Zwei Regeln haben keine Überschrift. AB: C3

**A** Diskret bleiben   **C** Lautstärke testen   **E** Sich bekannt machen   **G** Partys ankündigen

**B** Ordnung halten   **D** Ruhezeiten respektieren   **F** „Einen ausgeben"   **H** Sich vorinformieren

1. Besuchen Sie – am besten noch vor dem Einzug – ihre zukünftigen Nachbarn und stellen Sie sich vor. Damit die Nachbarn sich nicht fragen: „Was ist das wohl für einer?", erzählen Sie am besten auch ein bisschen über sich und Ihre berufliche Tätigkeit.

2. Beschriften Sie so schnell wie möglich das Klingelschild mit Ihrem Vor- und Nachnamen. Die Nachbarn könnten es nicht so prickelnd finden, wenn sie immer herausgeklingelt werden, weil irgendjemand Sie sucht. Am Anfang reicht auch ein einfacher Zettel.

3. Passen Sie beim Einzug auf, dass Umzugskartons und sonstiger Krempel nicht das Treppenhaus versperren. Niemand ist böse, wenn sie kurz dort stehen, aber „kurz" heißt nicht stunden- oder gar tagelang.

4. Suchen Sie den Kontakt zum Hausmeister oder zu einem Mieter, der schon lange im Haus wohnt. Der kennt die Hausbewohner mit all ihren kleinen Macken und Ticks – vielleicht erfahren Sie so etwas Wichtiges, was Ihnen das Leben im Haus erleichtern wird.

5. Es empfiehlt sich eine kleine „Hörprobe" in der Wohnung Ihres nächsten Nachbarn. Den Lautsprecherpegel auf „Maximum" und gemeinsam schauen, ob eine Unterhaltung noch möglich ist.

6. Geben Sie einen kleinen Einstand: Es muss ja kein rauschendes Fest sein, aber ein kleiner Umtrunk für die Hausgemeinschaft kommt sicher gut an.

7. Die Handwerker kommen und wollen durcharbeiten. Sehr ungünstig! Sorgen Sie dafür, dass die Ruhezeiten – meist von 13.00 – 15.00 Uhr und von 22.00 – 7.00 Uhr – eingehalten werden.

8. Informieren Sie sich rechtzeitig, wo Sie Ihr Auto auf dem Grundstück abstellen dürfen. Besetzen Sie den falschen Parkplatz, ist Streit vorprogrammiert!

9. Besuch von der Polizei um zwei Uhr nachts? Selber schuld: Sie hatten die Hausgemeinschaft nicht informiert, dass Sie eine Einweihungsfeier für Ihre Familie und Freunde geben wollen. Vielleicht laden Sie lieber gleich die Nachbarn auch dazu ein?

10. Lautstarke Abschiedsszenen vor der Haustür, penetrantes Rufen durch den Hausflur „Vergiss aber nicht wieder, die Schuhe abzuholen!" sollten Sie möglichst vermeiden. Ihr Ärger über den vergesslichen Ehepartner ist für die Nachbarn nicht so interessant!

b In den Regeln in 3a gibt es einige umgangssprachliche Ausdrücke. Ordnen Sie diese den folgenden Erklärungen zu.

1. Was für ein Mensch ist das wohl? *Was ist das wohl für einer? (Regel 1)*

2. Jemand findet etwas nicht besonders gut: .......................................................

3. unterschiedliche Dinge, Kram: .......................................................

4. besondere, manchmal merkwürdige Eigenschaften und Verhaltensweisen: .......................................................

5. eine lebhafte Party: .......................................................

6. Leute (meist) zu einem Getränk oder etwas zu essen einladen: .......................................................

c Welche Regeln finden Sie besonders wichtig? Begründen Sie Ihre Meinung.

d Auch in Ihrem Heimatland gibt es sicher Regeln und ungeschriebene Gesetze, wenn man irgendwo neu einzieht. Beschreiben Sie Ähnlichkeiten und Unterschiede.

# Eltern und Kinder

**1 Die Eltern-Kind-Beziehung**

**a** Stellen Sie in Gruppen Vermutungen an, um was für eine Situation es auf dem Foto gehen könnte, und erfinden Sie ein Gespräch, in das die Personen verwickelt sind. Spielen Sie die Situation im Kurs.

**b** Was könnte in einem Bericht über die Gründe für ein gutes oder schlechtes Verhältnis zwischen Eltern und Kindern in der heutigen Zeit stehen? Stellen Sie Vermutungen an und sammeln Sie im Kurs. AB: D1a

**c** Lesen Sie den Vorspann eines Berichts über die Eltern-Kind-Beziehung aus einem Elternmagazin und vergleichen Sie den Inhalt mit Ihren Vermutungen in 1b. AB: D1b

## Die Eltern-Kind-Beziehung

Für Eltern bleiben ihre Kinder immer Kinder, auch nachdem sie schon lange aus dem Haus gegangen sind. In einer Studie haben Psychologen Eltern und ihre „erwachsenen Kinder" befragt. Das Ergebnis war, dass Kinder gefühlsmäßig stärker an ihre Eltern gebunden sind, als man bislang angenommen hatte; ebenso ist aber auch der Wunsch, sich voneinander abzugrenzen, viel stärker, als vermutet worden war, und mit zunehmendem Alter wird die Distanz meist größer. Im Folgenden drucken wir typische Äußerungen von drei (jungen) Erwachsenen ab, die für die Studie befragt wurden.

**d** Lesen Sie nun einen Auszug aus dem Bericht. Markieren Sie die Gründe für ein gutes / schlechtes Verhältnis zwischen Eltern und „Kindern". AB: D2

**Johanna (24):** Das Verhältnis zwischen mir und meinen Eltern ist sehr gut. Natürlich hat es früher auch Auseinandersetzungen gegeben. Als ich die ersten Versuche unternahm, abends länger weg-
5 zubleiben, kostete das schon einige Kämpfe. Aber letztendlich haben meine Eltern mir vertraut und mir viel Freiheit gelassen. Und das hat dazu geführt, dass ich mich verantwortlich gefühlt und ihre Toleranz nie ausgenutzt habe. Als ich volljäh-
10 rig geworden war, konnte ich eigentlich machen, was ich wollte. So funktioniert es auch gut, dass ich noch zu Hause wohne. Und bis ich mein Studium beendet habe, wird das auch so bleiben.
**Christoph (29):** Ich hatte in meiner Kindheit und
15 Jugend viele Konflikte mit meinen Eltern. Meine Mutter neigte dazu, sich überall einzumischen – zu fürsorglich! Mein Vater war übertrieben streng. Sobald ich nur ein bisschen anderer Meinung war, wurde er autoritär und es gab Strafen. Während
20 andere unterwegs waren, hatte ich Stubenarrest, und manchmal gab es auch Schläge. Seitdem ich eine eigene Wohnung habe, ist unser Ver-

hältnis etwas besser geworden. Aber so richtig vertrauensvoll wird es wohl leider nie sein.
**Jana (38):** Bevor ich meine erste feste Stelle 25
gefunden habe, habe ich aus finanziellen Gründen zu Hause gewohnt. Das ging sehr gut, weil meine Eltern immer für mich da waren, sich aber nicht in meine Privatsachen einmischten. Nachdem ich geheiratet hatte und in eine andere 30
Stadt gezogen war, wurde unser Verhältnis etwas distanzierter. Wir hatten einfach zu wenig Zeit: Kinder, Beruf … Außerdem tendierte meine Mutter dazu, mir gute Ratschläge zur Kindererziehung zu geben. Das hat zu gewissen 35
Spannungen geführt. Jedesmal, wenn sie zu Besuch kam, hatten wir ein ungutes Gefühl. Einmal kam es zu einem richtigen Streit. Danach ging aber alles besser, denn im Grunde ist unsere Beziehung sehr gut geblieben. Und meine 40
Eltern wissen, dass ich da bin, wenn sie mich brauchen, und alles für sie tun werde, wenn sie einmal alt sind.

e Sammeln Sie in Gruppen weitere Aspekte, die für eine gute / schlechte Beziehung zwischen den Generationen eine Rolle spielen. Welche sind die wichtigsten? Stellen Sie Ihre Ergebnisse im Kurs vor.

f Wie ist das Eltern-Kind-Verhältnis in Ihrer Heimat? Sprechen Sie zuerst in Gruppen, dann im Kurs.

○ G 3.5 ② **Sprache im Mittelpunkt: Temporale Haupt- und Nebensätze**

a Markieren Sie die temporalen Nebensatzkonnektoren und die Verben im Haupt- und im Nebensatz. Was fällt auf? Ergänzen Sie die Regeln. `AB: D3–4`

1. Als ich abends länger wegbleiben wollte, kostete das schon einige Kämpfe.
2. Wenn sie zu Besuch kam, hatten wir ein ungutes Gefühl.
3. Während andere unterwegs waren, hatte ich Stubenarrest.
4. Sie wissen, dass ich da bin, wenn sie mich brauchen.
5. Sobald ich nur ein bisschen anderer Meinung war, wurde er autoritär.
6. Nachdem ich geheiratet hatte und weggezogen war, wurde unser Verhältnis etwas distanzierter.
7. Als ich volljährig geworden war, konnte ich eigentlich machen, was ich wollte.
8. Bevor ich meine erste feste Stelle gefunden habe, habe ich zu Hause gewohnt.
9. Bis ich mein Studium beendet habe, wird das auch so bleiben.
10. Seitdem ich eine eigene Wohnung habe, ist unser Verhältnis etwas besser geworden.

> 1. Die Geschehen im Haupt- und Nebensatz finden gleichzeitig statt. Sätze: ................................
>
> 2. Das Geschehen im Nebensatz findet zeitlich früher statt, das im Hauptsatz später. Sätze: ................................
>
> 3. Das Geschehen im Nebensatz findet zeitlich später statt, das im Hauptsatz früher. Satz: ................................
>
> 4. Der Satz drückt eine Dauer von einem Zeitpunkt bis zu einem späteren Zeitpunkt aus. Satz: ................................
>
> 5. Der Satz drückt eine Dauer von einem vergangenen Zeitpunkt bis jetzt aus. Satz: ................................

b Temporale Angaben: Markieren Sie zuerst die temporalen Präpositionen. Welchem Nebensatzkonnektor entsprechen sie? Notieren Sie. Formulieren Sie dann die passenden Sätze aus 2 a kürzer. `AB: D5a`

1. Bei ihren Besuchen *hatten wir ein ungutes Gefühl.* .................... *wenn*

2. Nach meiner Heirat ................................ ....................

3. Nach meiner Volljährigkeit ................................ ....................

4. Vor meiner ersten festen Stelle ................................ ....................

5. Bis zum Ende meines Studiums ................................ ....................

6. Seit meinem Auszug ................................ ....................

c Temporale Verbindungsadverbien: Markieren Sie die temporalen Verbindungsadverbien und formulieren Sie um. `AB: D5b–6`

1. Einmal kam es zu einem richtigen Streit. Danach ging aber alles besser.

   *Nachdem es einmal zu einem richtigen Streit gekommen war, ging aber alles besser.*

2. Jana bekam eine feste Stelle. Vorher wohnte sie bei ihren Eltern.

   ................................................................................................................................

3. Christoph ist ausgezogen. Seitdem hat sich das Verhältnis zu seinen Eltern verbessert.

   ................................................................................................................................

# Verliebt, verlobt, verheiratet – geschieden

## 1 Beziehung auf ewig?

**a** Beschreiben Sie die Entwicklung der Eheschließungen und Scheidungen in Deutschland mithilfe der Redemittel unten.

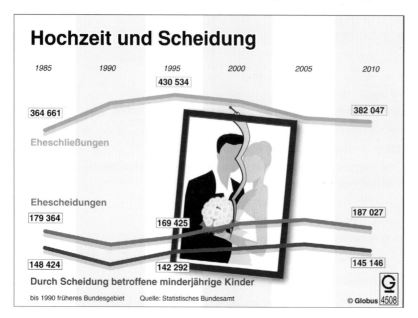

**Hochzeit und Scheidung**

| 1985 | 1990 | 1995 | 2000 | 2005 | 2010 |

430 534

364 661                                                      382 047

Eheschließungen

Ehescheidungen

179 364                                                      187 027

169 425

148 424                 142 292                              145 146

**Durch Scheidung betroffene minderjährige Kinder**

bis 1990 früheres Bundesgebiet    Quelle: Statistisches Bundesamt    © Globus 4508

> Das Kurvendiagramm zeigt die Entwicklung der … von … bis … | Von … bis … ist die Anzahl der … von … auf … angestiegen / gesunken. | Ab … sind … kontinuierlich bis … gestiegen / gesunken. | Die Anzahl der … ist in … Jahren um …% gestiegen / gesunken.

**b** Wie sieht das Verhältnis von Hochzeiten und Scheidungen in Ihrer Heimat aus? Recherchieren Sie und berichten Sie im Kurs.

## 2 Eine Talkshow

LB ① 19  **a** Hören Sie die Einführung des Moderators. Um welches Thema geht es in der Talkshow? AB: E1

**b** Die folgenden Personen nehmen an der Talkshow teil. Was glauben Sie, welche Aspekte werden diese Teilnehmer in der Diskussion wahrscheinlich erwähnen? Sammeln Sie in Gruppen.

1

Juliane Rüsch, 29
begeisterter Single

2

Peter Sonnhofer, 43
dreifach geschieden

3

Michaela Doll, 71
seit 50 Jahren verheiratet

4

Stefan Vastic, 18
heiratet bald

c  Welchen Diskussionsteilnehmern würden Sie folgende Aussagen zuordnen? Notieren Sie.

A. Liebe kommt, Liebe geht. Ich will mir den Traum einer funktionierenden Ehe trotzdem nicht nehmen lassen.

B. Es gibt keine romantischere Vorstellung, als mit einem Menschen alles zu teilen. Also sollte man heiraten.

C. Wer heute noch heiraten will, muss weltfremd sein.

D. Mit 80 dem einen besonderen Menschen gegenüberzusitzen – das bedeutet echtes Glücksgefühl und Liebe für mich.

Aussage A: ...............................................

Aussage B: ...............................................

Aussage C: ...............................................

Aussage D: ...............................................

**LB ①**
**20–21**

d  Hören Sie nun die Talkshow und überprüfen Sie Ihre Vermutungen.

## ❸ Was meinen Sie?

a  Hören Sie die Talkshow in 2d noch einmal. Welche Redemittel werden sinngemäß in der Diskussion verwendet? Kreuzen Sie an. AB: E2

- ☐ 1. Das würde ich so nicht sagen.
- ☐ 2. Was meinen Sie damit genau?
- ☐ 3. Wie wäre es damit: …?
- ☐ 4. Ich bin mir nicht sicher, ob …
- ☐ 5. Hier regt sich Widerspruch, nehme ich an.
- ☐ 6. Könnten Sie vielleicht …?
- ☐ 7. Das sehe ich völlig anders.
- ☐ 8. Hundert Prozent Ihrer Meinung.
- ☐ 9. Denken Sie auch, dass …?

- ☐ 10. Gut, dass Sie diesen Punkt ansprechen.
- ☐ 11. Da bin ich anderer Meinung.
- ☐ 12. Dem kann ich nur zustimmen.
- ☐ 13. Mich würde interessieren, was Sie dazu meinen?
- ☐ 14. Es ist durchaus richtig, was Sie erwähnen.
- ☐ 15. … und Sie?
- ☐ 16. Nein, auf keinen Fall.
- ☐ 17. Wie sehen Sie das?
- ☐ 18. Das kann ich nur bestätigen.

b  Markieren Sie die Redemittel in 3a verschiedenfarbig, z.B.: gelb = nach der Meinung fragend, grün = zustimmend, rot = ablehnend. Welche Redemittel kennen Sie noch?

## ❹ Was meinen Ihre Gesprächspartner?

a  Mit welcher der Aussagen in 2c identifizieren Sie sich persönlich am stärksten? Warum? Machen Sie sich Notizen.

b  Diskutieren Sie zu viert über die Aussagen in 2c. Verwenden Sie dabei die Redemittel aus 3a. Stellen Sie dann das Ergebnis Ihrer Diskussion im Kurs vor.

c  Wie wird die Ehe in Ihrer Kultur betrachtet? Gehen Sie dabei auf folgende Fragen ein. Sprechen Sie in Gruppen.

- Mit wie viel Jahren heiratet man in der Regel?
- Wie entwickelt sich die Einstellung zur Ehe?
- Ist ein Zusammenleben ohne Trauschein denkbar?
- Gibt es besondere Bräuche (Hochzeitsfeier, Mitgift, …)?
- Was passiert bei einer Trennung / Scheidung?
- Gibt es Veränderungen und neue Trends?

# Außenseiter

## 1 Was ist ein Außenseiter?

**a** Was haben die Fotos oben mit Außenseitertum zu tun? Sprechen Sie im Kurs und benutzen Sie folgende Ausdrücke.

> aus der Gruppe ausgeschlossen sein | hochbegabt sein | gegen den Trend gehen |
> kreativ sein | isoliert / schüchtern sein | Einzelgänger sein

**b** Kennen Sie Außenseiter? Sprechen Sie in Gruppen über folgende Fragen und machen Sie Notizen. Tauschen Sie sich dann im Kurs aus.

- Welche Eigenschaften und Verhaltensweisen sind typisch für Außenseiter?
- Warum werden Menschen zu Außenseitern? Stellen Sie Vermutungen an.

## 2 Wie man zum Außenseiter wird und es nicht bleibt

LB 🕐
22–24
**a** Hören Sie ein Gespräch im Radio zu diesem Thema zwischen einer Psychologin und einem Außenseiter. Welche Übereinstimmungen gibt es mit Ihren Ergebnissen aus 1b?

LB 🕐 22
**b** Hören Sie noch einmal Teil 1 des Gesprächs und machen Sie Notizen zu folgenden Fragen.

1. Welche möglichen familiären Gründe für Außenseitertum nennt die Psychologin?
2. Warum kann jemand von der Gruppe ausgeschlossen werden?
3. Welche beiden Typen von Außenseitern werden unterschieden?

LB 🕐
23–24
**c** Hören Sie noch einmal Teil 2 und 3 des Gesprächs und notieren Sie Informationen zu den Phasen von Freds Entwicklung. **AB: F1** ▶

| Kindergarten | Schule | Ausbildung | Beruf | heute |
|---|---|---|---|---|
| *unruhig,* | | | | |

**d** Schreiben Sie in Gruppen mithilfe Ihrer Notizen in 2c Freds Entwicklung in Form einer Geschichte auf. Vergleichen Sie Ihre Fassungen im Kurs.

e  Lesen Sie jetzt, was Fred auf einem Fragebogen der Psychologin geschrieben hat. Welche neuen Informationen bekommen Sie über ihn?

**Viele halten mich für ...** *komisch, verrückt und einen Streber.*

**In Wirklichkeit bin ich ...** *schüchtern, nachdenklich und neugierig.*

**Wenn ich an Schule denke ...,** *dann denke ich daran, dass ich oft wegen meiner „altmodischen Kleidung" und meiner Unsportlichkeit ausgelacht wurde.*

**Das Schlimmste, was mir im Leben passiert ist, war ...,** *als ich in der Ausbildung war und ein Mädchen, in das ich verliebt war, mich ausgelacht hat und es allen weitererzählt hat.*

**Ich wäre gerne wie ...** *niemand anderes. Jeder ist so, wie er ist. Ich wäre aber gern etwas extrovertierter.*

**Am meisten hasse ich ...** *wenn Leute vorgeben, meine Freunde zu sein, und in Wirklichkeit über mich herziehen.*

**Wenn ich könnte, würde ich ...** *noch studieren und hätte dann viele Freunde an der Uni.*

f  Ergänzen Sie auf einem Zettel dieselben Satzanfänge. Sie können über sich selbst oder eine fiktive Person schreiben. Tauschen Sie den Zettel mit einem Partner / einer Partnerin und sprechen Sie darüber, was er / sie geschrieben hat und warum.

## ③ „So perfekt" – ein Rap von Casper

LB ① 25  a  Hören Sie einen Auszug aus dem Rap „So perfekt". Worum geht es? Sprechen Sie im Kurs.

b  Lesen Sie nun den Auszug aus dem Rap. Was hat er mit Außenseitertum zu tun?

*Bist du der, der sich nach vorne setzt? Den man beim Sport zuletzt wählt?*
*Sich quält zwischen Cheerleadern und Quarterbacks?*
*Den man in die Tonne steckt? Nicht dein Tag, jahrelang*
*Dann in der Abschlussnacht ganz allein zum Ball gegang'*
*Doch wenn schon scheiße Tanzen dann so, dass die ganze Welt es sieht*
*Mit Armen in der Luft, beiden Beinen leicht neben dem Beat*
*Und wenn du mit der Königin die Fläche verlässt,*
*sag dir diese Welt ist perfekt! Perfekt*

*Du lachst, du weinst. Du strahlst, du scheinst*
*Du kratzt, du beißt, Fastenzeit vorbei*
*und wie du brennst, wie du wächst, wie du wächst*
*Alles wird perfekt! Alles, alles, alles wird perfekt*
*So perfekt! So peeerfekt! Alles wird perfekt! So perfekt! So peeerfekt!*

So Perfekt Feat. Marteria; Griffey, Benjamin/Laciny, Marten;
BUG Music Musikverlagsgesellschaft, München; No Limits One Guido Schulz

c  Was wird durch den Refrain „Du lachst, du weinst. ..." ausgedrückt? Sehen Sie eine Verbindung zu Freds Geschichte? Sprechen Sie im Kurs.  AB: F2 ▶

# 4 A

# Dinge

## ① Die Bedeutung der Dinge

a  Wie heißen die Dinge, die Sie auf dem Bild sehen? Notieren Sie sie mit Artikel und Plural.

*der Teppich, -e;*
........................................................................................................................

b  Besprechen Sie in Gruppen, was Ihnen zu dem Bild „Les valeurs personnelles" (Die persönlichen Werte) von René Magritte einfällt. Sammeln Sie Ideen und versuchen Sie eine Interpretation.  `AB: A1–2` ▶

> **Was Ihnen auffällt:** Auf dem Bild sieht man … | Auf dem Bild ist … dargestellt. | Merkwürdig ist, dass … | Auf mich wirkt das Bild …
>
> **Vermutungen äußern:** Ich denke, dass … | Es könnte sein, dass … | Ich könnte mir vorstellen, dass … | Wahrscheinlich / Vermutlich / Möglicherweise …
>
> **Nachfragen:** Was bringt Sie / dich auf diese Idee? | Wie kommen Sie / kommst du darauf?
>
> **Widersprechen:** Ich sehe das nicht so. | Für mich ist das eher … | Das sehe ich (etwas / ganz) anders.
>
> **Was der Künstler sagen möchte:** Der Künstler möchte zeigen, dass … | Der Künstler möchte zum Ausdruck bringen, dass …

## 2 Dinge und ihre Bedeutung

a Lesen Sie das Gedicht „Zwei Sessel" von Rainer Malkowski. Welche Bedeutung haben die Sessel für den Autor?

### Zwei Sessel

*Sie haben mir gedient.*
*Und ich besinge sie so nüchtern,*
*wie es ihnen entspricht.*
*Schwarz gestrichenes Holz*
*und Segeltuch –*
*Material für ein Schiff,*
*eine Reise.*

*Und bin ich nicht*
*in ihnen gereist?*
*Manchen Tag, manche Nacht*
*denkend*
*und träumend?*
*Sie gaben immer,*
*was Dinge geben können:*

*zuverlässig scheinenden Halt,*
*Orientierung*
*und ein leises*
*Echo*
*des entschwundenen Lebens.*

*Rainer Malkowski*

b Wie würde es aussehen, wenn der Autor Rainer Malkowski sein Bild „Die persönlichen Werte" malen würde? Malen Sie mit einem Partner / einer Partnerin dieses Bild.

c Wählen Sie einen persönlichen Gegenstand und schreiben Sie ein kleines Gedicht, zum Beispiel „Zwei Schuhe", „Ein Handy", …

## 3 Mein wichtigster Gegenstand: Umfrage

a Vermuten Sie: Welche Bedeutung könnten folgende Dinge für die Sprecher haben?

> ein Reisepass | eine Taschenlampe | ein Auto | ein Ring | ein Fernseher | ein Stein

LB ① 26 – 31 b Vergleichen Sie nun Ihre Vermutungen mit den Aussagen der Befragten.

c Hören Sie die Aussagen in 3b noch einmal. Wie begründen die Befragten die Bedeutung des Gegenstandes? Ordnen Sie zu.

1. Person       A. Den brauche ich nämlich immer.

2. Person       B. Da vergesse ich dann meine Einsamkeit.

3. Person       C. Er ist mein Talisman.

4. Person       D. Denn es gibt mir das Gefühl von Freiheit.

5. Person       E. Die brauche ich jeden Abend.

6. Person       F. Nicht nur wegen des tollen Aussehens, sondern vor allem wegen seiner Bedeutung für mich.

## 4 Mein wichtigster Gegenstand: Ratespiel

Beschreiben Sie im Kurs einen Gegenstand, der für Sie sehr wichtig ist. Die anderen raten, welcher Gegenstand gemeint ist.

> Mein Gegenstand hat / ist … | Er dient zu … / dazu, … | Man kann ihn verwenden, um … zu … |
> Ich brauche ihn, wenn ich … | Das Besondere an meinem Gegenstand ist, dass …

# Die Welt der Dinge

## ❶ Marken und Produkte

Sehen Sie sich die Logos an. Welche Marken kennen Sie? Was wissen Sie über deren Produkte? Sprechen Sie im Kurs.

Ⓐ

Ⓓ

Ⓖ

Ⓑ

Ⓔ

Ⓗ

Ⓒ

Ⓕ

Ⓘ

## ❷ Produkte beschreiben

LB ❶
32–35

**a** Hören Sie Beschreibungen zu vier Produkten. Welche der Produkte werden beschrieben?

> 1. Energy-Drink | 2. Rucksack | 3. Milch | 4. Schreibtischstuhl | 5. Uhr | 6. Stiefel |
> 7. CD-Player | 8. Kaffee | 9. Koffer | 10. Staubsauger | 11. Smartphone | 12. Aspirin

**b** Zu welchen Marken aus Aufgabe 1 passen die in 2a genannten Produkte? Notieren Sie die passende Nummer.

A: ........    B: ........    C: ........    D: ........    E: ........    F: ........    G: ........    H: ........    I: ........

LB ❶
32–34

**c** Hören Sie die ersten drei Produktbeschreibungen in 2a noch einmal und ergänzen Sie die fehlenden Informationen in den folgenden Auszügen. AB: B1

1. Hier haben wir ein schmerzstillendes und fiebersenkendes Arzneimittel ... Bitte nicht einnehmen bei bekannter Über-

   empfindlichkeit ... gegen Salicylate, eine Gruppe von Stoffen, [1a] ................ der Acetylsalicylsäure [1b] ................, ...

2. Er hat genau das richtige Maß, sodass alles für eine Tageswanderung reinpasst. Zwei Seitenfächer [2] ................ und

   Ähnliches, ein geräumiges Deckelfach und ... Der Boden besteht aus [3] ................ abriebsicherem Nylongewebe, ...

3. Diese hell geröstete Variante hat eine [4] ................ Guatemala-Note und ist perfekt zum Frühstück geeignet. ...

   [5] ................ Qualität dank erlesener Hochlandsorten.

d Welche Mittel der Beschreibung fehlen in den Lücken in 2c? Ordnen Sie zu. [AB: B2–5]

Adjektiv | Adjektiv im Superlativ | Ausdruck der Verstärkung | ~~Relativsatz~~ | Präpositionalergänzung

1. *Relativsatz* ........................................ 4. ........................................

2. ........................................ 5. ........................................

3. ........................................

e Beschreiben Sie das Aussehen und die Funktion des Produkts rechts. Verwenden Sie dazu die Mittel der Beschreibung in 2d.

## ③ Das Ding und ich

P GI
LB ① 36

a Um etwas Geld zu verdienen, arbeiten Sie samstags in einem Geschäft für Sportartikel. Heute sind Sie allein im Geschäft, da Ihr Chef plötzlich verreisen musste. Er hat Ihnen aber noch einige Informationen auf dem Anrufbeantworter hinterlassen. Hören Sie seine Mitteilung und tun Sie, worum er Sie bittet.

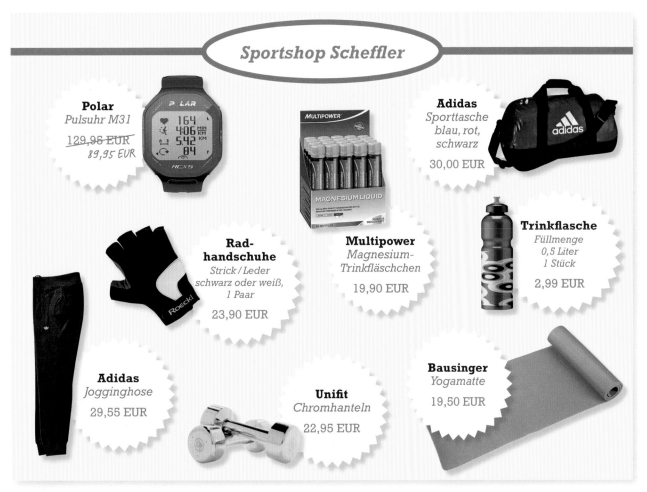

**Sportshop Scheffler**

**Polar**
*Pulsuhr M31*
~~129,95 EUR~~
*89,95 EUR*

**Adidas**
*Sporttasche
blau, rot,
schwarz*
30,00 EUR

**Rad-
handschuhe**
*Strick / Leder
schwarz oder weiß,
1 Paar*
23,90 EUR

**Multipower**
*Magnesium-
Trinkfläschchen*
19,90 EUR

**Trinkflasche**
*Füllmenge
0,5 Liter
1 Stück*
2,99 EUR

**Adidas**
*Jogginghose*
29,55 EUR

**Unifit**
*Chromhanteln*
22,95 EUR

**Bausinger**
*Yogamatte*
19,50 EUR

b Leider konnten Sie die Druckerei nicht erreichen. Deshalb schreiben Sie nun eine E-Mail, in der Sie die Informationen (Veränderungen und Ergänzungen) Ihres Chefs weitergeben.

… bittet Sie um … | … bittet Sie darum, … | … hätte gern, dass … | Ich soll Ihnen sagen / ausrichten, dass … | … hat gesagt, dass … | Ich soll Sie bitten, …. | … müsste geändert / ergänzt / gestrichen werden.

# 4 C Die Beschreibung der Dinge

## 1 Dingsda

**a** Von welchen Gegenständen sprechen die Kinder?
Hören Sie zu und raten Sie.

**b** Überlegen Sie sich in Gruppen Beschreibungen wie in 1a.
Die anderen raten.

## 2 Was ist typisch für …?

**a** Was sind typische Sammlerobjekte? Was sammelt man gerne in Ihrem Heimatland? Sammeln Sie etwas?
Wenn ja, was und warum? Wenn nein, warum sammeln Sie nicht?

**b** Lesen Sie folgende Beschreibungen aus einem Sammlerjournal. Was vermuten Sie: Welche Sammlerobjekte könnten gemeint sein?

**A**

Dieses weltweit bekannte Sammlerobjekt ist im Alltag sehr verbreitet. Raucher tragen es gern bei sich und im Winter kommt es besonders oft zum Einsatz. Daneben dient es als attraktiver Werbeträger, weil man es mit bunten Etiketten und Logos versehen kann. Man kann es in einem edlen Restaurant erhalten oder bei einem kleinen Friseur, aber man nimmt es immer gern mit. Denn so hat man neben dem praktischen Inhalt meist auch gleich die Adresse des Gebers. Aber obwohl das Objekt so verbreitet ist, weiß fast niemand, dass es in seiner heutigen Form in der Mitte des 19. Jahrhunderts entwickelt wurde und auf den Österreicher Pollak von Rudin zurückgeht.

**B**

Ursprünglich war dieses Sammlerobjekt ein bekanntes Spielzeug für Kinder, aber heute wird dieses beliebte Objekt auch gern von Erwachsenen gesammelt. Und viele Leute behalten es ihr ganzes Leben, weil es sie an ihre Kindheit erinnert. Bei den einen hat es einen besonderen Platz in der Wohnung, bei den anderen liegt es irgendwo in einer verstaubten Kiste im Keller. Das Objekt ist die flauschige Nachbildung eines großen und gefährlichen Tieres mit meist braunem Fell. Seine Größe kann stark variieren: Es kann so klein sein, dass es in eine Hand passt, es kann aber auch einen Meter erreichen. Das erste Modell kam 1903 in Deutschland auf den Markt. Es wurde zwar je nach Zeitgeschmack und technischen Neuentwicklungen immer wieder verändert, aber die unverwechselbare Grundform blieb.

**C**

Ob kleiner Junge oder erwachsener Mann, kleines Mädchen oder alte Oma – dieses Sammlerobjekt mag fast jeder. Man schätzt es besonders auf Picknick-Touren, Wanderungen oder sonstigen Ausflügen und Reisen. Die kleinen Varianten sind meistens verzierte Souvenirs und werden daher gern gesammelt. Die größeren Objekte gibt es in ganz vielen Ausführungen und oft sind auch noch verschiedene Werkzeuge dabei. Mit Griffen aus unterschiedlichen hochwertigen Materialien sind sie auch ein Genuss für die Augen. Je nach Material und Ausstattung können diese Objekte sehr wertvoll sein und das macht sie dann wieder zu begehrten Sammlerstücken. Die bekanntesten Modelle kommen aus der Schweiz und wurden Ende des 19. Jahrhunderts speziell für die Schweizer Armee entwickelt. Heute gibt es sie sogar in moderner Ausführung mit USB-Anschluss oder MP3-Spieler.

**c** Sammeln Sie in Gruppen Hintergrundinformationen zu den Sammlerobjekten in 2b und stellen Sie diese im Kurs vor.

## G 5.1 ❸ Sprache im Mittelpunkt: Die Adjektivdeklination

**a** Markieren Sie in den Texten in 2 b die Adjektive mit den dazu gehörigen Nomen, Artikeln und Präpositionen.

**b** Ergänzen Sie die Adjektivendungen in der Tabelle mithilfe der Adjektive in 3 a und Ihrer Kenntnisse.

| | m: der Inhalt | n: das Spielzeug | f: die Form | Pl: die Objekte |
|---|---|---|---|---|
| **N** | de**r** praktisch**e** <br> (k)ein praktisch**er** <br> praktischer**er** | das bekannt........ <br> (k)ein bekannt........ <br> bekannt........ | die schön........ <br> (k)eine schön........ <br> schön........ | die groß........ <br> keine groß........ <br> groß........ |
| **A** | den praktisch........ <br> (k)einen praktisch........ <br> praktisch........ | das bekannt........ <br> (k)ein bekannt........ <br> bekannt........ | die schön........ <br> (k)eine schön........ <br> schön........ | die bunt........ <br> keine bunt........ <br> bunt........ |
| **D** | dem praktisch........ <br> (k)einem praktisch........ <br> praktisch........ | dem bekannt........ <br> (k)einem bekannt........ <br> bekannt........ | der schön........ <br> (k)einer schön........ <br> schön........ | den bunt........ -n[2] <br> keinen bunt........ -n[2] <br> bunt........ -n[2] |
| **G** | des praktisch........ -(e)s[1] <br> (k)eines praktisch........ -(e)s[1] <br> praktisch........ -(e)s[1] | des bekannt........ -(e)s[1] <br> (k)eines bekannt........ -(e)s[1] <br> bekannt........ -(e)s[1] | der schön........ <br> (k)einer schön........ <br> schön........ | der bunt........ <br> keiner bunt........ <br> bunt........ |

[1]Das Nomen hat die Signalendung.   [2]Im Dativ Plural: Endung „-n", außer Nomen auf „-s" im Plural: dort immer „-s".

**c** Markieren Sie in der Tabelle in 3 b jeweils die Signalendung und notieren Sie sie.

| | m | n | f | Pl |
|---|---|---|---|---|
| **N** | r | | | |
| **A** | | | | |
| **D** | | | | |
| **G** | | | | |

**Tipp**
Nach den Possessivartikeln „mein-", „dein-", ... ist die Adjektivdeklination wie nach „ein-"/„kein-".

**d** Ergänzen Sie die fehlenden Adjektivendungen.

1. (alt) Sie verkaufen ................... Kram, ein ................... Fahrrad, ................... Sachen.

2. (interessant) Sie handeln mit diesem ................... Artikel, mit jenem ................... Produkt,

   mit manchen ................... Waren.

3. (beliebt) Das ist der ................... Bär, die ................... Platte, das ................... Objekt;

   das sind die ................... Geschenke.

**e** Welche Regel passt zu welchem Satz in 3 d?  `AB: C1–3` ▶

> 1. Wenn die Signalendung (r, s, e, n, m) beim Artikelwort steht, hat das Adjektiv die Endung „-e" oder „-en".
>    → Sätze: ...............
> 2. Wenn es kein Artikelwort gibt oder das Artikelwort keine Endung hat, hat das Adjektiv die Signalendung.
>    (Ausnahme: Genitiv Singular Maskulinum und Neutrum: Endung „-en".) → Satz: ...............

**f** Bringen Sie einen Gegenstand mit, den Sie weggeben möchten. Beschreiben Sie ihn in einer Anzeige mit vielen lobenden Adjektiven. Hängen Sie die Anzeigen auf und wählen Sie einen Gegenstand. Begründen Sie Ihre Wahl.

# Die Macht der Dinge

## 1 Wenn die Dinge mächtiger werden als der Mensch: Das Messie-Syndrom

a Haben Sie schon vom Messie-Syndrom gehört? Wenn ja, berichten Sie im Kurs.

b Hören Sie eine Reportage zum Thema „Messie" und kreuzen Sie die richtige Antwort an: a, b oder c.

1. Wie geht die junge Berlinerin Andrea mit dem Chaos in ihrer Wohnung um?
   - a Sie versucht immer wieder, das Chaos zu beseitigen.
   - b Sie gibt auf und tut nichts mehr.
   - c Sie räumt auf und schafft Ordnung.

2. Welcher mögliche Grund für das Messie-Syndrom wird in der Reportage genannt?
   - a Eine organische Krankheit.
   - b Besonders problematische Ereignisse im Leben des Betroffenen.
   - c Vererbung durch die Eltern.

3. Wer ist besonders anfällig für das Messietum?
   - a Jugendliche, die viel am Computer sitzen.
   - b Berufstätige, bei denen es häufig Veränderungen im Arbeitsleben gibt.
   - c Frauen, die durch Beruf und Haushalt überlastet sind.

4. Welches Verhalten ist typisch für Messies?
   - a Sie suchen Hilfe bei Selbsthilfegruppen.
   - b Sie sprechen nur mit guten Freunden über ihr Problem.
   - c Sie isolieren sich, um ihre Krankheit zu verbergen.

c Hören Sie die Reportage noch einmal und überprüfen Sie Ihre Antworten in 1b. `AB: D1`

d Sammeln Sie in Gruppen alle Informationen, die Sie in der Reportage zum Thema „Messie" bekommen haben. `AB: D2a`

## 2 Liebe Messie-Freundin

Schreiben Sie einen Brief oder eine E-Mail. `AB: D2b-c`

Eine Freundin, die es nicht schafft, das Chaos in ihrer Wohnung zu beseitigen, hat Sie nach Informationen gefragt, wie sie ihr Problem in den Griff bekommen könnte. Geben Sie ihr die Informationen weiter, die Sie in der Reportage in 1b bekommen haben, und ergänzen Sie sie durch eigene Vorschläge.

## ⊙ G 3.15 ③ Sprache im Mittelpunkt: Relativpronomen

a Lesen Sie die Sätze aus einer Reportage über Messies und markieren Sie die Relativpronomen. Notieren Sie Kasus, Numerus und Genus der Pronomen.

1. Ein Messie ist ein Mensch, der alles sammelt und nichts wegwerfen kann.
2. Ca. 1,8 Millionen Menschen in Deutschland leben mit dem Messie-Syndrom, dessen Ursache noch nicht erforscht ist.
3. Als besonders schlimm empfinden viele Messies den Verlust an sozialen Kontakten, der durch ihre Krankheit entsteht.
4. Anfällig sind vor allem Menschen, deren Leben vielen Veränderungen unterliegt.
5. Die Menschen, mit denen Andrea privat und beruflich zu tun hatte, bemerkten nichts von ihrer Krankheit.
6. Auch die Nachbarin, der Andrea täglich begegnete, wusste nichts von ihrer Krankheit.
7. Andrea, deren eigene Wohnung völlig zugemüllt war, führte beruflich drei Haushalte.
8. Bei den „Anonymen Messies" gibt Andrea die Erfahrungen, die sie gemacht hat, an andere Messies weiter.
9. Andrea hilft Menschen, das heimische Chaos zu besiegen, gegen das sie allein vergeblich kämpfen.

Satz 1: _Nom. Singular Mask._     Satz 4: _____     Satz 7: _____

Satz 2: _____     Satz 5: _____     Satz 8: _____

Satz 3: _____     Satz 6: _____     Satz 9: _____

b Schauen Sie sich die Lösung in 3a noch einmal an und ergänzen Sie die Regel. `AB: D3a`

> Die Formen von Relativpronomen und bestimmtem Artikel sind gleich. Ausnahmen:
>
> • im Dativ Plural: _denen_ _____,
>
> • im Genitiv Singular Maskulinum und Neutrum: _____,
>
> • im Genitiv Singular Femininum und Genitiv Plural: _____.

## ⊙ G 3.15 ④ Sprache im Mittelpunkt: Relativsätze

a Lesen Sie die Sätze in 3a noch einmal. Markieren Sie die Nomen, auf die sich das Relativpronomen bezieht, und die Verben im Relativsatz. Ergänzen Sie dann die Regeln mit den grammatischen Begriffen rechts. `AB: D3b–c`

> Dativ | Artikel | Nebensätze | Akkusativ | Nomen

> 1. Relativsätze sind _____. Sie erklären ein Nomen im Hauptsatz.
>
> 2. Das Genus (Maskulinum, Neutrum, Femininum) und der Numerus (Singular, Plural) des Relativpronomens richten sich nach dem _____, auf das sich das Relativpronomen bezieht.
>
> 3. Der Kasus (Nominativ, Akkusativ, Dativ, Genitiv) richtet sich nach dem Verb im Relativsatz (z. B. begegnen + _____) oder nach der Präposition (z. B. kämpfen gegen + _____).
>
> 4. Das Nomen, das auf die Relativpronomen „dessen" und „deren" folgt, hat keinen _____.

b Beschreiben Sie Messies mit Relativsätzen. `AB: D3d`

Messies sind Menschen,

1. _____ (vom Chaos regiert werden)

2. _____ (für sie gibt es nichts Unnützes)

3. _____ (es gelingt ihnen nicht, Dinge wegzuwerfen)

4. _____ (in ihrer Wohnung ist kaum noch Platz für sie selbst)

# Die Ordnung der Dinge

## 1 Sammelsurium

a Notieren Sie folgende Gegenstände aus Ihrer häuslichen bzw. persönlichen Umgebung. Tauschen Sie sich dann in Gruppen aus.

Einen Gegenstand,

- auf den Sie nicht verzichten möchten.
- für den Sie keine Verwendung mehr haben.
- über den Sie sich oft ärgern.
- auf den Sie stolz sind.
- für den Sie viel Geld bezahlt haben.
- der Ihnen fehlt oder den Sie gern hätten.
- der für Sie elegant / hässlich / nutzlos / kitschig / wertvoll / altmodisch … ist.

b Sie möchten den Gegenstand, den Sie gerne hätten, kaufen und den, auf den Sie verzichten können, verkaufen. Welche Möglichkeiten haben Sie? Sprechen Sie im Kurs.

## 2 eBay – die Ordnung der Dinge

a Worum könnte es in einem Essay mit der Überschrift „eBay – die Ordnung der Dinge" gehen? Überlegen Sie in Gruppen und tauschen Sie sich dann im Kurs aus.

b Überfliegen Sie die einzelnen Abschnitte des Essays über eBay aus dem Magazin der Süddeutschen Zeitung auf der nächsten Seite. Welche Aussage gibt die zentrale Information des jeweiligen Abschnitts wieder: a oder b? Kreuzen Sie an. **AB: E1**

1. Abschnitt:
   - a Die Idee von eBay ist leicht zu begreifen.
   - b eBay ist ein Vermittler zwischen Käufer und Verkäufer.

2. Abschnitt:
   - a Durch eBay gibt es keine nutzlosen Dinge mehr.
   - b Bei eBay kann man sich von Ballast befreien.

3. Abschnitt:
   - a Ein eBay-Verkauf erzeugt Glücksgefühle.
   - b Ein eBay-Verkauf bringt finanziell oft nur wenig.

4. Abschnitt:
   - a Käufer sind traurig, wenn sie nicht bekommen, was sie suchen.
   - b Käufer erfüllen sich mithilfe von eBay alte Wünsche.

c Überlegen Sie, was die zentrale Aussage des gesamten Essays ist. Tauschen Sie sich in Gruppen aus und begründen Sie Ihre Meinung. **AB: E2**

a eBay bringt Verkäufern und Käufern Glück.
b eBay bringt kaum finanzielle Vorteile, ist aber nützlich, weil man alte Dinge nicht wegwerfen muss.
c eBay erzeugt Freude, weil die Dinge mithilfe von eBay an den für sie vorgesehenen Ort gelangen.

d Haben Sie selbst Erfahrungen mit eBay oder einer ähnlichen Plattform? Wenn ja, welche? Berichten Sie im Kurs.

# eBay – die Ordnung der Dinge

**1.** Von allen Ideen, die das Internet hervorgebracht hat, kann man das eBay-Prinzip am leichtesten verstehen: ein globales Online-Auktionshaus zum Ersteigern und Versteigern, Kaufen und Verkaufen. eBay hat sich zu einem riesigen Warenhaus ohne eigene Produkte entwickelt, das nur von der Vermittlung zwischen seinen Kunden lebt. Hier werden in Deutschland allein an einem einzigen Tag rund 70 Millionen Deals abgeschlossen.

**2.** Dieses gigantische Volumen hat sicher auch mit den unbegrenzten Möglichkeiten des Schnäppchenjagens und Geldverdienens zu tun. Aber darüber hinaus bietet eBay noch mehr: Wer einmal etwas auf eBay verkauft hat, kennt den Bewusstseinswandel, den dieser Akt auslöst: Plötzlich gibt es keine wertlosen oder nutzlosen Sachen mehr – die Hand, die gerade ein Ding in den Abfall werfen möchte, zuckt im letzten Moment zurück. Die Zitronenpresse, die so elegant designt ist, dass sie nicht funktionieren kann, das verstaubte Spielzeug aus Kindertagen, das Buch, das man niemals mehr lesen wird: Auf einmal sind sie nicht nur nutzlose Geschenke, Staubfänger, Ballast – sie sind eBay-Ware. Denn so sinnlos und hässlich ein Ding für mich vielleicht ist: Irgendwo gibt es ganz sicher einen Menschen, der gerade darauf schon lange sehnlichst gewartet hat, der gerade an diesem Gegenstand noch Freude haben wird.

**3.** Ein eBay-Verkauf macht so viel Freude, dass das Ziel des finanziellen Gewinns, das man sonst mit einer Auktion verbindet, in den Hintergrund tritt: Aufwand und Ertrag stehen nämlich oft in keinem Verhältnis. Und der sekundenschnelle Wurf in den Abfalleimer wäre finanziell häufig die sinnvollere Lösung. In der Zeit nämlich, in der man die Ware fotografiert, online stellt, verpackt und schließlich auf die Post bringt, könnte man ja auch zwei gut bezahlte Überstunden im Büro machen, von denen man wahrscheinlich mehr hätte. Der richtige Lohn ist jedoch der, dass man dem verkauften Gegenstand hilft, seinen richtigen Platz in der Welt zu finden. Man wird Teilnehmer an einem höheren Projekt, das man als „Die Ordnung der Dinge" bezeichnen könnte – und man spürt ein Glücksgefühl, das man anders nur schwer erreichen kann.

**4.** Auf der Seite der Käufer treffen wir gleichzeitig immer mehr Menschen, die per eBay ihre Biografien aufarbeiten und Fehler in der Ordnung der eigenen Dinge korrigieren: Diese ganz spezielle Lokomotive der Spielzeugeisenbahn, nach der man sich als Kind sehnte, die man aber nie geschenkt bekam – wetten, dass sie eines Tages bei eBay auftaucht, genau beschrieben, identifizierbar bis hin zur Modellreihe und Seriennummer? Muss man nicht annehmen, dass sie all die Jahre auf einen gewartet hat? Nie werde ich die Trauer eines Freundes vergessen, als er erzählte, wie er endlich einen Traum seiner Jugend auf eBay entdeckte – einen Plastikspielzeug-Bunker, dessen seltsamen Namen „German Secret Strong Point" er nie vergessen hatte – und dann in letzter Sekunde überboten wurde. In diesem Moment gab es keine Gerechtigkeit mehr für ihn. Aber die Wahrheit ist wohl die: Dies war noch nicht SEIN Plastikspielzeug-Bunker. Der ist noch da draußen, in der Welt der Dinge, auf dem Weg zu ihm.

*Tobias Kniebe*

# Die Präsentation der Dinge

**①  Eine gelungene Präsentation**

a   Schauen Sie sich die Fotos an. Was machen die Personen falsch? Beschreiben Sie.

b   Was gehört Ihrer Meinung nach zu einer guten Präsentation? Sammeln Sie im Kurs.

 **②  Notizen beim Zuhören machen**  AB: F1–2

Lesen Sie die Tipps zum Notizenmachen und markieren Sie die wichtigsten Informationen.

1. Nähern Sie sich, wenn möglich, schon im Vorfeld dem Thema. Denn es ist hilfreich, schon etwas davon zu wissen oder einige Ideen dazu gesammelt zu haben.
2. Beim ersten Hören ist es gut, wenn Sie noch nichts notieren. Orientieren Sie sich: Worum geht es? Wer spricht eigentlich? Wie wird gesprochen? An welcher Stelle kommen die wichtigsten Informationen?
3. Überlegen Sie sich, wie ein Notizzettel zum jeweiligen Thema aussehen könnte.
4. Konzentrieren Sie sich beim zweiten Hören auf die wichtigsten Inhalte und notieren Sie sie.

**③  Präsentieren und vortragen – aber richtig!**

a   Im Folgenden hören Sie den Vortrag „Präsentieren und vortragen, aber richtig! – 10 goldene Regeln".
Wie könnte Ihr Notizzettel aussehen? Tauschen Sie sich mit einem Partner / einer Partnerin aus.

LB ①
45–54
b   Hören Sie nun den Vortrag. Welche Regel finden Sie besonders hilfreich?

c   Hören Sie die zehn Regeln noch einmal. Notieren Sie zu jedem Punkt ein Stichwort auf Ihrem Notizzettel, das Ihnen hilft, sich an die jeweilige Regel zu erinnern.

d   Besprechen Sie in Gruppen mithilfe Ihrer Notizen, was Sie gehört haben, und ergänzen Sie ggf. die Notizen.  AB: F3

e   Wie hält man Präsentationen in Ihrer Heimat? Gelten die Regeln auch dort? Tauschen Sie sich im Kurs aus.

## 4 Ein wunderbares Produkt! – eine Präsentation

a  Überlegen Sie sich allein ein Produkt, das Sie sehr nützlich finden, besonders schätzen und von dem Sie andere auch begeistern möchten.

b  Entscheiden Sie sich dann mit einem Partner / einer Partnerin für eines Ihrer Produkte und planen Sie eine ca. dreiminütige Produktpräsentation.

- Beschreiben Sie Ihr Produkt so, dass Sie andere davon überzeugen können.
- Arbeiten Sie dafür auch heraus, welche Funktion das Produkt hat und warum es besonders nützlich ist.
- Überlegen Sie sich, welche anderen Besonderheiten Ihr Produkt hat. Was zeichnet es vor vergleichbaren Produkten anderer Marken aus?
- Verknüpfen Sie die Informationen und überlegen Sie sich eine Gliederung. Überlegen Sie auch, ob jeder von Ihnen einen Teil der Präsentation halten möchte oder einer alleine dies tut.
- Nutzen Sie Medien zur Visualisierung, z.B. PowerPoint, Overhead-Folien, Handouts, Plakate, … und sprechen Sie die Zuhörerinnen und Zuhörer direkt an.
- Versuchen Sie, Ihr Produkt lebhaft vorzustellen. Die „10 goldenen Regeln" zum Präsentieren in 3b können Ihnen dabei helfen.

> **Mein Produkt**
> 1. Beschreibung
> 2. Funktion
> 3. Nutzen
> 4. Sonstige Besonderheiten

c  Halten Sie Ihre Präsentation im Kurs. Folgende Redemittel helfen Ihnen.

> **beginnen:** Wir möchten Ihnen / euch … vorstellen.
>
> **demonstrieren:** Unser Produkt zeichnet sich durch … aus. | Ein besonderes Merkmal ist … | Es hat folgende Funktion: … | Es ist besonders nützlich, wenn … | Eine Besonderheit ist … | Auffällig ist besonders … | Von anderen Marken unterscheidet sich dieses Produkt durch … / dadurch, dass …
>
> **beenden:** Lassen Sie / Lasst mich zum Schluss noch sagen, dass … | Ich hoffe, Sie haben / ihr habt einen Überblick über die Besonderheiten von … erhalten. | Wenn Sie / ihr noch Fragen haben / habt, können Sie / könnt ihr sie jetzt gern stellen.

d  Stellen Sie im Anschluss Fragen zu den präsentierten Produkten. Folgende Redemittel helfen Ihnen.

> Was sind die Vorteile / Nachteile von …? | Mich würde noch interessieren, … | Können Sie / Kannst du noch etwas über / zu … sagen? | Kann ich das Produkt auch für … verwenden? | Aus welchem Material besteht das Produkt? | Was kostet …?

e  Analysieren Sie jeweils die Präsentationen. Gehen Sie dabei auf folgende Punkte ein.

- War der Aufbau logisch und die Argumentation schlüssig?
- Wirkten die Redner souverän und überzeugend?
- Konnten die Redner bei den Zuhörern Interesse oder sogar Begeisterung für das Produkt wecken?

> Die Präsentation hat mir (nicht so) gut gefallen, weil … | Den Aspekt … haben Sie / hast du gut erklärt. | Ich denke, der Gesichtspunkt / Punkt … hat gefehlt. | Zum Thema … wurde zu viel gesagt. | Man könnte z.B. … | Was halten Sie / hältst du von folgender Idee: …?

# 5A  Arbeit

## ① Nichts als Arbeit?

a   Sprechen Sie über die Fotos oben. Was haben sie mit dem Thema „Arbeit" zu tun?

b   Ordnen Sie jedem Bild zwei der folgenden Begriffe zu.

> Atelier | Ausdauer | Bedienung | Betrieb | Beratung | Entspannen | Fabrik | Faulheit | Firma | Fleiß |
> Flexibilität | Forschung | Gespräch | Gründlichkeit | Heimarbeit | Hilfe | Information | Interesse | Kontrolle |
> Krankenhaus | Kreativität | Laden | Lernen | Organisation | Pflichtbewusstsein | Planung | Teamfähigkeit |
> Selbstbewusstsein | Stolz | Unternehmen | Untersuchung | Verkauf | Werkstatt | Zuverlässigkeit | Praxis

c   Ordnen Sie die Wörter in 1b in die Tabelle ein.  AB: A1–2

| Arbeitsorte | Tätigkeiten | Eigenschaften |
|---|---|---|
| Atelier, | | |

d   Ergänzen Sie in der Tabelle in 1c weitere Wörter. Sie können auch ein einsprachiges Wörterbuch benutzen.

## ② Berufe in Hülle und Fülle

a   Suchen Sie in Gruppen für jeden Buchstaben des Alphabets (außer Q, X, Y) einen Beruf. Die schnellste Gruppe gewinnt.

   *A: Apotheker, B: ...*

b   Wählen Sie einen Beruf aus Ihrer Liste und ordnen Sie diesem passende Wörter aus 1c zu.

## ③ Ist das Arbeit?

Überlegen Sie sich mit einem Partner / einer Partnerin Begründungen, ob die Situationen 1 bis 6 Arbeit sind oder nicht, und diskutieren Sie Ihre Argumente dann im Kurs.

1. Kursteilnehmer lernen ein Gedicht auswendig.
2. Ein Vogelpärchen baut sich ein Nest.
3. Katharina bereitet sich vier Stunden lang auf einen Biologietest vor.
4. Eine Arbeiterin näht sich nach Feierabend ein Kleid.
5. Eine Sängerin singt ihrem Kind ein Gute-Nacht-Lied vor.
6. Die Deutschlehrerin geht nach dem Kurs mit ihrer Klasse noch einen Kaffee trinken.

## ④ Was Arbeit bedeuten kann

a  Welches Foto links oben passt zu welcher Person? Zu zwei Personen gibt es kein Foto.  AB: A3 ▸

1. Maren leitet die Controlling-Abteilung in einem großen Unternehmen. Sie liebt diese verantwortungsvolle Tätigkeit und ist dafür auch bereit, auf Freizeit zu verzichten.
2. Gerd hat schon als Kind gern mit Holz gearbeitet. Inzwischen haben seine Frau und er eine eigene Schreinerei, in der sie individuelle Möbel und Küchen nach Maß anfertigen.
3. Anna malt und verkauft auch manchmal ein Bild. Aber von der Malerei kann sie nicht leben. Um ihren Lebensunterhalt zu verdienen, arbeitet sie als Verkäuferin. Aber sie hasst diese Tätigkeit.
4. Katja arbeitet mal als Reiseleiterin, mal verkauft sie Schmuck auf Märkten und ein andermal jobbt sie als Kellnerin.
5. Bernd lebt noch bei seinen Eltern. Er ist am liebsten zu Hause und sieht fern. Ab und zu jobbt er abends in einer Kneipe.
6. Lena ist bei der Stadtverwaltung beschäftigt. Sie hat sich diese Stelle ausgesucht, weil sie dort feste Arbeitszeiten hat und so Raum für ihre Freizeitaktivitäten bleibt.
7. Oliver ist Chefarzt an einer Universitätsklinik. Die Patienten verehren ihn, das Klinikpersonal macht alles, was er sagt, und in seiner Garage steht der neueste Mercedes. Deshalb liebt er seine Arbeit.
8. Sophie arbeitet vormittags in einer Gärtnerei, am Nachmittag hilft sie oft in einem Blumengeschäft aus oder arbeitet in ihrem Garten. Und am Abend näht und strickt sie.

Foto A ☐   Foto B ☐   Foto C ☐   Foto D ☐   Foto E ☐   Foto F ☐

b  Welche Bedeutung hat für die Personen in 4a ihre Arbeit? Ordnen Sie die Aussagen zu.
Für zwei Personen gibt es keine Aussage.

**A** Mein Job ist schrecklich, aber man braucht schließlich Geld zum Leben.
Person: ........

**C** Meine Arbeit ist das Zentrum meines Lebens. Denn sie gibt mir alles, was ich brauche: Bestätigung und Geld.
Person: ........

**E** Ich muss immer etwas zu tun haben, sonst langweile ich mich.
Person: ........

**B** Ich habe meine Lieblingstätigkeit zu meinem Beruf gemacht und teile die Leidenschaft mit meiner Familie.
Person: ........

**D** Meine Arbeit ist für mich die Hauptsache: Ich arbeite 10 bis 12 Stunden am Tag und oft auch noch am Wochenende.
Person: ........

**F** Ich möchte mich frei fühlen, deshalb jobbe ich mal hier, mal dort. Aber eine feste Stelle – niemals!
Person: ........

c  Welcher Aussage in 4b würden Sie persönlich zustimmen, welcher nicht? Warum?

d  Definieren Sie für sich persönlich Arbeit. „Arbeit ist für mich … Ich …" Hängen Sie die Definitionen anonym auf und lesen sie die der anderen.

# 5B

# Welt der Arbeit

## 1 Rund um die Welt

Schauen Sie sich die Zeichnung an. Welche
Aspekte von Globalisierung werden dort
dargestellt? AB: B1 ▶

## 2 Arbeit in der Welt

a Erklären Sie folgende Wörter aus einem Zeitungskommentar zum Thema „Globalisierung".
Benutzen Sie ggf. ein einsprachiges Wörterbuch.

| Multi | Mittelständler | Kleinstunternehmer | Produktionsstätte | Vertrieb |

| Standort | Wachstumsimpuls | Logistik | Vorprodukt | Kundendienst |

b Wählen Sie einen Titel, notieren Sie dazu ca. drei Assoziationen und tragen Sie Ihre Ideen im Kurs vor.

> Zu alt für den Arbeitsmarkt | Neue Märkte im Ausland | Wie der Traumjob Wirklichkeit wird |
> Frauen im Management | Jobverlust: In den Betrieben geht die Angst um | Die kleinen Globalisierer |
> Arbeit oder Familie | Arbeitswelt: Blick in die Zukunft | Die Globalisierung kostet Arbeitsplätze

c Lesen Sie auf der nächsten Seite einen Kommentar aus der Wochenzeitung „Die Zeit". Welche Überschrift aus 2b passt?
Begründen Sie Ihre Meinung. Einigen Sie sich auf eine Überschrift und schreiben Sie sie über den Kommentar.

d Finden Sie die Bedeutung der Wörter, die im Zeitungsartikel auf der nächsten Seite markiert sind. Ergänzen Sie dazu
jeweils die Spalten in einer Tabelle wie unten.

| 1. Wortart | 2. Wortkombination | 3. Bezug zu Text | 4. Synonym | 5. evtl. Wort / Begriff in der Muttersprache |
|---|---|---|---|---|
| investieren –> Verb | im Ausland investieren | Globalisierung, deutsche Mittelständler | Geld anlegen | |
| aufbauen –> ... | | | | |
| | | | | |

e Lesen Sie den Kommentar auf der nächsten Seite noch einmal und beantworten Sie folgende Fragen.
Notieren Sie Stichworte. AB: B2–3 ▶

1. Welche neue Tendenz gibt es bei den Globalisierern?
2. Was sind die Motive der Unternehmen, im Ausland zu investieren?
3. Welche Vorteile können sich aus der Globalisierung ergeben?
4. Auf welche Schwierigkeiten können die kleinen Globalisierer stoßen?
5. Welches Beispiel führen die Autoren an?

„Tragen Sie lieber einen massengefertigten Anzug, der Ihnen von einem pickligen Kerl im Warenhaus verkauft wird – oder einen maßgeschneiderten Anzug von einem Mann, für den Anzüge eine
5 lebenslange Passion bedeuten?" So wirbt der Hongkonger Schneider Raja Daswani alle paar Wochen in der New York Times und anderen amerikanischen Zeitungen. Wer Daswanis Dienste in Anspruch nehmen will, trifft ihn in einem
10 Hotelzimmer irgendwo in den Vereinigten Staaten, wird von ihm vermessen und fotografiert. Die Daten gehen per E-Mail nach Hongkong. Nach drei Wochen bekommt man den neuen Anzug per Kurier zugestellt – für ein Drittel des üblichen
15 Preises. Typisch Amerika? Falsch, die asiatischen Herrenausstatter kommen mittlerweile auch nach London und Frankfurt, um europäischen Bankern neue Westen zu verpassen.

20 Die Globalisierung wird klein. Nicht mehr nur große Multis agieren über Landesgrenzen hinweg, sondern auch Mittelständler und Kleinstunternehmer wie der geschäftstüchtige Schneider Daswani. Und die Bewegung geht nicht
25 nur in eine Richtung. Auch deutsche Mittelständler brechen in die Welt auf. Nach Ermittlungen der Deutschen Industrie- und Handelskammer (DIHK) haben in diesem Jahr insgesamt 40 Prozent der deutschen Industrieunternehmen den Entschluss
30 gefasst, im Ausland zu investieren – bei den mittelgroßen Industrieunternehmen (zwischen 200 und 999 Beschäftigte) ist es sogar jedes zweite.

Drei Motive treiben die Globalisierer an: Sie wollen
35 vor Ort einen eigenen Vertrieb oder Kunden- dienst aufbauen, sich über die Herstellung im Ausland Märkte erschließen und natürlich billiger produzieren. Die meisten wollen in die neuen EU-Länder, nach Osteuropa, dicht gefolgt von China.
40

Aber schadet der Mittelstand der deutschen Wirtschaft nicht, wenn er mehr Vorprodukte in aller Welt einkauft – oder gar selbst dort fertigt? Forscher haben über mehrere Jahre hinweg die
45 Motive für die Standortwahl im Ausland gründlich studiert: Dabei sind sie zu der Überzeugung gelangt, dass der Aufbau einer Auslandsproduktion keinesfalls eine Verringerung der Beschäftigung im Inland zur Folge haben muss. Im Gegenteil:
50 Wachstumsimpulse für den deutschen Betrieb sind durchaus wahrscheinlich. So expandierte der schwäbische Maschinenbauer Trumpf z. B. schon früh in die USA und eroberte dort den Markt. Auf diese Weise konnte er zu Hause
55 nicht nur Arbeitsplätze erhalten, sondern sogar neue schaffen. Hinzu kommt, dass multinationale Firmen im Schnitt deutlich produktiver sind als rein nationale Unternehmen. Denn sie haben mehr Zugang zu neuen Ideen, Design-Philosophien oder
60 Kundenwünschen.

Trotzdem sollten sich die kleinen Globalisierer in Acht nehmen. Zu Beginn muss man nämlich bis zu 40 Prozent des Umsatzes der neuen Produkte
65 aufwenden, um Logistik und Produktionsstätten aufzubauen und Mitarbeiter anzulernen. Oft sind zudem Experten aus der Heimat gefragt, um die Qualität zu sichern – die dann wiederum zu Hause fehlen. Die Mittelständler müssen also aufpassen,
70 nicht einfach einer Mode zu folgen.

von Thomas Fischermann, Uwe Jean Heuser,
Dietmar H. Lamparter (vom 14. April)

## ③ Kurzfassung

Fassen Sie den Text mithilfe Ihrer Antworten in 1e zusammen. Verwenden Sie dabei auch folgende Redemittel.

In dem Artikel „…" (Titel) aus … (Quelle) vom … geht es um … | Die Hauptaussage ist … |
Der Artikel „…" (Titel)… stammt aus … (Quelle) vom … | Darin geht es um … | Die Autoren führen
folgende Gründe an … | Sie betonen / heben hervor, dass … | Als Beispiel nennen sie … |
Sie beschreiben aber auch … | Zusammenfassend lässt sich sagen: …

# Arbeiten auf Probe

## 1 Generation Praktikum

a   Haben Sie Erfahrungen mit Praktika? Wenn ja, welche? Tauschen Sie sich im Kurs aus.

LB ② 1–6   b   Hören Sie einen Ausschnitt aus einer Radioreportage zum Thema „Praktikum". Welche Sprecher sind eher positiv (+),
welche eher negativ (–) eingestellt? Notieren Sie.

| K. Berger Sprecherin | A. Scheu Praktikant | Dr. F. Bertram Soziologe | R. Höning Praktikantin | S. Wagner Praktikantin | H. von Perlow Unternehmer |
|---|---|---|---|---|---|
| | | | | | |

c   Hören Sie die Radioreportage in 1b noch einmal und notieren Sie die positiven und die negativen Aspekte eines
Praktikums, die genannt werden.  AB: C1

## 2 Von der Generation Praktikum zur Generation Probezeit

a   Lesen Sie die Nachricht „Generation Probezeit" aus einer Fachzeitschrift. Zu welchen Fragen finden Sie eine Antwort
im Text? Notieren Sie die Informationen.

1. Wie lange darf man in Deutschland jemanden befristet einstellen?
2. Wie viele Arbeitnehmer werden nach einem befristeten Arbeitsverhältnis übernommen?
3. Wie viel Prozent der jungen Arbeitnehmer sind nur befristet angestellt?
4. Wie wirken sich befristete Arbeitsverhältnisse auf die Unternehmen aus?
5. Was bedeutet ein befristetes Arbeitsverhältnis für junge Arbeitnehmer?

Die neuesten Zahlen des Statistischen Bundesamts zeigen: Die „Generation Praktikum" hat die nächste Stufe erreicht und wandelt sich zur „Generation Probezeit": Denn junge Arbeitnehmer werden meistens nur noch befristet eingestellt. Zwei Jahre sind gesetzlich erlaubt, dann müssen die Angestellten übernommen werden – oder auch nicht. Dies geschieht inzwischen in etwa 50 Prozent aller Fälle. Im Vergleich zu den 90er-Jahren, in denen die meisten unbefristet eingestellt wurden, sind heute fast 10 Prozent der gesamten arbeitenden Bevölkerung nur befristet angestellt. Bei den jungen Leuten ist es sogar jeder Zweite. Für einen großen Teil der jungen Arbeitnehmerschaft wird dadurch aus einem vorübergehenden, zeitlich begrenzten Arbeitsverhältnis ein Dauerzustand und damit das Fehlen von Zukunftsplänen zur Normalität. Eine Familie zu gründen, ein Haus zu bauen, sich an einem Ort auf Dauer niederzulassen – von diesen Zielen können viele inzwischen nur noch träumen.

b   Lesen Sie nun die Aussage eines jungen Arbeitnehmers und vergleichen Sie sie mit dem Nachrichtentext in 2a.
Welche Informationen sind neu?

Nachdem ich zum Vorstellungsgespräch eingeladen worden war, hoffte ich: Diesmal ist alles anders. Aber es kam wie immer: Ich bin nur befristet eingestellt worden. Jetzt arbeite ich schon wieder ohne sichere Zukunftsperspektive. Wie soll das weitergehen? Ich verstehe das auch nicht: Nachteile gibt es doch nicht nur für mich, sondern auch für meinen Arbeitgeber: Bei jedem Wechsel muss ein Neuer eingearbeitet werden, und der Neue muss alles von Grund auf lernen. Und wenn er wieder geht, gehen die Erfahrungen und die Kontakte, die er gesammelt hat, für die Firma verloren. Das schadet doch auch der Firma!

c   Wie ist die Situation in Ihrer Heimat? Welche Erfahrungen haben Sie persönlich oder Menschen, die Sie kennen,
gemacht? Berichten Sie im Kurs.

## G 4.8 ③ Sprache im Mittelpunkt: Das Passiv

a Wann verwendet man Aktiv, wann Passiv? Lesen Sie die Sätze und ordnen Sie sie den Regeln zu. **AB: C2**

1. Junge Arbeitnehmer werden meistens nur noch befristet eingestellt.
2. Jetzt arbeite ich schon wieder ohne sichere Zukunftsperspektive.
3. Der Neue muss alles von Grund auf lernen.
4. Früher wurden befristete Arbeitsverhältnisse in der Regel schnell in unbefristete umgewandelt.

> Aktiv: Wichtig ist das „Agens", d.h., wer oder was etwas tut. → Sätze: ..................................................
>
> Passiv: Der Vorgang ist wichtig, nicht das „Agens". → Sätze: ..................................................

b Lesen Sie die Texte in 2a und b noch einmal und ergänzen Sie die Verbformen.

1. In 50 % der Fälle _werden_ die Angestellten nicht _übernommen_ . (übernehmen)
2. In den 90er-Jahren .................... die meisten Arbeitnehmer unbefristet .................... . (einstellen)
3. Ich .................... nur befristet .................... . (einstellen)
4. Ich .................... zum Vorstellungsgespräch .................... und hoffte im Anschluss: Diesmal ist alles anders. (einladen)

c Schauen Sie sich die Passivformen in 3b an und ergänzen Sie die Regeln. **AB: C3**

> 1. Passiv Präsens / Präteritum: konjugierte Form von „werden" + ..................................................
>
> 2. Passiv Perfekt / Plusquamperfekt: konjugierte Form von „sein" + .................... + „.................... ".

d Passiv mit Modalverben. Markieren Sie in den Sätzen die Passivformen und kreuzen Sie die richtige Regel an. **AB: C4**

1. Nach zwei Jahren müssen die Angestellten übernommen werden.
2. Bei jedem Wechsel muss ein Neuer eingearbeitet werden.
3. Die neue Kollegin konnte erst nach einer langen Einarbeitung im Projekt eingesetzt werden.

> Das Passiv mit Modalverben (Präsens, Präteritum) bildet man so:
> **a** Modalverb im Präsens / Präteritum + Partizip Perfekt + „worden".
> **b** Modalverb im Präsens / Präteritum + Partizip Perfekt + „werden".

e Das „sein"-Passiv (Zustandspassiv): Welcher Satz drückt einen Zustand (Z) aus, welcher einen Vorgang (V)? Kreuzen Sie an und ergänzen Sie dann die Regel. **AB: C5**

1. Sarah wurde drei Monate lang eingearbeitet.　　　Z　V
2. Nun ist sie gut eingearbeitet.　　　Z　V
3. Als Ingo in die Firma kam, war Sarah schon eingearbeitet.　　　Z　V

> Das Zustandspassiv bildet man so: konjugierte Form von „sein" im Präsens / Präteritum+ .................... .

f Was passt jeweils besser: Aktiv oder Passiv? Warum? Sprechen Sie im Kurs.

1. **a** Seit vielen Jahren stellen viele Unternehmen junge Leute nur noch befristet ein.
   **b** Seit vielen Jahren werden junge Leute nur noch befristet eingestellt.
2. **a** Carla hat in ihrem Praktikum viele Erfahrungen gemacht.
   **b** Viele Erfahrungen sind von Carla in ihrem Praktikum gemacht worden.

# Arbeit gesucht

## 1 Bewerbung

a Lesen Sie den Bewerbungsbrief und überprüfen Sie, ob er alle Teile eines Bewerbungsbriefes enthält.

> Betreff | Unterschrift | Anrede | Gruß | Datum | Absender | Empfänger | Bewerbungstext

Alexander Winkelmeier . Merkurstraße 138 . 40223 Düsseldorf

AF-BIOTECH
Personalabteilung
Claudia Kunz
Hamburger Allee 97
30159 Hannover

Praktikumsbewerbung: Bereich Marketing

Sehr geehrte Frau Kunz,

nach unserem gestrigen Telefongespräch sende ich Ihnen hiermit meine Bewerbungsunterlagen für ein Praktikum in Ihrem Unternehmen.

Zurzeit studiere ich an der Universität Düsseldorf Betriebswirtschaftslehre mit dem Schwerpunkt Marketing und werde mein Studium voraussichtlich Ende September abschließen. Aufgrund meiner Masterarbeit zum Thema „Produktbezogene Zielgruppenanalyse" und meiner bisherigen Praktika bei der Deutschen Bahn AG und bei Henkel Kosmetik verfüge ich bereits über Erfahrungen im Marketing-Bereich, insbesondere in der Marktforschung.

Da Sie ein Unternehmen sind, das im Marketing ganz neue Wege geht, würde ich meine Kenntnisse gern in Ihr Unternehmen einbringen und während des Praktikums erweitern. Besonders interessiert mich, dass ich als Praktikant aktiv an Marketingmaßnahmen mitarbeiten und Teilprojekte übernehmen kann.

Ich arbeite mich leicht in neue Aufgabenfelder ein, bin es gewohnt, selbstständig zu arbeiten, kann mich aber ebenso gut in ein Team integrieren.

Über die Einladung zu einem persönlichen Gespräch freue ich mich sehr.

Mit freundlichen Grüßen

Anlagen

b Lesen Sie den Bewerbungsbrief in 1a noch einmal und beantworten Sie die Fragen.

1. Warum möchte Alexander Winkelmeier ein Praktikum bei AF-Biotech machen?
2. Wie begründet er, dass er für das Praktikum geeignet ist?

c Untersuchen Sie die Sprache im Bewerbungsbrief in 1a und vergleichen Sie Ihre Ergebnisse im Kurs. **AB: D1**

• Unterstreichen Sie die Ausdrücke, die Sie in jedem Bewerbungsbrief benutzen können.
• Wie könnte man den ersten und den letzten Satz des Briefs anders formulieren?

LB ②7 **d** Hören Sie eine Nachricht der Personalchefin von AF-BIOTECH für Ihre Mitarbeiterin auf dem Anrufbeantworter. Korrigieren Sie folgenden Antwortbrief nach den Angaben der Personalchefin.

---

Hannover, 19.04.2012

Praktikum: Ihre Bewerbung

Sehr geehrter Herr Winkelmeier,

herzlichen Dank für Ihre Bewerbung. Wir freuen uns über Ihr Interesse an einem Praktikumsplatz.

Unsere Erwartungen an einen Praktikanten werden von Ihnen ja zum Großteil erfüllt: Sie haben ein wissenschaftliches Studium mit Schwerpunkt Marketing abgeschlossen. Sie beherrschen die gängigen MS-Office-Anwendungen (Excel, Word, PowerPoint) und haben, wie Sie geschrieben haben, auch Spaß an der Teamarbeit sowie an selbstständigem Arbeiten. Engagement, Flexibilität und Zuverlässigkeit werden selbstverständlich vorausgesetzt.

Es erwartet Sie eine abwechslungsreiche und verantwortungsvolle Tätigkeit in einem Team. Hier nochmals Ihre Aufgaben: Sie unterstützen das Marketingteam im Bereich Marktforschung, bei der Konzeption und Umsetzung von Marketingmaßnahmen, im operativen Tagesgeschäft (z. B. Direktmarketing, Beschwerdemanagement) sowie bei der Planung und Erstellung von Präsentationen. Dabei erhalten Sie einen Überblick über die täglichen Abläufe und die Möglichkeit, selbstständig und eigenverantwortlich Teilprojekte zu übernehmen.

Dauer des Praktikums: 3 Monate

Wann könnten Sie beginnen.

Mit freundlichen Grüßen

Carola Kunz

---

## ② Annoncen

**a** Welche der beiden Anzeigen kann von Alexander Winkelmeier stammen? Begründen Sie Ihre Antwort.

**Ich suche** ein Praktikum im Bereich Marketing.
**Ich biete**:
- BWL-Studium mit Schwerpunkt Marketing
- erste Erfahrungen im Online-Marketing
- gute Computerkenntnisse (MS-Office)
- Kommunikationsstärke und Teamfähigkeit
- hohe Motivation und Belastbarkeit
- praxisorientiertes Denken
- Fremdsprachenkenntnisse: Englisch sehr gut (C1), Französisch: gut (B2+), Spanisch: gut (B2)
**Sonstiges:**
Gerne würde ich in meiner Masterarbeit ein Thema bearbeiten, das sich aus dem Praktikum entwickelt.

**Mein Profil:**
- Abgeschlossenes Studium der Betriebswirtschaftslehre mit Schwerpunkt Marketing / Marktforschung
- Englisch: fließend in Wort und Schrift (C2)
- Französisch: sehr gut in Wort und Schrift (C1+)
- sehr gute Kenntnisse in MS-Office, InDesign
- selbstständig und teamfähig
- flexibel, zuverlässig, engagiert
- belastbar
**Ich suche** ein praxisorientiertes Praktikum im Bereich Marketing. Besonders interessiere ich mich für die Bereiche Marktforschung und Marketingmaßnahmen, bin aber auch offen für andere Herausforderungen.

**b** Lesen Sie die Anzeigen in 2a noch einmal und besprechen Sie im Kurs, was typisch für Stellengesuche ist. `AB: D2a`

**c** Wie sehen solche Anzeigen in Ihrem Heimatland aus? Gibt es Unterschiede? Wenn ja, welche?

**d** Schreiben Sie eine Anzeige zu einem der folgenden Vorschläge. `AB: D2b-4`

- Praktikumsplatz gesucht
- Ferienjob gesucht
- Tandempartner gesucht

## 5E Freude an der Arbeit

### 1 Spaß bei der Arbeit?

a Schauen Sie sich die zwei Fotos rechts an und überlegen Sie, warum die Personen so zufrieden aussehen.

b Überlegen Sie in Gruppen, ob Arbeit Spaß machen kann oder muss. Besprechen Sie Ihre Ideen im Kurs.

LB ② 8–10

c Hören Sie nun ein Interview mit Frau Professor Rain. Finden Sie Ihre Ideen wieder?

P GI

d Hören Sie das Interview in 1c noch einmal. Welche Behauptung hören Sie sinngemäß? Kreuzen Sie an. AB: E1

1. a Spaß bei der Arbeit ist vernünftig.
   b Spaß bei der Arbeit ist möglich.
   c Spaß bei der Arbeit ist unbedingt notwendig.

2. a „Spaß haben" bedeutet, etwas zielgerichtet tun.
   b Heute halten viele „Spaß haben" für einen wichtigen Aspekt im Leben.
   c Spaß kann man nur in der Freizeit haben.

3. a Eine schwierige Verhandlung zu führen, macht Spaß.
   b Um eine Verhandlung zu einem guten Ergebnis zu führen, sind Fachkenntnisse das wichtigste.
   c Seine Stärken bei einer schwierigen Verhandlung einzusetzen, bringt Freude.

4. a Freude an der Arbeit hat man, wenn man selbstbestimmt arbeiten kann und nicht zu viel Druck hat.
   b Freude an der Arbeit hat man nur, wenn der Beruf sozial angesehen ist.
   c Freude an der Arbeit hat man nur, wenn es keinen Druck gibt.

5. a Bei der Berufswahl soll man sich an dem orientieren, was einem leicht fällt.
   b Bei der Berufswahl soll man sich an dem orientieren, was einem Spaß macht.
   c Bei der Berufswahl soll man sich an dem orientieren, was einen nicht langweilt.

6. a Wenn man etwas ungern tut, tut man es auch immer schlecht.
   b Wenn man etwas gern tut, tut man es auch immer gut.
   c Wenn man etwas gut tut, tut man es häufig auch gern.

7. a Man soll sich darauf konzentrieren, gute Arbeitsergebnisse zu erzielen.
   b Man soll sich auf seine besonderen Fähigkeiten konzentrieren.
   c Man soll sich darauf konzentrieren, Stolz und Freude zu entwickeln.

### 2 Druck bei der Arbeit

a Was möchte der Chef, was möchte Ingo? Was könnte der Chef antworten?

> Das Projekt muss in zwei Monaten realisiert werden.

> Das Projekt lässt sich nicht in zwei Monaten realisieren. Es ist wahrscheinlich in fünf Monaten zu realisieren.

> Das Projekt ist aber in kürzester Zeit zu realisieren!!!

> Vielleicht ist es in vier Monaten realisierbar.

> …

b Kennen Sie ähnliche Situationen in der Schule, bei der Arbeit, in der Familie, …? Berichten Sie im Kurs.

## ⓖ G 4.8 ❸ Sprache im Mittelpunkt: Passiversatzformen

a   Schauen Sie sich noch einmal den Dialog zwischen Ingo und dem Chef in 2a an. Welche Bedeutung haben die Aussagen?
Kreuzen Sie an.

1. Das Projekt lässt sich nicht in zwei Monaten realisieren.

   ⓐ Das Projekt kann nicht in zwei Monaten realisiert werden.

   ⓑ Das Projekt muss nicht in zwei Monaten realisiert werden.

2. Das Projekt ist aber in kürzester Zeit zu realisieren!

   ⓐ Das Projekt kann aber in kürzester Zeit realisiert werden!

   ⓑ Das Projekt muss aber in kürzester Zeit realisiert werden!

3. Das Projekt ist wahrscheinlich in fünf Monaten zu realisieren.

   ⓐ Das Projekt kann wahrscheinlich in fünf Monaten realisiert werden.

   ⓑ Das Projekt muss wahrscheinlich in fünf Monaten realisiert werden.

4. Vielleicht ist das Projekt in vier Monaten realisierbar.

   ⓐ Vielleicht kann das Projekt in vier Monaten realisiert werden.

   ⓑ Vielleicht muss das Projekt in vier Monaten realisiert werden.

b   Markieren Sie in den Sätzen in 3a die Formen, die man für das Passiv mit den Modalverben „können" und „müssen"
verwenden kann. Schreiben Sie die Passiversatzformen in die Tabelle. **AB: E2** ▷

| Passiv | Passiversatzform |
|---|---|
| mit „können" | |
| mit „können" | |
| mit „können" oder „müssen" | |

c   Ingo träumt von einem Streitgespräch mit seinem Chef. Formulieren Sie die Passivsätze in Sätze mit Passiversatzformen
um. Wenn es mehrere Formulierungsmöglichkeiten gibt, probieren Sie sie aus.

Das Projekt muss bis
Ende des Jahres
abgeschlossen werden.

Fünf Monate
können nicht
finanziert werden.

Das Projekt kann
auch ohne Sie
umgesetzt werden.

## ❹ Neuorientierung gesucht!

a   Ingo hat die Lust an seiner Arbeit verloren. Schreiben Sie ihm eine Mail und versuchen Sie, ihm einen Rat zu geben.
Berichten Sie über eigene Schwierigkeiten am Arbeitsplatz und mögliche Lösungen. Oder berichten Sie über die Tipps,
die Sie im Interview in 1c gehört haben.

b   Suchen Sie einen Partner / eine Partnerin, tauschen Sie Ihre Texte aus und geben Sie sich gegenseitig Tipps, wie
man noch besser schreiben könnte. Achten Sie dabei auf: Struktur der Mail, Textzusammenhang, Ausdrucksvielfalt,
Grammatik- und Rechtschreibfehler.

# Erst die Arbeit, dann das Vergnügen

## 1 Bürotheater

a Bürotypen und Büro-Utensilien. Ordnen Sie die Wörter unten den nummerierten Zeichnungen zu.

> der Papierkorb | der Chef/die Chefin | die Kaffeemaschine | das Telefon | der Faulpelz | der Aktenvernichter |
> die Putzkolonne | der Drehstuhl | der Computer | die Besprechung | die rechte Hand des Chefs/der Chefin |
> das Schwarze Brett | die Quasselstrippe | die Keksdose für Besucher | der Kopierer

b Im Büro arbeiten: Welche Typen und Situationen erkennen Sie? Erzählen Sie lustige Situationen aus dem Büroleben oder spielen Sie gemeinsam typische Büroszenen.

## 2 Absprachen und Vereinbarungen – nicht nur im Büro

a Überlegen Sie sich in Gruppen, was man alles bedenken muss, wenn man etwas vereinbart. Nehmen Sie hierfür folgende Situationen als Beispiel. Machen Sie Notizen und tauschen Sie sich dann im Kurs aus.

- Ihr Kollege erklärt Ihnen, was Sie während seiner Urlaubsreise für ihn erledigen sollen.
- Eine gute Freundin und Sie haben in der gleichen Woche Geburtstag und wollen zusammen eine Geburtstagsparty feiern.

b Treffen Sie zu zweit Absprachen für eine der folgenden Situationen oder denken Sie sich selbst eine Situation aus. Die Redemittel unten können dabei nützlich sein. Stellen Sie einige Absprachen im Kurs vor. `AB: F1`

1. Ihre Nachbarn sind schon etwas älter und brauchen Hilfe bei der Gartenarbeit. Sie sind tagsüber nicht zu Hause, was immer wieder Probleme mit Postsendungen verursacht.
2. Sie sollen in Teamarbeit ein Referat schreiben. Ihr Partner hat noch keine Zeit und möchte, dass Sie schon ohne ihn anfangen.

> **etwas vereinbaren:** Könnten Sie/Kannst du bitte … | Wäre es möglich, dass … | Es ist wirklich wichtig, dass … |
> Wenn Sie … machen/du … machst, übernehme ich … | Vergessen Sie/Vergiss bitte nicht … | Notieren wir
> doch mal…
> **nachfragen:** Was verstehen Sie/verstehst du unter…? | Sie möchten/Du möchtest also, dass…? | Gibt es sonst
> noch etwas, was wir klären müssen?
> **zum Abschluss kommen:** Dann machen Sie/mach es so. | So könnte es gehen. | Ich werde es versuchen. |
> Fehlt noch etwas? | Haben wir nichts vergessen?

## 3 Arbeit und Müßiggang

**a** Lesen Sie die Sprichwörter und sortieren Sie sie: Welche loben mehr die Arbeit, welche mehr die Faulheit, welche räumen beiden Seiten ihren Platz ein? `AB: F2` ▸

Lob der Arbeit:        Sprichwort Nr. ...................

Lob der Faulheit:        Sprichwort Nr. ...................

Beide haben ihren Platz:  Sprichwort Nr. ...................

**1** Erst die Arbeit, dann das Vergnügen!

**3** Was du heute kannst besorgen, das verschiebe nicht auf morgen.

**6** Wer nicht richtig faulenzen kann, kann auch nicht richtig arbeiten.

**2** Genieße froh die Tage, des Augenblickes Gunst; richtig dosierte Faulheit ist ein Stück Lebenskunst.

**4** Müßiggang ist aller Laster Anfang.

**7** Nach getaner Arbeit ist gut ruh'n.

**9** Für den Fleißigen hat die Woche sieben Heute, für den Faulen sieben Morgen.

**5** Nichtstun ist die schwierigste Tätigkeit und zugleich diejenige, die am meisten Geist erfordert.

**8** Fleiß bringt Brot – Faulheit Not.

**10** Arbeit, Müßigkeit und Ruh schließt dem Arzt die Türe zu.

**b** Lesen Sie in 3a noch einmal die Sprichwörter, in denen die Faulheit kritisiert wird. Warum wird die Faulheit kritisiert? Welche Aspekte werden genannt?

**c** Sammeln Sie Sprichwörter zu diesem Thema aus Ihrer Heimat. Stellen Sie sie im Kurs vor und vergleichen Sie sie. Welche Unterschiede, welche Parallelen gibt es?

## 4 Lob der Faulheit

**a** Lesen Sie den Anfang eines Textes über die Faulheit und schreiben Sie ihn weiter.

Ohne Faulheit kein Fortschritt! Weil der Mensch zu faul war zu rudern, erfand er das Dampfschiff.

Weil er zu faul war zu ........................., erfand er ..............................................

Weil er zu faul war zu ........................., erfand er ..............................................

**b** Lesen Sie das Gedicht von Lessing. Worin liegt die Komik des Gedichts? `AB: F3` ▸

### Lob der Faulheit

*Faulheit jetzo will ich dir*
*Auch ein kleines Loblied bringen. –*
*O – wie – sau – er – wird es mir, –*
*Dich – nach Würden – zu besingen!*
*Doch, ich will mein Bestes tun,*
*Nach der Arbeit ist gut ruhn.*

*Höchstes Gut, wer Dich nur hat,*
*Dessen ungestörtes Leben –*
*Ach! – ich – gähn – ich – werde matt –*
*Nun – so – magst du – mir's vergeben,*
*Dass ich Dich nicht singen kann;*
*Du verhinderst mich ja dran.*

*Gotthold Ephraim Lessing (1729–1781)*

LB ② 11   **c**   Lesen Sie das Gedicht in 4b laut. Achten Sie dabei auch auf die Gedankenstriche. Sie können das Gedicht auch hören.

# 6 A

# Streiten oder kooperieren?

## 1 Wenn zwei sich streiten ...

LB ② 12  **a** Hören Sie ein Gespräch. Wie wirken die Gesprächsteilnehmer auf Sie? Kreuzen Sie an. **AB: A1–2**

⚥ ♂ selbstkritisch        ⚥ ♂ kompromissbereit

⚥ ♂ rechthaberisch        ⚥ ♂ streitsüchtig

⚥ ♂ unhöflich             ⚥ ♂ verständnisvoll

**b** Drei der vier Aussagen sind korrekt. Welche? Kreuzen Sie an.

☐ 1. Ausgangspunkt der Diskussion ist der Verlust des Portemonnaies.

☐ 2. Christian hilft Andrea bei der Suche nach dem Geldbeutel.

☐ 3. Andrea hat Christian dabei geholfen, seine Kreditkarte wiederzubekommen.

☐ 4. Andrea wirft Christian und sich selbst vor, unordentlich zu sein.

**c** Welchen Rat würden Sie Andrea und Christian geben, wie sie den Streit beilegen können? Überlegen Sie mit einem Partner / einer Partnerin und vergleichen Sie dann Ihre Vorschläge im Kurs.

## 2 Was bringt Sie auf die Palme?

**a** Welche der Zeichnungen A bis F oben passt zu welchem Ausdruck? Notieren Sie. **AB: A3**

☐ 1. Das bringt mich echt auf die Palme.         ☐ 4. Da hat sie vor Wut gekocht.

☐ 2. Da ist er einfach explodiert.               ☐ 5. Bist du sauer auf mich?

☐ 3. Warum gehst du denn immer gleich in die Luft?  ☐ 6. Da ist mir der Kragen geplatzt.

**b** Erstellen Sie eine Zeichnung zu einer Redewendung aus Ihrer Heimat. Die anderen raten, wie sie heißen könnte.

**c** Welche Konfliktsituationen sind Ihnen in Ihrem Leben besonders in Erinnerung geblieben? Berichten Sie.

68                                                                          LB 68

## ③ Alles klar?

a Wie würden Sie in folgenden Situationen reagieren? Arbeiten Sie mit einem Partner / einer Partnerin.

A. Bei Ihrer Geburtstagsfeier fällt einem Ihrer Gäste unabsichtlich der Teller mit Oliven auf den Teppichboden.

B. Sie rufen eine gute Freundin an. Gleich zu Beginn des Telefongesprächs sagt sie: „Ich bin heute nicht zum Reden aufgelegt."

C. Sie wollen einer Freundin gemeinsam mit einem Freund ein Geburtstagsgeschenk machen. Heute ist die Geburtstagsfeier. Ihr Freund wollte das Geschenk besorgen, hat es aber vergessen.

LB ② 13–15

b Hören Sie die Dialoge A bis C. Wie schätzen Sie die Reaktionen ein?

|  | wenig verständnisvoll | einigermaßen verständnisvoll | sehr verständnisvoll |
|---|---|---|---|
| Dialog A | ☐ | ☐ | ☐ |
| Dialog B | ☐ | ☐ | ☐ |
| Dialog C | ☐ | ☐ | ☐ |

c Nehmen Sie zu den Reaktionen in den Dialogen A bis C Stellung. Haben die Personen angemessen reagiert?

d Hören Sie die Dialoge A bis C in 3b noch einmal. Welche der Sätze 1 bis 10 werden sinngemäß verwendet? Kreuzen Sie an.

☐ 1. Das ist mir jetzt wirklich peinlich.  ⓥ ⓦ    ☐ 6. Ist schon in Ordnung.  ⓥ ⓦ

☐ 2. Jetzt ist es sowieso zu spät.  ⓥ ⓦ    ☐ 7. Das ist ja furchtbar.  ⓥ ⓦ

☐ 3. Das tut mir echt leid.  ⓥ ⓦ    ☐ 8. Das ist doch nicht so schlimm.  ⓥ ⓦ

☐ 4. Sei mir bitte nicht böse.  ⓥ ⓦ    ☐ 9. Das kann doch jedem passieren.  ⓥ ⓦ

☐ 5. Reiß dich zusammen!  ⓥ ⓦ    ☐ 10. Reg dich doch nicht so auf!  ⓥ ⓦ

e Wie schätzen Sie die Wirkung der Sätze 2 und 5 bis 10 in 3d allgemein ein? Kreuzen Sie an: „v" = verständnisvoll, „w" = weniger verständnisvoll.

f Hören Sie die Dialoge A bis C in 3b noch einmal, achten Sie auf die Intonation und üben Sie die Sätze in 3d.

## ④ Wie verständnisvoll sind Sie?

a Lesen Sie die Situationen und suchen Sie sich mit einem Partner / einer Partnerin eine Situation aus. Überlegen Sie sich, wie verständnisvoll Sie reagieren möchten, und schreiben Sie einen Dialog auf. AB: A4 ▸

Ein Freund wollte Sie über das Wochenende besuchen. Sie haben sich dafür das ganze Wochenende frei gehalten. Am Donnerstag sagt er seinen Besuch ab, weil sich bei ihm unerwartet Freunde aus Kanada angemeldet haben.

Sie möchten heute Abend in Ihrer WG gemeinsam kochen. Ihre Mitbewohnerin wollte einkaufen. Als Sie am Abend nach Hause kommen, hat Ihre Mitbewohnerin noch nichts eingekauft.

Ein Freund hat sich Ihr Auto geliehen und hat beim Einparken ein anderes Auto geschrammt.

b Spielen Sie Ihren Dialog im Kurs vor. Die anderen hören zu und erörtern, ob / wie Sie Verständnis gezeigt haben.

# Konfrontation oder Verständigung?

**1 Wenn die Fetzen fliegen**

a   Worum könnte es in einem Zeitungskommentar mit der Überschrift „Wenn die Fetzen fliegen" gehen? Tauschen Sie sich im Kurs aus.

b   Lesen Sie den Kommentar einmal schnell und besprechen Sie in Gruppen, ob sich Ihre Vermutungen darin wiederfinden. **AB: B1** ▸

## Wenn die Fetzen fliegen

1 [A] <u>Die Hamburger werden immer streitsüchtiger.</u> Das geht aus den neuesten Hochrechnungen der Justizbehörde hervor. Danach klagen immer mehr Bürger vor dem Amtsgericht und vor den Sozial-
5   gerichten. Die Fakten sind alarmierend:
[B] <u>Nach der Statistik hatte allein das Amtsgericht in den ersten drei Quartalen dieses Jahres 50.441 neue Zivilverfahren.</u> Zum Vergleich: Noch vor drei Jahren waren es 44.774.
10
2 [C] <u>Diese Zahlen belegen, was wir alle wissen: Alle Menschen streiten – wortreich, schweigend, strate-gisch, impulsiv, laut, unfair.</u> Meist schließen wir einen Kompromiss, um einen Disput – zumindest vorerst –
15   auf Eis zu legen. Doch es gibt auch Situationen, die von vornherein viel Konfliktpotential in sich tragen.
[D] <u>So können uns</u>, laut Dr. Neumann, Diplompsy-chologe aus Hamburg, <u>gerade Ereignisse wie Ge-</u>
20   <u>burtstage, Jubiläen oder Beerdigungen besonders feindlich stimmen.</u> Ein Fest wie Weihnachten zum Beispiel, das man in der Regel mit Nächsten-liebe und Kompromissbereitschaft verbindet, ist in seinen Augen hervorragend als Rahmen für einen
25   heftigen Wortwechsel geeignet, denn: „Zu Weih-nachten erhofft man sich viel voneinander, es soll so richtig schön und harmonisch sein. Werden diese übertriebenen Vorstellungen nicht erfüllt, kracht es schneller als gedacht."
30
3 Aber nicht immer werden Differenzen offen aus-getragen. [E] <u>Die direkte Auseinandersetzung, der</u> ganz große Krach scheint in unserer Gesellschaft eher unerwünscht zu sein. Wer kann sich nicht erin-nern, als Kind ein wohlgemeintes „Wer schreit, hat   35 Unrecht" oder „Der Klügere gibt nach" aus dem Mund der Eltern gehört zu haben?
[F] <u>Dabei haben Streitigkeiten sowohl im Privat-als auch im Berufsleben auch ihr Gutes.</u> Sie zeigen nämlich, an welchem Punkt es Probleme gibt. Oft   40 erzeugen erst Konflikte den notwendigen Druck für Veränderungen. Außerdem lernen wir uns selbst unter Stress und Konkurrenzdruck am besten ken-nen. Denn wir sehen, was uns verletzt oder ärgert, welche Rolle wir in Konfliktsituationen übernehmen.   45 Gleichzeitig bieten Meinungsverschiedenheiten die Chance, Offenheit, Schlagfertigkeit, Einfühlungsver-mögen und Verhandlungsgeschick zu schulen. Und um sich bei einem Streit nicht vor seinem Gegen-spieler zu blamieren, zwingt man sich dazu, Entschei-   50 dungen sorgfältiger zu überdenken. So findet man oft bessere, kreativere Lösungen.

4 Am Ende bleibt die Frage: [G] <u>„Wie streite ich am besten?"</u> Am wichtigsten ist es, so der Psychologe   55 Neumann, auf Sprache und Ton zu achten und eine positive Atmosphäre zu schaffen. „Denn wer laut wird und immer nur seinen eigenen Standpunkt durchsetzen will, trägt zur Eskalation bei."
[H] <u>Um eine gemeinsame Lösung zu finden, sollten</u>   60 <u>die Streitenden darauf verzichten, sich gegenseitig die Schuld zu geben;</u> viel besser wäre es, dem anderen mitzuteilen, was man sich wünscht."

Anne Roth

c   Notieren Sie alle Nomen im Kommentar in 1b, die eine Auseinandersetzung beschreiben.

*der Disput,*

d   Hauptaussagen erkennen: Im Kommentar in 1b sind jeweils zwei Wortgruppen pro Textabschnitt hervorgehoben. Welche ist die Hauptaussage des Abschnitts? Einigen Sie sich in Gruppen auf eine Lösung und begründen Sie Ihre Wahl im Kurs.

| Textabschnitt 1 | Textabschnitt 2 | Textabschnitt 3 | Textabschnitt 4 |
|---|---|---|---|
| A  B | C  D | E  F | G  H |

## 🔑 ② Textzusammenhang erkennen

a   Lesen Sie die Kurzfassung der ersten zwei Absätze des Kommentars in 1b. Unterstreichen Sie die Wörter bzw. Satzteile im Text, auf die sich die markierten Wörter beziehen. **AB: B2**

> Die Hamburger werden immer streitsüchtiger. Das geht aus den neuesten Statistiken hervor. Danach klagen immer mehr Bürger vor Gericht: Letztes Jahr waren es über 50.000 neue Zivilverfahren. Im Vergleich dazu waren es noch vor drei Jahren 44.774. Diese Zahlen belegen: Alle Menschen streiten gern und oft. In der Regel versuchen wir, einen Kompromiss zu schließen, aber manchmal fällt uns das besonders schwer. Zum Beispiel an Weihnachten. Denn da erhofft man sich, dass alles so richtig schön und harmonisch ist. Wird dies nicht erfüllt, gibt es leicht Streit.

b   Wenn es die markierten Wörter nicht gäbe, was würde an ihrer Stelle stehen? Wieso ist der Text in 2a in der jetzigen Form besser lesbar?

c   Formulieren Sie die markierten Wörter bzw. Satzteile um und verbessern Sie so den Stil in der Kurzfassung der Abschnitte 3 und 4 des Kommentars in 1b.

> Nicht immer werden Differenzen offen ausgetragen. Denn [1] Differenzen offen auszutragen scheint in unserer Gesellschaft eher unerwünscht zu sein. Im Gegensatz zur öffentlichen Meinung haben Streitigkeiten aber auch ihr Gutes. [2] Streitigkeiten zeigen nämlich, an welchem Punkt es Probleme gibt. Denn oft erzeugen erst Konflikte den notwendigen Druck für Veränderungen. Außerdem lernen Menschen sich unter Stress und Konkurrenzdruck am besten kennen und schulen so gleichzeitig Einfühlungsvermögen und Verhandlungsgeschick [3] der Menschen. In der Auseinandersetzung findet man zudem oft bessere Lösungen. [4] Für das Finden besserer Lösungen ist es aber wichtig, dass man sich richtig streitet. Der Psychologe Neumann weist [5] auf die Tatsache hin, dass man aber zunächst lernen muss, mitzuteilen, was man sich wünscht.

## ③ Eigene Meinung ausdrücken

Schreiben Sie einen Text zum Thema „Streiten – gut oder schlecht?" (ca. 180 Wörter).
Gehen Sie dabei auf folgende Punkte ein. **AB: B3**

- Schreiben Sie eine kleine Einleitung zum Thema.
- Was spricht für den Standpunkt, dass Streit schlecht ist und man ihn vermeiden sollte?
- Was spricht für die Ansicht, dass Streit helfen kann?
- Geben Sie Ihre persönliche Meinung zum Thema wieder.

# Streit um jeden Preis

### 1 Ich würde gern mal mit Ihnen sprechen …

LB ② 16 **a** Hören Sie zunächst die Ansage zu einem Gespräch. Worum geht es? Was vermuten Sie, wie wird das Gespräch verlaufen?

LB ② 17 **b** Hören Sie nun das Gespräch und beantworten Sie die Fragen.

1. Welches Problem hat Frau Wald?
2. Welches Problem hat Herr May?

**c** Hören Sie das Gespräch in 1b noch einmal und machen Sie Notizen zu den Argumenten von Frau Wald und Herrn May.

| Argumente von Frau Wald | Argumente von Herrn May |
| --- | --- |
|  |  |

**d** Geben Sie die Argumente von Frau Wald und Herrn May schriftlich wieder und kommentieren Sie sie dabei. Die Redemittel helfen Ihnen. AB: C1–3c

> **Einleitung:** In dem Gespräch geht es um Folgendes: …
>
> **Hauptteil:** Frau X ist der Meinung, dass …, Herr Y aber argumentiert, dass … | Das Argument von Frau X / Herrn Y überzeugt (mich) mehr, denn … | Ich halte dieses Argument für besser, weil … | Ich kann der Argumentation von Frau X / Herrn Y eher folgen, weil …
>
> **Schluss:** Meiner Ansicht nach sind die Argumente von Frau X / Herrn Y insgesamt besser, weil … | Zusammenfassend lässt sich die Situation folgendermaßen bewerten: … | Deshalb ist Frau X / Herr Y im Recht. | Daher sollten die beiden … | Also wäre es sicher gut, wenn …

**e** Tauschen Sie Ihre Argumentation mit einem Partner / einer Partnerin und korrigieren Sie sich inhaltlich und sprachlich. Die Tipps im Arbeitsbuch helfen. AB: C3d

### ◯ G 3.7, 4.10 2 Sprache im Mittelpunkt: Irreale Bedingungssätze – Gegenwart / Vergangenheit

**a** Lesen Sie die Sätze und ordnen Sie sie zu.

1. Herr May müsste nicht zu Hause arbeiten,
2. Hätte Herr May genug Geld,
3. Frau Wald müsste keinen Anwalt kontaktieren,
4. Wenn Frau Wald nicht so oft gestört würde,

A. wenn Herr May nicht so laut wäre.
B. könnte er eine Werkstatt mieten.
C. würde sie sich nicht beschweren.
D. wenn es keine Kurzarbeit gäbe.

1. D
2. 
3. 
4. 

**b** Wie sieht die Realität zu den Sätzen in 2a aus? Notieren Sie. Was passiert mit den in 2a markierten Wörtern? Wie verändert sich Satz 2? Sprechen Sie im Kurs. AB: C4

1. *Es gibt Kurzarbeit, daher muss Herr May zu Hause arbeiten.*
2. ......................................................................................
3. ......................................................................................
4. ......................................................................................

c Vergleichen Sie die Sätze in 2a und b. Markieren Sie dafür die Verbformen und was die Sätze sonst unterscheidet. Was fällt auf? Kreuzen Sie an.

> 1. Mit irrealen Bedingungssätzen (Konditionalsätzen) macht der Sprecher eine Aussage über etwas Unwirkliches.
> • Das bedeutet, dass die Bedingung im Nebensatz [a] erfüllt ist. [b] nicht erfüllt ist.
> • Das bedeutet auch: [a] Die Folge wird realisiert. [b] Die Folge wird nicht / nur vielleicht realisiert.
> 2. In irrealen Bedingungssätzen steht das Verb im Konjunktiv II
> [a] nur im Hauptsatz. [b] nur im Nebensatz. [c] im Haupt- und Nebensatz.
> 3. Irreale Bedingungssätze kann man auch ohne „wenn" bilden: Der Nebensatz steht dann [a] vorne. [b] hinten.
> Das Verb im Nebensatz steht dann auf [a] Position 1. [b] Position 2.

d Was wäre gewesen, wenn … und was ist wirklich passiert? Lesen Sie die Sätze, markieren Sie die Verbformen und schreiben Sie dann auf, was in Wirklichkeit geschehen ist.

1. Wenn Herr May nicht zu Frau Wald gekommen wäre und sich entschuldigt hätte, hätte sie den Anwalt kontaktiert.
*Herr May ist zu Frau Wald gekommen und …*      *Sie hat …*

2. Hätten die beiden nicht ihren Streit beendet, wäre es zum Prozess gekommen.

3. Wenn ein Prozess geführt worden wäre, hätte sich das Verhältnis der Nachbarn noch mehr verschlechtert.

e Ergänzen Sie zuerst die Wenn-Sätze in der Gegenwart Aktiv und Passiv mithilfe der Beispielsätze aus 2a, dann den Rest der Tabelle mithilfe der Sätze aus 2d. Was fällt auf? Ergänzen Sie die Regeln. AB: C5–9

| Realität – Indikativ | | Irrealität – Konjunktiv II |
| --- | --- | --- |
| **Aktiv** | | **Aktiv** |
| **Präsens** | Es gibt Kurzarbeit. Herr May hat nicht genug Geld. Herr May ist so laut. | *Wenn es keine Kurzarbeit gäbe* |
| **Präteritum Perfekt Plusquamperf.** | Herr May kam und entschuldigte sich. Herr May ist gekommen und hat sich entschuldigt. Herr May war gekommen und hatte sich entschuldigt. | } *Wenn …* |
| **Passiv** | | **Passiv** |
| **Präsens** | Frau Wald wird so oft gestört. | *Wenn …* |
| **Präteritum Perfekt Plusquamperf.** | Es wurde kein Prozess geführt. Es ist kein Prozess geführt worden. Es war kein Prozess geführt worden. | } *Wenn …* |

> 1. Irreale Bedingungssätze (Konditionalsätze) der Vergangenheit im Aktiv bildet man so: ............................ oder
> ............................ + Partizip Perfekt.
> 2. Irreale Bedingungssätze der Vergangenheit im Passiv bildet man so: „wäre" + ............................ + „worden".

f Bilden Sie irreale Bedingungssätze. Ergänzen Sie auch eigene Beispiele.

> Streit mit Nachbarin haben | sich gestritten haben | so wütend gewesen sein | …

# 6D

# Verhandeln statt streiten

## 1 Konflikte am Arbeitsplatz und anderswo

a Warum gibt es so viele Konflikte zwischen Menschen? Sammeln Sie Gründe.

b Lesen Sie den Zeitungskommentar über Konflikte am Arbeitsplatz. Finden Sie
einige „Ihrer Gründe" aus 1a wieder? Beantworten Sie dann die Fragen unten. **AB: D1**

### Konfliktherd Arbeitsplatz

Ein „beliebter" Ort für Konflikte ist der Arbeitsplatz. Denn schließlich spielt sich dort fast ein Drittel unseres
Lebens ab. Und wenn man so viel Zeit mit anderen verbringt, sind Konflikte kaum zu vermeiden. Die Gründe
hierfür sind ebenso vielfältig wie im Privatleben, und häufig geht es dabei um ganz banale Dinge: Der Kollege
kommt ständig zu spät zur Arbeit, ist sehr langsam und behindert so den gesamten Arbeitsprozess. Die Kollegin
macht viele Fehler, weil sie alles an sich reißt und superschnell sein möchte, um mit ihrem Einsatz beim
Teamleiter zu glänzen. Der Teamleiter wiederum lobt seine Untergebenen nie und sucht bei Problemen
immer nur nach einem Schuldigen. Er möchte nämlich beim Abteilungsleiter gut dastehen, der jedoch seine
Versprechen nicht hält und nicht organisieren kann.
Ein weiteres Spannungsfeld ergibt sich daraus, dass Menschen unterschiedlich mit Problemen umgehen. Der
eine traut sich nicht, einen Konflikt anzusprechen, und leidet stumm. Ein anderer macht auf ein Problem
aufmerksam, aber da dies ohne Konsequenzen bleibt, fühlt er sich im Stich gelassen. Und der Dritte sucht die
Auseinandersetzung, stößt auf Widerstand und die Fronten verhärten sich.
Wir wissen heute, dass hinter Konflikten häufig Bedürfnisse oder Ängste von Mitarbeitern und Vorgesetzten
stehen, die nicht angesprochen werden oder den Betroffenen manchmal auch gar nicht bewusst sind. Wichtig
ist es daher, mithilfe unbeteiligter Dritter den Ursachen der Konflikte auf den Grund zu gehen und Lösungen zu
erarbeiten, die die Bedürfnisse der Einzelnen soweit wie möglich berücksichtigen.

Felix Dahm

1. Welche Gründe für Konflikte am Arbeitsplatz werden genannt?
2. Wie gehen Menschen mit den Konflikten um?
3. Welcher Lösungsvorschlag wird am Ende gemacht?

c Wie geht man in Ihrer Heimat mit Konflikten um? Trägt man diese eher offen aus oder versucht man, sie zu vermeiden?
Und Sie selbst, wie verhalten Sie sich?

## 2 „Ja, aber ..."

a Überlegen Sie sich in Gruppen, wie man bei einem Konflikt am besten vorgeht.
Bringen Sie die Begriffe in die richtige Reihenfolge.

> Konflikt erkennen / Argumente abwägen | Lösung festhalten |
> die Beteiligten anhören | Lösungsvorschläge machen

1.) → 2.) → 3.) → 4.)

LB ② 18 **b** Hören Sie die Diskussion in einer Werbeagentur und vergleichen Sie den Gesprächsablauf mit Ihrer Lösung in 2a. Stimmt der Gesprächsablauf überein?

**c** Hören Sie die Diskussion in 2b noch einmal und notieren Sie die Argumente der Gesprächsteilnehmer.

Georg – Kontakter: ............................................................................................................................

Katja – Werbetexterin: ......................................................................................................................

Nico – Grafiker: .................................................................................................................................

**d** Ordnen Sie die Redemittel aus der Diskussion in 2b in die Tabelle ein. AB: D2

> Ich sehe nicht ein, dass … | Ich kann auf keinen Fall …, denn … | Das leuchtet ein. | Das wäre eine gute Lösung. | Ich schlage vor, dass … | Da muss ich widersprechen. | Da haben Sie / hast du recht. | Das geht auf keinen Fall. | Was halten Sie / haltet ihr von folgender Lösung? | Das ist ein guter Vorschlag. | Das könnte ein Ausweg sein. | Das klingt sehr gut. | Damit bin ich einverstanden. | Ich habe ein Problem damit, dass … | Gut, dann machen wir es so. | Das ist keine Lösung.

| Standpunkt darlegen | zustimmen | widersprechen |
|---|---|---|
|  |  |  |
| **Lösung vorschlagen** | **Lösung akzeptieren** | **Lösung ablehnen** |
|  |  |  |

## ③ Lösungen finden – Kompromisse aushandeln

**a** Arbeiten Sie zu dritt. Wählen Sie eine der folgenden Situationen aus und verteilen Sie die Rollen: Vertreter bzw. Vertreterinnen zweier gegensätzlicher Interessen und eine Person, die vermittelt.

1. In einer kleinen Firma möchten beide Vertriebsmitarbeiter in den Osterferien gleichzeitig in Urlaub fahren. Einer hat schulpflichtige Kinder und ist daher an die Schulferien gebunden. Der andere möchte mit Freunden verreisen, die nur zu dem Termin können, außerdem ist er in den letzten Jahren wegen der Kollegen noch nie an Ostern verreist. Es verhandeln: die beiden Kollegen und ein Teamleiter.

2. In einer WG von drei jungen Berufstätigen möchte ein Mitbewohner eine Putzhilfe engagieren. Das würde 120 Euro pro Monat kosten. Der andere ist dagegen. Dem dritten ist es egal. Es verhandeln: die beiden Mitbewohner und der dritte Mitbewohner als Vermittler.

3. Im Sprachenzentrum der Universität soll die freie Nutzung des Selbstlernzentrums zeitlich eingeschränkt werden, denn es gibt jetzt weniger Geld, um die Betreuer zu finanzieren. Es verhandeln: ein Sprecher der Studenten, ein Vertreter der Leitung des Sprachenzentrums, ein Fachberater als Vermittler.

**b** Überlegen Sie sich Argumente und führen Sie dann die Auseinandersetzung. Begründen Sie Ihren Standpunkt und versuchen Sie, am Ende eine Lösung zu finden. Verwenden Sie auch die Redemittel aus 2d.

# Gemeinsam sind wir stark

## 1 Kennen Sie die Bremer Stadtmusikanten?

Rekonstruieren Sie im Kurs die wichtigsten Stationen des Märchens. Die Stichworte helfen Ihnen dabei.

> Bauernhof — Esel — zu alt zum Säckeschleppen — weggehen — Plan: Stadtmusikant in Bremen werden —
> Hund — zu müde zum Jagen — gemeinsam weitergehen — Katze — kann keine Mäuse mehr fangen — Hahn —
> soll für die Sonntagssuppe geschlachtet werden — zu viert weiterwandern — in der Nacht im Wald ein
> Räuberhaus entdecken — schreien, bellen, miauen, krähen — Räuber fliehen — glücklich in neuem Zuhause

## 2 Vier Porträts: Die Sorgen und Wünsche der Tiere

Wer sagt was? Ordnen Sie zu.

Sätze Nr. _3 a – d_      Sätze Nr. ..........      Sätze Nr. ..........      Sätze Nr. ..........

1. a. Wenn ich jünger wäre, würde ich weiter die Säcke zur Mühle tragen.
   b. Wäre ich jünger, hätte ich noch genügend Kraft, die Säcke zu tragen.
   c. Wenn ich doch jünger wäre!
   d. Hätte ich bloß genügend Kraft!
2. a. Wenn ich nicht so müde wäre, würde ich schnell wie ein Hase laufen.
   b. Liefe ich schnell wie ein Hase, würde mein Herr mich noch auf die Jagd mitnehmen.
   c. Wenn ich doch nur auf die Jagd dürfte!
   d. Liefe ich doch so schnell wie früher!
3. a. Wenn ich nicht alle Zähne verloren hätte, könnte ich noch Mäuse fangen.
   b. Könnte ich noch Mäuse fangen, hätte ich ein angenehmes Leben.
   c. Wenn ich doch nicht alle Zähne verloren hätte!
   d. Könnte ich doch bloß noch Mäuse fangen!
4. a. Wenn morgen nicht Sonntag wäre, müsste die Bäuerin kein Festessen kochen.
   b. Wollte die Bäuerin keine Suppe kochen, würde ich morgen nicht geschlachtet werden.
   c. Wenn doch nicht Sonntag wäre!
   d. Müsste die Bäuerin nur kein Festessen kochen!

## 3 Die Bremer Stadtmusikanten – ein Erlebnisbericht

a  Schauen Sie sich noch einmal die Stichworte aus 1 an
und sammeln Sie in Gruppen Details, mit denen Sie die
einzelnen Stationen ausschmücken können.

b  Schreiben Sie das Märchen in Ihrer eigenen Fassung auf.
Sie können auch eine moderne Version erfinden.

> Esel = fühlt sich alt und frustriert, will aber noch
> etwas erleben, ist kommunikativ, ...
>
> Wald = finster, gefährlich, einsam, Weg schwer
> zu finden

**G 4.10** **4** ## Sprache im Mittelpunkt: Irreale Wunschsätze

**a** Lesen Sie die Sätze in 2 noch einmal und vergleichen Sie jeweils die Satztypen a, b, c und d. Was fällt auf? Notieren Sie die Satznummern.

1. Diese Sätze drücken einen irrealen Wunsch aus: ........................

2. Diese Sätze drücken eine irreale Bedingung und Folge aus: ........................

**Tipp**

Irreale Wunschsätze verstärkt man oft mit den Modalpartikeln „bloß", „doch", „nur".

**b** Markieren Sie jeweils in den Sätzen c und d in Aufgabe 2 die Verben im Konjunktiv II und „wenn". Was fällt auf? Kreuzen Sie an. `AB: E1`

> Irreale Wunschsätze kann man auf zwei Arten formulieren:
> 1. mit „wenn" am Satzanfang + konjugiertem Verb im Konjunktiv II  **a** auf Position 2.  **b** am Satzende.
> 2. ohne „wenn", mit dem konjugierten Verb im Konjunktiv II  **a** auf Position 1.  **b** am Satzende.

**G 3.13** **5** ## Sprache im Mittelpunkt: Irreale Vergleichssätze mit „als" oder „als ob"

**a** Die vier Stadtmusikanten im Wald vor dem Räuberhaus. Lesen Sie den Text und markieren Sie die Vergleiche.

*Das Haus im Wald ist hell erleuchtet, als ob dort Leute wohnen würden. Tatsächlich: Einige Männer sitzen drinnen am Tisch. Es scheint so, als wären sie reiche Leute, denn auf dem Tisch stehen volle Teller und gut gefüllte Weingläser. Sie sehen aber auch wild und gefährlich aus, als ob sie vor nichts und niemandem Angst hätten. Plötzlich aber stimmen Esel, Hund, Katze und Hahn gleichzeitig ihre „Musik" an und die Männer erschrecken, als wären sie kleine Kinder. Sie laufen so schnell davon, als wäre ihnen der Teufel begegnet. Und die vier Musikanten setzen sich vergnügt an den Tisch zum Essen.*

**b** Sehen Sie sich noch einmal die Vergleiche im Text in 5 a an und lesen Sie die Regeln. Eine Regel ist falsch. Welche? Kreuzen Sie an. `AB: E2`

> 1. Mit „als" oder „als ob" drückt man irreale Vergleiche aus.
> 2. Nach „als" oder „als ob" steht das Verb im Konjunktiv II.
> 3. Nach „als ob" steht das konjugierte Verb am Satzende.
> 4. Nach „als" und „als ob" darf man den Konjunktiv II der Vergangenheit nicht verwenden.
> 5. Nach „als" steht das konjugierte Verb auf Position 2.

**6** ## Projekt: Theater spielen

Spielen Sie das Märchen „Die Bremer Stadtmusikanten" im Kurs.

- Verteilen Sie die Rollen: die vier Tiere, die Räuber, die ehemaligen Besitzer der Tiere.
- Überlegen Sie sich, was die einzelnen Figuren sagen bzw. machen könnten.
- Spielen Sie nun das Stück im Kurs.

# Pro und Contra

**1   Allein nach Berlin oder lieber nicht?**

a   Lesen Sie folgende Situation. Welchem Standpunkt würden Sie zustimmen? Überlegen Sie sich Argumente.

> Lisa (17) aus Münster möchte in den Osterferien mit ihrer besten Freundin Mara (17) drei Tage nach Berlin fahren. Sie wollen sich die Stadt anschauen und abends ins Kino und auch mal tanzen gehen. Übernachten möchten sie in der Jugendherberge. Lisa jobbt seit letztem Jahr und hat sich etwas Geld zusammengespart, sodass sie die Reise auch selbst bezahlen kann. Lisas Eltern sind dagegen, weil sie der Auffassung sind, dass Lisa zu jung und Berlin zu gefährlich ist, besonders auch weil die Mädchen dort niemanden kennen. Lisa jedoch ist der Meinung, dass sie und ihre Freundin alt genug sind, ohne Begleitung eines Erwachsenen zu verreisen.

b   Sammeln Sie Ihre Argumente in Gruppen und notieren Sie sie auf Zettel. Ordnen Sie dann im Kurs alle Zettel nach pro und contra und nach Argumenten.

c   Lesen Sie nun die Erörterung einer Schülerin zum Thema in 1a und markieren Sie die Pro- und Contra-Argumente. Vergleichen Sie diese mit Ihren Argumenten in 1b. Wo gibt es Gemeinsamkeiten, wo Unterschiede?

> Lisa möchte zusammen mit ihrer Freundin Mara ein paar Tage nach Berlin fahren. Sie wollen sich die Stadt anschauen und abends ins Kino oder auch mal in einen Club gehen. Lisa und Mara sind beide 17 Jahre alt und vertreten den Standpunkt, dass sie alt genug sind, ein paar Tage ohne Begleitung eines Erwachsenen zu verreisen. Die Eltern von Lisa sind gegen diese Reise. Sie finden, dass Lisa dafür zu jung ist. Außerdem sind sie dagegen, dass Lisa und Mara nach Berlin fahren, wo sie niemanden kennen und wo ihnen daher leichter etwas passieren könnte. In dieser Situation stellt sich die Frage: Wer hat die besseren Argumente?
>
> Das wichtigste Argument, das gegen die Reisepläne von Lisa spricht, ist die Tatsache, dass Lisa noch nicht volljährig ist. Dies bedeutet nämlich, dass die Eltern noch die Aufsichtspflicht über ihre Tochter haben. Wenn Lisa also während ihres Aufenthalts in Berlin etwas passieren würde, könnten sie gegebenenfalls haftbar gemacht werden. Gegen dieses Argument der Eltern und damit für Lisas Reisepläne spricht, dass Lisa mit ihren 17 Jahren kein kleines Kind oder eine unreife Jugendliche ist, sondern sozusagen schon erwachsen ist. Da Lisa in wenigen Monaten volljährig wird, darf sie spätestens dann ohnehin allein verreisen. Und diese paar Monate machen keinen Unterschied. Daher sollten die Eltern ihrer Tochter schon jetzt die Reise erlauben. Außerdem würden sie Lisa zeigen, dass sie ihr vertrauen, und ihr so die Chance geben, zu zeigen, dass man sich auf sie verlassen kann. Ein anderer wichtiger Einwand der Eltern gegen die Reise ihrer Tochter ist, dass sie Berlin als Stadt zu gefährlich finden, und Angst haben, dass dem Mädchen dort etwas zustößt. Berlin ist im Verhältnis zu einer Stadt wie Münster riesig groß, sehr unübersichtlich und bietet Tausende von Abwechslungen und damit auch Gefahren. Dagegen kann man anführen, dass man Gefahren überall begegnen kann. Auch in kleineren Städten kann man belästigt oder sogar überfallen werden. Entscheidend ist doch letztlich, ob Lisa und Mara so reif sind, dass sie nicht einfach mit Fremden mitgehen, nicht jedes Angebot annehmen, also in der Lage sind, „Nein" zu sagen. Dies müssen sie aber auch zu Hause beherrschen, denn falschen Freunden kann man überall begegnen. Um etwas beruhigter zu sein, könnten die Eltern mit ihrer Tochter vereinbaren, dass sie sich täglich meldet. So wären sie auf dem Laufenden und würden ihrer Tochter gleichzeitig zeigen, dass sie an sie denken.
>
> Wenn man die Argumente, die für und gegen Lisas Reisepläne sprechen, miteinander vergleicht, kann man nur sagen, dass mehr für als gegen die Reise nach Berlin spricht. Meiner Überzeugung nach ist Lisa alt genug, alleine mit Mara eine solche Reise zu unternehmen.

d   Markieren Sie in der Erörterung in 1c alle Redemittel, die helfen, die Erörterung zu strukturieren.

e   Analysieren Sie nun den Aufbau der Erörterung in 1c.

   1. Gibt es eine Einleitung? Wenn ja, worum geht es darin?

   2. In welcher Reihenfolge kommen die Pro- und Contra-Argumente? Warum?

   3. Gibt es einen Schlussteil? Wenn ja, was enthält er?

## 2  Ich bin doch kein Kind mehr!

a   Wie ist Ihre Meinung zu der Aussage „Jugendliche sollten möglichst früh eigene Wege gehen dürfen".
Diskutieren Sie in Vierergruppen.

- Zwei Personen sammeln jeweils vier Argumente für diese Aussage, die zwei anderen jeweils vier Argumente dagegen; schreiben Sie je ein Argument auf eine Karte.
- Dann vereinbart jede Zweiergruppe, welche drei (!) Argumente sie verwenden will.
- Diskutieren Sie nun das Thema zu viert.

b   Schreiben Sie nun eine kleine Erörterung zum Thema. Lesen Sie zur Vorbereitung die folgenden Hinweise und benutzen Sie die Redemittel unten. AB: F1 ▶

---

**Einleitung:**   liefert allgemeine Information zum Thema, schließt mit der zentralen Fragestellung ab

**Hauptteil:**   Pro-Contra-Argumentation in geordneter Form:

      **entweder**   1. alle Argumente der Gegenseite
                2. alle eigenen Argumente

      **oder**       1. Argument der Gegenseite  ⎫
                2. eigenes Argument       ⎬ im Wechsel
                                      ⎭

      Argumente begründen, am besten durch ein Beispiel verdeutlichen und Schlussfolgerungen aufzeigen

**Schluss:**   eigene Stellungnahme mit kurzer Begründung (keine Wiederholung der Erörterung im Hauptteil)

---

**Einleitung:**

In dieser Situation stellt sich die Frage: … | Daraus ergibt sich die Frage … | Dies führt zu der Frage …

**Hauptteil**

| pro | contra |
|---|---|
| für … spricht | gegen … spricht |
| dafür spricht, dass … | dagegen spricht, dass … |
| das Hauptargument / wichtigste Argument für … / dafür ist … | das Hauptargument / wichtigste Argument gegen … / dagegen ist … |
| ein weiteres Argument für … ist … | ein weiteres Argument gegen … ist … / ein weiterer Einwand ist … |
| die einen befürworten … / sind für … / sind dafür, dass … | die anderen lehnen ab … / sind gegen … / sind dagegen, dass … |

**Schlussteil:**

Ich bin der Meinung / Ansicht / Auffassung / Überzeugung, dass … | Meiner Meinung / Ansicht / Auffassung / Überzeugung nach … | Ich beurteile dieses Problem folgendermaßen / wie folgt: …

---

# 1

# A Reisen

## 1 Reisewörter

Was fällt Ihnen zum Thema Reisen ein?
Ergänzen Sie das Wortnetz.

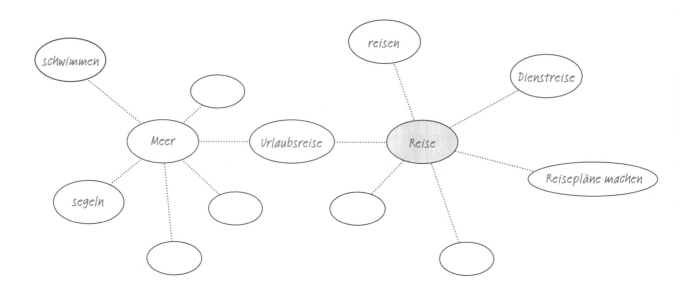

## 2 Wie lerne ich neue Wörter am besten?

a Man kann Wörter nach bestimmten Kriterien ordnen, um sie besser zu lernen und zu behalten. Nach welchen Kriterien sind die Wörter hier geordnet?

| Nomen | Verben | Adjektive | feste Verbindungen | Wortfamilien |
|---|---|---|---|---|
| die Landschaft | s. entspannen | pittoresk | Sport treiben | planen |
| das Panorama | s. ausruhen | malerisch | Ski fahren | der Plan |
| die Aussicht | faulenzen | idyllisch | Fallschirm springen | planvoll / planlos |

b Welche anderen Kriterien können Sie benutzen, um Wörter und ihre Bedeutungen zu ordnen und sie besser zu lernen? Überlegen Sie in Gruppen und stellen Sie Ihre Kriterien im Kurs vor.

c Welche Techniken benutzen oder kennen Sie noch, um Wörter zu lernen und zu behalten? Tauschen Sie sich im Kurs aus. Sammeln Sie die Tipps und erstellen Sie ein Lernplakat.

## 3 Sprüche übers Reisen

Lesen Sie die Sprüche im Lehrbuch 1A, 2a, noch einmal.

1. Welcher Spruch hat Ihnen besonders gut (oder gar nicht) gefallen? Schreiben Sie (anonym) einen kurzen Kommentar dazu auf ein Blatt Papier.
2. Geben Sie alle Papiere im Kurs so lange weiter, bis der Kursleiter / die Kursleiterin „Stopp" ruft.
3. Lesen Sie den Kommentar auf dem Papier, das Sie in diesem Moment bekommen haben.
4. Wenn Sie in diesem Kommentar Fehler finden, korrigieren Sie sie. Wenn Sie noch bessere Formulierungen finden, notieren Sie sie ebenfalls.
5. Hängen Sie alle Kommentare im Unterrichtsraum auf. Gehen Sie herum, lesen Sie die Papiere und besprechen Sie im Kurs die sprachlichen Fragen.

# 4 Rund ums Reisen: ein Fragebogen

Bearbeiten Sie den Fragebogen und tauschen Sie sich dann mit einem Partner / einer Partnerin aus.

1. Mit meinem Urlaubsziel beschäftige ich mich schon Monate vor Beginn der Reise.

    ☐ stimmt genau ☐ stimmt teilweise ☐ stimmt eher nicht ☐ stimmt gar nicht

2. Meine letzte Reise war (bis zu drei Möglichkeiten)

    ☐ eine Pauschalreise ☐ eine Campingtour
    ☐ eine Last-Minute-Reise ☐ ein Aktivurlaub
    ☐ eine Spontanreise ☐ eine Sprachreise
    ☐ eine Reise mit Interrail ☐ eine Kulturreise
    ☐ eine Dienstreise ☐ eine Städtetour
    ☐ mit einem Ferienjob verbunden ☐ Sonstiges: ............................

3. Meine letzte Sommerreise habe ich vorwiegend finanziert durch

    ☐ Ersparnisse ☐ meine Eltern ☐ Jobben ☐ Sonstiges: ............................

4. Das Reiseziel war

    ☐ in Deutschland ☐ in einem anderen europäischen Land ☐ in Nordamerika
    ☐ in Südamerika ☐ in Asien ☐ in Afrika ☐ in Australien

5. Ich habe dabei folgende(s) Verkehrsmittel benutzt:

    ☐ Fahrrad ☐ Auto ☐ Bus ☐ Zug ☐ Flugzeug ☐ Schiff

6. Ich bin im vergangenen Sommer verreist mit

    ☐ meinem / r (Ehe-)Partner / in ☐ meinen Eltern ☐ Freunden ☐ allein
    ☐ dem Sportverein ☐ Sonstiges: ............................

7. Ich hätte große Lust, einmal in ein Land auf einem anderen Kontinent zu reisen.

    ☐ stimmt genau ☐ stimmt teilweise ☐ stimmt eher nicht ☐ stimmt gar nicht

8. Wenn ich verreise, dann kommt es mir vor allem darauf an (bis zu zwei Möglichkeiten):

    ☐ neue Menschen kennenzulernen ☐ mit Freunden zusammen zu sein
    ☐ möglichst weit weg zu reisen ☐ andere Länder kennenzulernen
    ☐ Sonne und Strand zu genießen ☐ zu sehen, ob ich allein in der Fremde zurechtkomme
    ☐ mich zu erholen ☐ meine Sprachkenntnisse auszuprobieren
    ☐ kulturelle Erfahrungen zu machen ☐ in der Natur zu sein
    ☐ Theater, Museen u. Ä. zu besuchen ☐ Sonstiges: ............................

9. Ich bin neidisch, wenn jemand diese Art von Reise macht. Beschreiben Sie bitte.

    ............................................................

10. Ich finde, dass das Reisen mit dem Flugzeug eingeschränkt werden müsste, um die Umweltbelastung zu verringern.

    ☐ stimmt genau ☐ stimmt teilweise ☐ stimmt eher nicht ☐ stimmt gar nicht

11. Ich finde es gut, dass heute fast jeder reisen kann, weil es auch preiswerte Angebote gibt.

    ☐ stimmt genau ☐ stimmt teilweise ☐ stimmt eher nicht ☐ stimmt gar nicht

12. Was für eine Art von Reise möchten Sie auf gar keinen Fall machen? Begründen Sie bitte.

    ............................................................

**5 Helfen Sie zwei Reisenden mit wenig Geld bei der Entscheidung.**

Schreiben Sie zuerst Ihre Vorschläge auf und tauschen Sie sich dann mit einem Partner / einer Partnerin aus. Verwenden Sie dazu die Redemittel im Lehrbuch 1A, 4b.

1. Wegfahren oder zu Hause bleiben? *Ich meine, sie sollten wegfahren, denn da erholt man sich besser.*

2. Pension oder Ferienwohnung? *Vielleicht könnten sie ...*

3. Campen oder Jugendherberge?

4. Hotel oder Privatunterkunft?

5. Jetzt Unterkunft suchen oder erst während der Fahrt?

6. Im Motel oder im Auto übernachten?

7. Zwei Einzelzimmer oder ein Doppelzimmer?

8. Über Internet oder im Reisebüro buchen?

9. Weiter überlegen oder Suche aufgeben?

# B Urlaubsreisen

## 1 Was ich im Urlaub tun möchte

Wie heißen die passenden Verben und Ausdrücke? Schreiben Sie Sätze.

1. Ruhe: *sich ausruhen → Im Urlaub möchte ich mich ausruhen.*

2. Bewegung:

3. Sport:

4. Erholung:

5. Aktivität:

6. Entspannung:

7. viele Erlebnisse:

8. Abenteuer:

9. Bekanntschaft mit neuen Leuten:

## 2 Wortschatz-Urlaub

Welches Wort passt nicht? Kreuzen Sie an.

| | | a | b | c | d |
|---|---|---|---|---|---|
| 1. | ein Zimmer: | bestellen | ausziehen | buchen | reservieren |
| 2. | eine Urlaubsreise: | planen | buchen | erholen | stornieren |
| 3. | den Aufenthalt: | verlängern | verkürzen | ausdehnen | aufhören |
| 4. | einen Ort: | kennenlernen | beeindrucken | erkunden | besichtigen |
| 5. | die Lage eines Ortes ist: | verkehrsgünstig | malerisch | gemütlich | faszinierend |
| 6. | in einer Pension: | verbringen | übernachten | sich aufhalten | unterkommen |

## 3 Die wahren Abenteuer sind im Kopf

Was verbinden Sie mit den Wörtern rechts? Wählen Sie ein Wort aus und bereiten Sie mithilfe von Stichworten einen ca. zweiminütigen Redebeitrag vor. Stellen Sie Ihre Redebeiträge im Kurs vor.

> Fernweh | Karawane | Expedition |
> Abenteuer | Traumreise | Weltumsegelung |
> Seidenstraße | Himalayabesteigung |
> Fantasiereise | Zeitreise

**telc 4** **Nachfrage per E-Mail**

Schreiben Sie eine E-Mail an das Schlosshotel in der Steiermark (Anzeige G).

Sie möchten einige Tage im Schlosshotel verbringen. Im Internet haben
Sie ein günstiges Angebot gefunden, aber einige Dinge gehen aus der
Internetseite nicht hervor. Verwenden Sie auch die Redemittel unten.

> **Tipp zum E-Mail-Schreiben**
> Eine E-Mail wird häufig in einem
> etwas informelleren Stil geschrieben.
> Hier handelt es sich aber um eine
> offizielle Anfrage, sodass Sie Anrede
> und Grußformel wie in einem
> Geschäftsbrief verwenden sollten.

- Einzelzimmer frei vom 09.09. bis 15.09.?
- Freizeitangebote?
- Anreise mit öffentlichen Verkehrsmitteln?
- Möglichkeiten zur Verlängerung des Aufenthalts?
- Überlegen Sie sich noch einen weiteren Punkt,
  zu dem Sie Informationen wünschen.

> Vielen Dank im Voraus | ~~Sehr geehrte Damen und Herren~~ |
> Mit freundlichen Grüßen | Sehr geehrter Herr … / Sehr geehrte Frau …

Sehr geehrte Damen und Herren,

# C Reiseplanung

## 1 Reiseplanung in der Wohngemeinschaft – Gespräch 2

Lesen Sie das Gespräch (vgl. Lehrbuch 1C, Aufgabe 1c). Markieren Sie die Ausdrücke, die das Gespräch freundlich machen und helfen, Probleme zu vermeiden. Notieren Sie dann die Ausdrücke.

| | |
|---|---|
| Susanne: | Habt ihr was dagegen, wenn ich anfange? Ich muss leider gleich noch weg – mein Ferienjob im Biergarten. Also, wir überlegen ja schon ziemlich lange und sollten versuchen, dass wir heute zu einer Einigung kommen. O.k.? |
| Alle: | Klar! O.k.! Dann los! |
| Susanne: | Wie wär's, wenn wir nach Rom fahren würden? Diese Stadt hat mich schon immer fasziniert. Es gibt so viel zu sehen. Außerdem … |
| Carla: | Entschuldige, wenn ich dich unterbreche. Ist es dort jetzt nicht ziemlich heiß? Ich vertrage Hitze nicht so gut. |
| Susanne: | Hm, das kann ich gut verstehen. Andererseits wäre Rom günstig, weil ich dort Freunde habe, die etwas außerhalb wohnen und bei denen wir unterkommen könnten. |
| Carla: | Sei nicht böse, wenn ich dich noch mal unterbreche. Es wäre natürlich super, wenn wir umsonst wohnen könnten, aber verlieren wir nicht sehr viel Zeit, um in die Stadt zu kommen? |
| Susanne: | Dein Einwand ist sicher berechtigt, aber … |
| Peter: | Entschuldigung. Susanne, wärest du einverstanden, wenn die anderen jetzt erst einmal ihre Vorschläge vortragen würden? |
| Susanne: | Klar, das Wichtigste habe ich ja schon gesagt. Wohin möchtest du denn? |
| Peter: | Also, ich würde eigentlich gern nach Frankreich – vielleicht in die Bretagne, aber Rom wäre auch keine schlechte Idee. Was meinst du, Jens? |
| Jens: | Naja, ich würde am liebsten wandern – so raus in die Natur und Bewegung. Wir sitzen doch sowieso viel zu viel während des Semesters. Also wär' Wandern schon deshalb optimal! Außerdem … |
| Susanne: | Entschuldige, wenn ich dir widerspreche. Aber Wandern ist nicht gerade mein Hobby. Als Kind musste ich mit meinen Eltern immer stundenlang durch den Wald latschen – stinklangweilig! In Rom … |
| Peter: | Sorry, Susanne. Jens ist dran. |

| | |
|---|---|
| Susanne: | 'tschuldigung! |
| Jens: | Wir könnten zum Beispiel in einer Gegend wandern gehen, wo wir auch zu schönen Städten kommen, die wir dann besichtigen können. Ich denke da zum Beispiel an die Provence. Was meint ihr? |
| Carla: | Das würde mir schon sehr viel besser gefallen. Wäre es nicht möglich, dass wir irgendwohin fahren, wo das Meer in der Nähe ist? Ich möchte so gern mal richtig relaxen: Sonne, Strand, Wasser. |
| Susanne: | Wenn ich dich richtig verstehe, möchtest du nichts Anstrengendes machen, wie Stadtbesichtigung oder Wandern? |
| Carla: | Genau. Aber … |
| Peter: | Entschuldige, Carla, eigentlich ist die Idee von Jens doch sehr gut. Wir könnten eine Unterkunft mit einem schönen Pool suchen. Von dort aus könnten wir unsere Ausflüge machen. Dann kämen alle auf ihre Kosten. Außerdem müssten wir ja nicht immer alles zusammen unternehmen. |
| Susanne: | Ich glaube auch, die Provence ist keine schlechte Idee! Allerdings: Ein kleines Problem hab' ich noch. Seid mir bitte nicht böse, wenn ich mich nicht an den Vorbereitungen beteiligen kann – mein Ferienjob ist mega-anstrengend. Manchmal geht es bis 3.00 Uhr morgens, und vormittags muss ich ja noch meine Hausarbeit fertig kriegen. Aber ich kann dann mehr im Urlaub übernehmen … |
| Alle: | O.k.! Kein Problem! |

*Habt ihr was dagegen, wenn …;*

## 2 Höflich diskutieren

Schreiben Sie die Dialogteile 1 und 2 so um, dass sie höflicher werden. Benutzen Sie dazu die Ausdrücke aus 1 und aus dem Lehrbuch 1C, 2. Denken Sie auch daran, Ihre Argumente zu begründen.

**direkte Formulierung**  **höfliche Formulierung**

**Dialogteil 1**

1. ■ Wir fahren mit dem Bus. Das ist … *Ich finde, wir sollten mit dem Bus fahren. Das wäre preiswerter.*

2. □ Auf keinen Fall mit dem Bus! *Entschuldige, wenn ich dich unterbreche. Das geht leider nicht, denn im Bus wird mir immer schlecht.*

3. ■ Das Beste ist, wir fliegen.

4. □ Das ist doch viel zu teuer!

5. ■ Das stimmt doch gar nicht. Wir buchen einen Billigflug.

6. □ Den musst du aber suchen. Ich habe keine Zeit.

7. ■ Ich auch nicht.

**Dialogteil 2**

1. ■ Diesmal will ich aber in die Berge. Letztes Mal …

2. □ Stimmt. Aber ich will an die See.

3. ■ Gegen deine Erkältungen hilft das sowieso nicht, da ist Bergluft viel besser.

4. □ Das stimmt nicht. Der Arzt hat gesagt, Seeluft ist am besten.

5. ■ Frag doch mal einen anderen Arzt. Mal sehen, was der meint.

## ③ Eigentlich denke ich etwas anderes

a   Bereiten Sie sich auf ein kontroverses Gespräch vor, in dem Sie Ihre
    Meinung verteidigen. Formulieren Sie Sätze wie im Beispiel.

> Ich verstehe, was du sagst, aber … | Dein Vorschlag ist
> nicht schlecht, aber … | Ich verstehe, dass …, aber … |
> Das stimmt schon, aber… | Das ist ja einerseits nicht schlecht,
> andererseits … | Ich würde gern …, weil … | Ich möchte
> darauf bestehen, denn … | Du hast zwar recht, aber ich meine
> trotzdem, dass … |

Ihr Partner / Ihre Partnerin möchte
1. höchstens zwei Wochen in Urlaub fahren. – Sie wollen länger bleiben.
2. in die Berge. – Sie wollen an die See.
3. zelten, weil es billig ist. – Sie wollen im Hotel übernachten.
4. Wanderungen machen. – Sie wollen faulenzen.
5. mit dem Auto fahren, weil man flexibler ist. –
   Sie wollen mit dem Zug fahren.

*1. Ich verstehe, dass du nicht länger als zwei Wochen in Urlaub fahren*

*willst, aber das reicht mir einfach nicht. Ich brauche wirklich*

*länger, um mich zu erholen.*

b   Führen Sie mit einem Partner / einer Partnerin das Gespräch. Versuchen Sie, Ihre Meinung zu verteidigen.
    Verwenden Sie dazu auch die Redemittel in 3 a.

## ○ G 2.1 ④ Typisch Deutsch: Die Satzklammer

a   Bilden Sie Sätze mit folgenden Elementen und schreiben Sie sie in die Tabelle.

1. Susanne – schon immer – Rom – wollen – kennenlernen
2. Carla – Urlaub in südlichen Ländern – schrecklich – finden
3. Peter – in Frankreich – möchte – seinen Urlaub verbringen – gern
4. Jens – Natur – lieben – und – Bewegung – besonders
5. Die vier – sich einigen auf – am Ende – in die Provence – eine Reise (Perfekt)
6. Ihr Gespräch – freundlich – höflich – und – die ganze Zeit – verlaufen (Perfekt)

| Position 1 | Position 2 | Mittelfeld | Satzende |
|---|---|---|---|
| 1. *Susanne* | *wollte* | *Rom …* | |
| 2. | | | |
| 3. | | | |
| 4. | | | |
| 5. | | | |
| 6. | | | |

b   Formulieren Sie die Sätze in 4a um. Stellen Sie die Satzteile auf Position 1, die Sie hervorheben möchten oder die gut an
    den vorigen Satz anschließen.

*Rom wollte Susanne …*

◗ G3.3 **5** Nebensatz mal hinten, mal vorne

**a** Beantworten Sie die Fragen mit Nebensätzen. Verwenden Sie die Elemente in Klammern und die Nebensatzkonnektoren „weil", „wenn", „dass".

1. Warum kann Susanne nicht lange bleiben? (Ferienjob) *Weil sie einen Ferienjob hat.*

2. Was findet Susanne günstig? (Freunde in Rom haben)

3. Was gefällt Carla gut? (dort können umsonst wohnen)

4. Wann hat Jens zu wenig Bewegung? (an der Uni sein)

5. Wann erholt sich Carla am besten? (Urlaub am Meer machen)

6. Warum ist Susanne im Stress? (Hausarbeit schreiben müssen)

**b** Ergänzen Sie in den Antworten in 5a die Hauptsätze.

*1. Weil sie einen Ferienjob hat, kann Susanne nicht lange bleiben.*

# D Mobilität im globalen Dorf

**1** **Nomaden der Neuzeit**

**a** Suchen Sie im Zeitungskommentar im Lehrbuch 1D, 1b, alle Wörter, die Bewegung oder Ortsveränderung ausdrücken, und tragen Sie sie in eine Tabelle wie in 1b ein.

**b** Ergänzen Sie, wo möglich, die Tabelle. Sie können dazu auch mit dem Wörterbuch arbeiten.

| Nomen | Verben | Adjektive | Synonyme | Antonyme | feste Verbindungen |
|---|---|---|---|---|---|
| *die Mobilität die Mobilen* | *mobil sein* | *mobil* | *die Beweglichkeit beweglich* | *immobil / unbeweglich* | *in Bewegung sein auf Achse sein* |
| ... | | | | | |

**c** Welches Wort / Welcher Ausdruck aus dem Kommentar im Lehrbuch 1D, 1b, ist gemeint?

1. unterwegs sein:
2. etwas Neues beginnen:
3. eine unnötige Last:
4. selbstständig sein:
5. Vorbedingung:

6. sich an (etwas Neues) anpassen:
7. jd., der regelmäßig zwischen Arbeitsstätte und Wohnung hin und her fährt:
8. eine Beziehung beenden:
9. Selbstständigkeit:

**2** **Vor- und Nachteile**

Ordnen Sie die Redemittel in eine Tabelle wie unten ein.

> Ein Vorteil ist ... | Dagegen spricht, dass ... | Ein Aspekt, den ich als sehr / besonders positiv empfinde, ist ... | In ... liegt die Chance, dass... | Es besteht (aber) die Gefahr, dass ... | Ein (wirklich) negativer Aspekt ist ... | Ein Riesennachteil ist ... | Von Vorteil ist (aber) ... | Dafür spricht, dass ...

| Vorteile benennen | Nachteile benennen |
|---|---|
| *Ein Vorteil ist ...,* | |

### 3 Einladungen

a Sandra ist wegen ihres Jobs von Süddeutschland nach Hamburg gezogen und möchte gern ihre Freunde wiedersehen. Schreiben Sie eine Einladungsmail mithilfe folgender Stichworte. Achten Sie auch auf eine gute Verknüpfung der Sätze.

1. hoffen – ich – euch – gut – gehen
2. ihr – lange – hören – nichts – von mir – leider – wegen Umzug
3. Hamburg – gut – inzwischen – einleben – ich – viele – schon – haben – Kontakte – und
4. auch – mit Kollegen – ich – gut – sich verstehen – und – einiges – wir – unternehmen – schon
5. sich fühlen – ich – nicht – so – einsam – ihr – fehlen – trotzdem – mir – sehr
6. ich – euch – einladen – deswegen – nach Hamburg – mögen – für nächstes Wochenende
7. antworten – schnell – bitte
8. sich freuen – ich – schon

Liebe Nadja, lieber Peter, lieber Thorsten,

b Sie haben eine Arbeitsstelle in einer anderen Stadt. Schreiben Sie eine Mail an Ihre Freunde zu Hause, in der Sie über Erlebnisse und Gefühle in der neuen Umgebung berichten und Ihre Freunde zu sich einladen.

# E Wenn einer eine Reise tut ...

### 1 Feste Verbindungen

Welche Verben gehören zu den Nomen? Ergänzen Sie.

aufschrecken | bekommen | führen | geraten | machen | machen | ~~sein~~ | sein

1. auf Dienstreise *sein*
2. eine Dienstreise
3. ein Interview
4. in Gedanken
5. sich Gedanken
6. aus seinen Gedanken
7. Panik
8. in Panik

### ◐ G3.4 2 Seine Meinung mit Argumenten stützen – Gründe im Haupt- und im Nebensatz

a Analysieren Sie folgende Sätze: Welche sind Haupt-, welche Nebensätze? Notieren Sie jeweils „H" oder „N" und markieren Sie das Wort, das jeweils die Begründung einleitet oder sich auf diese bezieht.

1. Eva hat eine Dienstreise gemacht *H*, weil sie Interviews führen sollte. *N*
2. Sie war noch nie in Südamerika ....., daher war sie über den Auftrag sehr froh. .....
3. Sie hat sich ein bisschen Sorgen gemacht ....., sie kann nämlich nur wenig Portugiesisch. .....
4. In Recife fühlte sie sich sehr wohl ....., denn die Kollegen waren alle sehr nett. .....
5. Sie konnte sogar den Strand genießen ....., da sie am Wochenende nicht arbeitete. .....

b In welchem Teil der Sätze in 2a steht jeweils der Grund? Könnte man die Reihenfolge auch ändern? Notieren Sie, wo dies möglich ist und wo nicht.

| Satz | Teil 1 | Teil 2 | Reihenfolge ändern möglich? |
|------|--------|--------|------------------------------|
| 1. | | X | ja: „Weil Eva Interviews führen sollte, hat sie eine Dienstreise gemacht." |
| 2. | | | |
| 3. | | | |
| 4. | | | |
| 5. | | | |

**c** Formulieren Sie die Sätze in 2a um. Verwenden Sie dabei die Wörter in Klammern.

1. (deswegen) *Eva sollte Interviews führen, deswegen hat sie eine Dienstreise gemacht.*

2. (da) .......................................................................................................................................

3. (denn) ....................................................................................................................................

4. (nämlich) ...............................................................................................................................

5. (deshalb) ...............................................................................................................................

**d** Stellung von „daher"/„deswegen"/„deshalb"/„darum" im Satz. Bilden Sie aus den Elementen jeweils zwei Hauptsätze im Präteritum, verändern Sie beim 2. Satz die Stellung des Verbindungsadverbs.

1. Eva – sein – viel unterwegs – Pia – deswegen – von ihr – nichts gehört - lange

   a. *Eva war viel unterwegs, deswegen hat Pia lange nichts von ihr gehört.*

   b. *Eva war viel unterwegs, Pia hat ...*

2. Bus – haben – technischen Defekt – die Fahrt – ausfallen – daher – einfach

   a. ...................................................................................................................................

   b. ...................................................................................................................................

3. nächste Bus - kommen – viel später – erst – Eva – ihn – können – darum – nicht nehmen

   a. ...................................................................................................................................

   b. ...................................................................................................................................

4. Kollegin – sich auskennen – in Caruaru – gut – deshalb – mit Privatflugzeug – Eva – von einem jungen Deutschen – früh genug – noch – zurückfliegen – können

   a. ...................................................................................................................................

   b. ...................................................................................................................................

**e** Formulieren Sie die Sätze mit „nämlich".

1. Weil der junge Mann sich beide Beine verbrannt hatte, trug er einen Rock.
2. Da die Leute den Namen „Heiner" noch nie gehört hatten, nannten sie ihn „Hans".
3. Er wollte nach Recife fliegen, da man ihn in Caruaru nicht so gut behandeln konnte.
4. Eva hatte große Angst in dem kleinen Flugzeug, weil es sehr stürmisch war.
5. Da sie Brasilien unbedingt besser kennenlernen möchte, lernt Eva jetzt Portugiesisch.

*1. Der junge Mann trug einen Rock, er hatte sich nämlich beide Beine verbrannt.*

*2. Die Leute nannten ihn Hans, sie hatten nämlich den Namen „Heiner" noch nie gehört. / sie hatten den Namen „Heiner"*

*nämlich noch nie gehört.*

**G3.4** **3** ## Gründe angeben – kausale Präpositionen

**a** Lesen Sie zuerst den Tipp rechts und dann die Sätze.
Welche Präposition passt? Kreuzen Sie an.

1. **a** Dank    **b** Wegen    eines Unfalls blieb der Zug stehen.
2. **a** Aufgrund    **b** Vor    Panik fing Eva an zu schwitzen.
3. **a** Dank    **b** Aus    der Hilfe der Stewardess erreichte Eva den Flug noch.
4. **a** Aufgrund    **b** Vor    der Schwierigkeiten war die Reise von Beginn an aufregend.
5. **a** Aus    **b** Vor    Interesse an Brasilien lernt Eva Portugiesisch.

> **Bedeutung von kausalen Präpositionen**
>
> **wegen + G / D, aufgrund + G** leiten eine „neutrale" Begründung ein: „Wegen / Aufgrund der Interviews musste Eva viel herumfahren."
>
> **dank + G / D** enthält eine positive Nebenbedeutung: „Dank der Hilfe ihrer Kollegin lernte Eva Hans kennen."
>
> **aus + D** wird meist mit Abstraktem gebraucht: „aus Interesse", „aus Angst", „aus Dummheit"
>
> **vor + D** wird häufig bei spontanen Gefühls- und Körperreaktionen verwendet: „vor Angst zittern", „vor Freude weinen", „vor Anstrengung stöhnen"

b Formulieren Sie die Nebensätze mit kausalen Präpositionen um. Verwenden Sie dabei die Wörter im Kasten und achten Sie auf den Kasus der Präpositionen.

> Anrufe | Besuche | ~~groß~~ | enorm | ~~Kälte~~ | häufig | Lärm | selten

1. weil es sehr kalt ist:

   wegen der *großen Kälte* .............................................

2. weil sie uns oft besucht:

   aufgrund ihrer .............................................

3. weil es so laut war:

   wegen des .............................................

4. weil sie uns fast nie angerufen haben:

   aufgrund ihrer .............................................

c Formulieren Sie die kausalen Nebensätze mithilfe der Präpositionen in Klammern um.

1. Weil Eva einen beruflichen Auftrag hatte, fuhr sie nach Recife. (wegen)

   *Wegen eines beruflichen Auftrags fuhr Eva nach Brasilien.*
   ..........................................................................................................

2. Weil die Verspätung des Zuges sehr groß war, verpasste sie fast ihren Flug. (aufgrund)

   ..........................................................................................................

3. Da sie viele Einladungen bekam, lernte sie die Stadt gut kennen. (dank)

   ..........................................................................................................

4. Weil Eva Angst hatte, schaute sie nicht nach draußen. (aus)

   ..........................................................................................................

5. Nach der sicheren Landung fing Eva an zu weinen, weil sie sich so freute. (vor)

   ..........................................................................................................

## 4 Tipps: Was ist typisch für eine mündliche Erzählung?

Lesen Sie die Tipps. Notieren Sie sich dann Stichworte für die Erzählung, die Sie im Kurs vortragen wollen (vgl. Lehrbuch 1E, Aufgabe 3).

- Sie beginnen mit den vier wichtigsten W-Fragen: Wer? Was? Wann? Wo?
- Dann passiert etwas Unerwartetes, z. B. eine Komplikation, die sich am Ende der Erzählung auflöst und die Sie dann kommentieren.
- Während des Erzählens können Sie Kommentare einfügen oder Ihre Zuhörer direkt ansprechen.
- Beim Erzählen ist das Wichtigste nicht die Weitergabe von Informationen, sondern anschaulich und unterhaltend zu erzählen und die Zuhörer auch emotional zu erreichen.
- Sie können auch die direkte Rede benutzen und Ausrufe („Ach!", „Oh!" etc.) einfügen.
- Wenn Sie über Vergangenes sprechen, können Sie im Perfekt oder im Präsens (sogenanntes „historisches Präsens") erzählen.

# F Arbeiten, wo andere Urlaub machen

## 1 Wortschatz im Kurs üben und wiederholen

Arbeiten Sie zu viert. Wählen Sie vier Wörter bzw. Ausdrücke aus dem Kasten unten und vier aus der Lektion. Schreiben Sie nun dazu jeweils eine Erklärung auf einen Zettel. Danach lesen Sie einer anderen Gruppe Ihre Erklärungen vor – die anderen raten.

> die Wende | windgeschützt | der Prospekt | anfangen | etw. fällt jdm. auf | ein Geschäft aufmachen | der Seeblick | die Düne | sich selbstständig machen

*die Geschäftsidee, –n*

*eine Idee, wie man gut Geld verdienen kann*

*auf eine Idee kommen*

*eine Idee haben / jdm. ist etwas eingefallen*

## 1

## 2 Was waren eigentlich Ihre Gründe, Frau Jahnke?

Ein neugieriger Feriengast stellt Frau Jahnke viele Fragen. Ergänzen Sie die folgenden Wörter bzw. Ausdrücke. Manchmal passen mehrere.

> aufgrund | aus diesem Grund | Besonderes machen | da |
> deshalb | deswegen | deswegen | interessiert | nämlich |
> selbstständig zu machen | vor | wegen | warum | weil |
> weil | weswegen | wieso

■ Haben Sie den Verleih aufgemacht, weil Sie schon früher mit Feriengästen zu tun hatten?

□ Nein, wir haben es nicht [1] *deswegen* gemacht, sondern

[2] .................................. wir Lust hatten, uns [3] .................................. .

■ Warum haben Sie gerade rote Strandkörbe gewählt?

□ Hm, [4] .................................. ? Ich hatte damals einen Prospekt von einer Spezialfirma. Wir wollten schon etwas

[5] .................................., [6] .................................. haben wir Rot gewählt. Die Farbe fällt [7] ..................................
schon von Weitem auf, und besonders die Kinder finden sie schön.

■ Wieso haben die Körbe denn Aschenbecher? Rauchen ist doch sonst fast überall verboten.

□ Ja, ja, das macht mich ja immer so wütend! Manchmal wird mir [8] .................................. lauter Verboten schon ganz

schlecht! Nur [9] .................................. jemand hier raucht, werden die anderen ja wohl nicht gleich krank werden!

■ Und [10] .................................. haben Sie als Material Plastik gewählt?

□ [11] .................................. Plastik im Meeresklima viel länger hält als z. B. Holz, war das für uns keine Frage.

■ [12] .................................. ist Ihr Mann eigentlich nicht hier und hilft Ihnen?

□ Er muss leider [13] .................................. einer Grippe das Bett hüten, aber ich schaffe das auch allein.

[14] .................................. dem Hin- und Herwuchten der Strandkörbe habe ich sogar richtig gute Armmuskeln
bekommen. Schauen Sie mal hier! Aber jetzt stelle ICH Ihnen mal eine Frage: Wieso fragen Sie mich das alles?

■ Ich habe ein Interview mit Ihnen im Radio gehört. Das hat mich wirklich [15] .................................. und
[16] .................................. wollte ich gern mehr wissen.

□ Ach so, [17] ..................................!

# Aussprache

## 1 Eine Kundin von Frau Jahnke berichtet

a Lesen Sie die Sätze laut und überlegen Sie, auf welcher Silbe der unterstrichenen Wörter der Wortakzent liegt.

1. Im Moment machen wir hier Urlaub.

2. Dieses Jahr ist es ganz wunderbar! Schauen Sie!

3. Ganz vorne am Wasser steht unser Strandkorb Nr. 66.

4. Den haben wir schon letztes Jahr bei Frau Jahnke bestellt.

5. Es ist herrlich, hier zu sitzen und das Meer anzuschauen.

6. Nächstes Jahr kommen wir bestimmt wieder hierher.

AB ● 1 b Hören Sie nun die Sätze in 1a. Welche Silben sind betont? Markieren Sie sie und sprechen Sie die Sätze nach.

# Grammatik: Das Wichtigste auf einen Blick

**G2.1** **1** **Die Satzklammer**

| Position 1 | Position 2 | Mittelfeld | Satzende |
|---|---|---|---|
| Die WG | hat | am Sonntag zwei Stunden lang über ihre Urlaubspläne | diskutiert. |
| Am Abend | konnte | sich die WG dann endlich über das Urlaubsziel | einigen. |

- Das konjugierte Verb / Der konjugierte Verbteil steht auf Position 2. Das zweite Verb / Der zweite Verbteil steht am Satzende.
- Das Subjekt kann auf Position 1 stehen oder als Erstes im Mittelfeld direkt nach dem konjugierten Verb (ein Pronomen kann ggf. noch vor dem Subjekt stehen). Im Mittelfeld können fast alle anderen Satzglieder stehen.

**G3.4** **2** **Gründe im Haupt- und Nebensatz: kausale Konnektoren und Präpositonen**

Haupt- und Nebensätze mit den folgenden Konnektoren, Verbindungsadverbien und Präpositionen leiten einen Grund ein oder beziehen sich auf ihn. Sie antworten auf die Fragen „Warum?" / „Wieso?" / „Weshalb?" / „Weswegen?".

| 1. Hauptsatz | 2. Hauptsatz = Grund |
|---|---|
| Ich war auf Dienstreise in Brasilien, | denn ich sollte Interviews mit Mitarbeitern führen. |
| Ich schreckte aus meinen Gedanken auf; | der Zug bremste nämlich plötzlich sehr stark. |
| **1. Hauptsatz = Grund** | **2. Hauptsatz** |
| In Recife klappte alles wunderbar. | Deshalb war ich sehr zufrieden. |
| **Hauptsatz** | **Nebensatz = Grund** |
| Um 14.30 wollte ich zurückfahren, | weil mein Flug um 18.15 ging. |
| **Nebensatz = Grund** | **Hauptsatz** |
| Da ich Deutscher bin, | nennen mich hier alle „Senhor Hans". |
| **Satz mit Präposition** | |
| Manchmal sah man wegen der dicken Wolken gar nichts. | |

### Wortstellung

- Der Hauptsatzkonnektor (= Konjunktion) **denn** steht im 2. Hauptsatz auf Position Null.
- Das Verbindungsadverb **nämlich** steht im 2. Hauptsatz. Es steht nie auf Position 1, sondern meist nach dem Verb; es kann aber auch weiter hinten im Mittelfeld stehen.
- Die Verbindungsadverbien **deshalb / deswegen / darum / daher** stehen im 2. Hauptsatz, nach dem Satz, in dem der Grund steht. Sie können auf Position 1, nach dem Verb oder weiter hinten im Mittelfeld stehen.
- Die Nebensatzkonnektoren (= Subjunktionen) **weil** und **da** stehen im Nebensatz am Satzanfang. Das Verb steht im Nebensatz am Satzende. Der Nebensatz kann vor oder nach einem Hauptsatz stehen. Nebensätze mit „da" stehen meist vor dem Hauptsatz.

### Kausale Präpositionen

- **wegen + G / D, aufgrund + G** leiten eine „neutrale" Begründung ein.
  z. B. Wegen / Aufgrund eines Unfalls blieb der Zug stehen.
- **dank + G / D** enthält eine positive Nebenbedeutung.
  z. B. Dank der Hilfe ihrer Kollegin lernte Eva Hans kennen.
- **aus + D** wird meist mit Abstraktem gebraucht: „aus Interesse", „aus Angst", „aus Dummheit."
  z. B. Aus Interesse an Brasilien lernt Eva Portugiesisch.
- **vor + D** wird häufig bei spontanen Gefühls- und Körperreaktionen verwendet: „vor Angst zittern", „vor Freude weinen".
  z. B. Vor Panik fing Eva an zu schwitzen.

# A Einfach schön

## ❶ Zitate und was sie bedeuten

Lesen Sie die Zitate im Lehrbuch 2A, 2a, noch einmal. Welche Wörter und welcher Ausdruck aus den Zitaten sind durch die Umschreibungen unten erklärt?

1. physische oder psychische Schmerzen

   ertragen ...........................................................

2. genau ansehen ...............................................

3. anders sein ......................................................

4. jeder hat seinen eigenen

   Geschmack ........................................................

5. etwas erreichen wollen ................................

6. eine moralisch gute Eigenschaft ..............

## ❷ Bewertungen

Welches Wort passt nicht in die Reihe? Kreuzen Sie an.

1. a durchschnittlich    b mittelmäßig    c perfekt
2. a beeindruckend    b akzeptabel    c umwerfend
3. a normal    b fürchterlich    c schrecklich
4. a eigenartig    b großartig    c grandios
5. a fantastisch    b hervorragend    c hübsch
6. a wunderschön    b hässlich    c toll

## ❸ Testen Sie sich selbst: Ist dir dein Aussehen wichtig?

a Welche Antwort trifft am ehesten auf Sie zu? Kreuzen Sie auf dem Fragebogen an.

★ Wie wichtig sind dir dein Aussehen und die Attraktivität deiner Mitmenschen?
★ Wolltest du schon immer wissen, wie du im Grunde deines Herzens auf andere Personen wirken willst?
★ Dann teste dich hier!

1. Wie kleidest du dich?
   a Sportlich.    b Modebewusst.    c Ganz normal, wie jede(r) andere auch.

2. Was siehst du, wenn du in den Spiegel schaust?
   a Eine selbstbewusste Person.    b Viele Problemzonen.    c Weiß ich nicht.

3. Welche Behauptung trifft auf dich am ehesten zu?
   a Ein paar Extra-Minuten im Bad oder vor dem Spiegel schaden nie.
   b Pflegeprodukte sind eine Investition in die Zukunft und steigern das Wohlbefinden.
   c Warum mehr als die absolut notwendige Zeit für Schönheitspflege verwenden?

4. Wodurch kann man deiner Meinung nach attraktiver wirken?
   a Durch Sport.    b Durch die richtige Kleidung.    c Das geht doch gar nicht.

5. Lässt du dich gerne fotografieren?
   a Na ja, ist schon in Ordnung.    b Ja, nichts lieber als das.    c Mag ich nicht besonders.

6. Worauf achtest du zuerst, wenn du gerade dabei bist, jemanden kennenzulernen?
   a Auf das Lächeln.    b Auf das Aussehen.    c Auf die Ausstrahlung.

7. Welche Eigenschaft ist dir bei anderen Menschen am wichtigsten?
   a Verfolgt ähnliche Interessen wie ich selbst.
   b Kann sich in der Öffentlichkeit präsentieren.
   c Ist ein interessanter Gesprächspartner.

8. Findest du selbst an der schönsten Frau oder dem schönsten Mann noch einen Makel?
   a Eigentlich nicht.    b Eher schon.    c Wie soll das gehen?

9. Wie viel Vorbereitungszeit brauchst du vor dem Ausgehen?
   a 5 – 15 Minuten.    b 15 – 60 Minuten.    c 0 – 5 Minuten.

**b** Wo haben Sie die meisten Kreuze gemacht: bei a, b oder c? Lesen Sie Ihr entsprechendes Ergebnis. Ersetzen Sie dann die unterstrichenen Wörter durch einen Ausdruck aus dem Kasten in der passenden grammatikalischen Form.

> eine Schwäche haben für etw. | schrecklich finden | es sehr gerne haben | jdm. sehr viel bedeuten | müssen |
> keinen Respekt haben vor + D | es für wichtig halten | nicht im Traum daran denken | nicht so wichtig sein |
> sich übertrieben schick machen | schneller sein als die meisten | sehr sorgfältig angezogen sein

### A Typ Sportler / in

Du [1] liebst es sportlich und einfach. [2] Es würde dir nie in den Sinn kommen, dir irgendwelchen Schnickschnack zu kaufen oder [3] dich aufzutakeln, nur um als stilvoll zu gelten. Du bist im Allgemeinen praktisch und entspannt. Gutes Aussehen [4] erachtest du zwar für wichtig, aber nicht um jeden Preis. Du weißt, was du vom Leben erwarten kannst, und kümmerst dich nicht darum, andere mit besonderen Outfits oder dem letzten Schrei in Sachen Mode zu beeindrucken. Du hast eine gesunde Portion Selbstvertrauen, und das sieht man auch. Und nichts ist natürlicher als das!

1. *hast es sehr gern*     2. ...............     3. ...............     4. ...............

### B Typ Trendsetter / in

Neue Trends zu kreieren und der Masse immer [5] einen Schritt voraus zu sein, ist nicht leicht. Aber damit hast du keine Probleme. Du [6] kannst nicht anders, als das Beste zu kaufen und [7] hast ein Faible für teure Dinge. Du weißt genau, was dir gut steht, du genießt es und hoffst insgeheim auf ein lobendes Wort für dein normalerweise gelungenes Outfit. Das Gefühl, tip-top auszusehen, [8] hat für dich höchsten Stellenwert. Ist an deinem Äußeren etwas nicht perfekt, dann gehst du nicht aus dem Haus. Ganz egal, ob du gerade auf dem Weg zur Arbeit bist, zu einer Party oder nur eben mal schnell zum Supermarkt.

5. ...............     6. ...............     7. ...............     8. ...............

### C Typ Naturmensch

Das Streben nach Attraktivität und Schönheit [9] findest du unmöglich. Für dich zählt vielmehr alles Beständige. „Nur kein Stress" könnte dein Lebensmotto lauten. [10] Für sogenannte „Trendsetter" hast du nur Spott übrig. Wieso jedem Trend hinterherhetzen, wenn schon bald sowieso wieder etwas anderes „in" ist? Dir ist es egal, wenn deine Frisur so aussieht wie früh morgens, wenn du gerade aus dem Bett kommst, oder deine Kleidung ein wenig zerknittert ist: [11] Alles halb so wild, denkst du dir, es gibt Wichtigeres. Wer hat schließlich das Recht, von dir zu verlangen, dass du immer [12] wie aus dem Ei gepellt aussiehst.

9. ...............     10. ...............     11. ...............     12. ...............

# B Schön leicht?

## 1 Texte verstehen – Nutzen Sie Ihr Vorwissen!

Lesen Sie zuerst den Tipp und dann die Aufgabe 1 im Lehrbuch 2 B. Wie wird dort Ihr Vorwissen aktiviert?

**Sein Vorwissen nutzen**

Sie haben einen unbekannten Text vor sich. Fangen Sie nicht sofort mit dem Lesen an. Lesen Sie zunächst nur die Überschrift und schauen Sie eventuell vorhandene Bilder an. Ein Text enthält nämlich meist nicht nur Neues und Fremdes. Wenn Sie Ihr eigenes Vor- und Weltwissen vor dem Lesen aktivieren, sind Sie auf den Text vorbereitet und können sich den Inhalt so schon teilweise vorstellen (antizipieren). Das ist die beste Voraussetzung für das Verstehen.

## 2 Texte verstehen – Lesestil „globales Lesen"

a Lesen Sie die folgende Erläuterung zum Lesestil „globales Lesen" und markieren Sie die wichtigsten Informationen.

> **Lesestil „globales Lesen"**
>
> Wenn Sie einen Text nur überfliegen, um schnell zu erfahren, worum es geht, dann lesen Sie ihn „global". Es geht hier nur um den ersten Eindruck; Einzelheiten oder unbekannte Wörter sind nicht wichtig. Deshalb sollten Sie beim globalen Lesen schnell lesen. Dabei helfen Ihnen zum Beispiel der Titel, der Vorspann, Zwischenüberschriften, die ersten und letzten Sätze, Zeichnungen oder Fotos, hervorgehobene Textstellen, die Textsorte (Ist es ein Zeitungsbericht, ein Kochrezept, eine Filmkritik, …?).

b Sie können auch Fragen stellen, die mit dem ersten Eindruck eines Textes zu tun haben. Welche der folgenden Fragen wären sinnvoll (s), welche nicht (n), um den Kommentar im Lehrbuch 2B, 2a, besser zu verstehen? Kreuzen Sie an.

1. Was bedeutet „Macht der Schönheit"?  `s` `n`
2. Welche Bedeutung hat der Untertitel?  `s` `n`
3. Welche Nationalität hat das Kind auf dem Foto?  `s` `n`
4. Warum ist das Foto links zu diesem Artikel ausgewählt worden?  `s` `n`
5. Was macht das Paar beruflich?  `s` `n`

## 3 Verben und Präpositionen

a Ergänzen Sie die Präpositionen bzw. „als". Welcher Kasus folgt?
Notieren Sie. Sehen Sie ggf. im Kommentar im Lehrbuch 2B, 2a, nach.
Lesen Sie auch den Tipp.

1. jdn./etw. verwechseln _mit_ + _D_
2. jdn./etw. einschätzen ......... + A
3. hinweisen ......... + .........
4. beliebt sein ......... + .........
5. jdn./etw. bewerten ......... + A
6. jd./etw. gilt ......... + N
7. Chancen haben ......... + .........
8. führen ......... + .........

> **Tipp**
>
> Nach „als" kann eine Nomengruppe oder ein Adverb stehen. Der Kasus hängt vom Verb ab, z.B. Ich schätze ihn als einen verlässlichen Menschen ein./Ich schätze ihn als verlässlich ein.

b Schreiben Sie pro Ausdruck in 3a einen Beispielsatz, der mit dem Thema Schönheit zu tun hat. Vergleichen Sie Ihre Sätze mit denen eines Partners/einer Partnerin und korrigieren Sie sich gegenseitig, falls nötig.

## 4 (Un)attraktive Adjektive

a Bilden Sie Adjektive. Einige Wortteile können Sie mehrfach verwenden.

> be | ~~fantasie~~ | voll | los | erfolg | durch | um | reich |
> werfend | wert | würdig | schnittlich | glaub | liebt | un

_fantasievoll, fantasielos, fantasiereich, …_

b Wie heißt jeweils das Gegenteil? Ordnen Sie zu.

1. kreativ          A. gesellig          1. ☐
2. faul             B. hässlich          2. ☐
3. interessant      C. einfallslos       3. ☐
4. ungesellig       D. klug              4. ☐
5. dumm             E. fleißig           5. ☐
6. hübsch           F. gemein            6. ☐
7. unattraktiv      G. langweilig        7. ☐
8. fair             H. gut aussehend     8. ☐

> **Wortschatz lernen**
>
> Lernen Sie Wörter zusammen mit ihrem Gegenteil.

94

**AB 22**

**c** Arbeit mit einem einsprachigen Wörterbuch: Lesen Sie die beiden Wörterbuchartikel und beantworten Sie die Fragen.

---

**at·trak·tiv** *adj* ❶ *so, dass jmd. wegen seines guten Aussehens und seiner gepflegten Ausstrahlung für andere Menschen anziehend ist:* eine attraktive Frau ❷ *so, dass es interessant und positiv ist:* Die Ferienanlage bietet viele attraktive Freizeitangebote/Sportmöglichkeiten. ▸ Attraktivität

**gl<u>au</u>b·wür·dig** *adj verlässlich, glaubhaft:* Du kannst ihm vertrauen - er hat mir glaubwürdig versichert, nichts damit zu tun zu haben.
**Gl<u>au</u>b·wür·dig·keit** *die <-> /kein Plur./ die Eigenschaft oder der Zustand, dass man etwas oder jmdm. glauben kann*

© pons

---

1. Zu welcher Wortart gehört „attraktiv"? ..............................................................................................................

2. In welcher der beiden Erklärungen finden Sie ein Synonym für „attraktiv" in der Bedeutung, wie dieses Wort in dem

   Artikel „Die Macht der Schönheit" gebraucht wird? Notieren Sie das Synonym. ..............................................................

3. Welchen Artikel hat das Nomen zu „glaubwürdig"? ..............................................................................................................

4. Was bedeutet „kein Plur."? ..............................................................................................................

5. Was bedeutet „jmdm."? Wie kann man das noch abkürzen? ..............................................................................................................

# C Schönheitskult

○ G 3.18 **① Interview mit einer Expertin**

**a** Formulieren Sie zuerst Infinitivsätze mit den Satzteilen unten.
Notieren Sie dann die Redemittel, die Infinitivsätze einleiten,
in einer Liste und ergänzen Sie weitere, die Sie kennen.

> *Es ist schwierig, ... zu ...*
> *Es ist empfehlenswert, ... zu ...*

1. schwierig sein – Schönheit – definieren
2. nicht besonders empfehlenswert sein – nehmen – Fernsehstars und Models – als Vorbild
3. wichtig sein – vielen Leuten – schöner – perfekter – und – aussehen
4. problematisch sein – sich beschäftigen mit – ständig – sein Aussehen
5. ratsam sein – sich betrachten – selbst – freundlicher – die eigenen Vorzüge – hervorheben – und

*1. Es ist schwierig, Schönheit zu definieren.* ...............................................................................................

**b** Ratschläge der Expertin mit und ohne „zu". Ordnen Sie zu.

| | | |
|---|---|---|
| 1. Ich empfehle Ihnen, | A. täglich an die frische Luft gehen. | 1. *B, C, D* |
| 2. Man sollte | B. sich gesund zu ernähren. | 2. ............... |
| 3. Ich kann jedem nur raten, | C. Make-up nur sparsam zu verwenden. | 3. ............... |
| 4. Jeder sollte darauf achten, | D. regelmäßig Sport zu treiben. | 4. ............... |
| 5. Ich würde vorschlagen, | E. Ihre gute Laune behalten. | 5. ............... |
| 6. Sie sollten | F. dass er nicht zu dick wird. | 6. ............... |

**c** Formulieren Sie nun selbst Ratschläge wie in 1b.

> ausreichend schlafen | ~~regelmäßig zum Friseur gehen~~ | mehr Selbstbewusstsein entwickeln |
> sich selbst so akzeptieren, wie man ist | öfter mal lachen | sich möglichst viel bewegen |
> dem Schönheitswahn widerstehen | viel Obst und Gemüse essen

*Man sollte regelmäßig zum Friseur gehen.* ...............................................................................................

**d** Formulieren Sie die „dass"-Sätze in Infinitivsätze um. Einen Satz kann man nicht umformulieren. Warum nicht?

1. Frau Bauer freut sich, dass sie das Radiointerview geben kann.

.......................................................................................................................................................

2. Sie sagt: „Es ist nicht richtig, dass man von ‚Schönheitswahn' spricht."

.......................................................................................................................................................

3. Sie rät ihren Klienten, dass sie sich mit dem übertriebenen Streben nach Schönheit auseinandersetzen.

.......................................................................................................................................................

4. Frau Bauer ist glücklich, dass ihre Klienten mit ihrer Beratung zufrieden sind.

.......................................................................................................................................................

**e** Lesen Sie die Sätze in 1d noch einmal. Was fällt auf? Kreuzen Sie in der Regel an und notieren Sie jeweils, welcher Satz passt.

1. Man kann Infinitivsätze bilden, wenn das Subjekt im Hauptsatz und das (implizite) Subjekt im Nebensatz **a** gleich **b** nicht gleich sind. Satz: ........................

2. Man kann Infinitivsätze bilden, wenn die Subjekte in Haupt- und Nebensatz verschieden sind, aber eine Dativ- oder Akkusativergänzung im Hauptsatz sich auf das Subjekt im Nebensatz **a** bezieht. **b** nicht bezieht. Satz: ........................

3. Infinitivsätze kann man **a** auch bilden, **b** nicht bilden, wenn die Subjekte in Haupt- und Nebensatz verschieden sind und Regel 2 auch nicht zutrifft. Satz: ........................

4. Nach Ausdrücken wie „Es ist schön / gut / interessant / schlecht …" können **a** nur „dass-Sätze" stehen. **b** Infinitivsätze oder „dass-Sätze" stehen. Satz: ........................

**f** Infinitivsatz oder „dass"-Satz? Lesen Sie den Tipp und formulieren Sie Sätze mit „zu" oder „dass".

1. Frau Bauer – ihre Klienten – ermutigen – dazu – Schönheitsidealen – sich lösen von
*Frau Bauer ermutigt ihre Klienten dazu, sich von Schönheitsidealen zu lösen.*

2. Sie – betonen – jeder Mensch – besitzen – eine bestimmte Form von Schönheit

.......................................................................................................................................................

3. Man – darauf achten – sollte – Kleidung – geschickt – einsetzen

.......................................................................................................................................................

4. Frau Bauer – jedem empfehlen – sich vergleichen mit – nicht zu stark – anderen

.......................................................................................................................................................

5. Sie – die Erfahrung – sprechen von – ständiges Vergleichen – machen – unglücklich

.......................................................................................................................................................

> **Tipp**
> Wenn möglich, verwendet man statt „dass"-Sätze Infinitivsätze, weil sie den Text kürzer machen und man sie leichter lesen kann.

**G 3.18** **2 Es ist schön gemocht zu werden**

**a** Lesen Sie den Tipp auf der nächsten Seite und formulieren Sie Sätze. Benutzen Sie dabei das Passiv der Gegenwart.

1. Frau Bauer freut sich darauf, (interviewen) *Frau Bauer freut sich darauf, interviewt zu werden.*

2. Viele Menschen haben Angst davor, (für hässlich halten) ........................

3. Es ist schrecklich, (wegen seines Aussehens schlechter beurteilen) ........................

4. Es ist nützlich, (von einer Fachfrau beraten) ........................

b  Formulieren Sie jetzt die fehlenden Satzteile aus 2a in der Vergangenheit.

1. Frau Bauer freut sich darüber, *interviewt worden zu sein.*

2. Viele Menschen behaupten, früher _____

3. Carla beklagt sich darüber, in der Schule _____

4. Die Zuhörer fanden es nützlich, von einer Fachfrau _____

> **Infinitivsätze im Passiv**
>
> **Gegenwart:** Partizip Perfekt + zu + werden, z. B. Es ist schön, gemocht zu werden.
>
> **Vergangenheit:** Partizip Perfekt + worden + zu + sein, z. B. Sie hat das Gefühl, noch nie gemocht worden zu sein.

c  Lesen Sie die Sätze und kreuzen Sie an: gleichzeitig (g) oder vorzeitig (v).

1. Frau Bauer findet es angenehm, dass sie so freundlich begrüßt wird.  [g] [v]
2. Sie freut sich, dass sie zum Interview eingeladen worden ist.  [g] [v]
3. Sie erinnert sich, dass sie das schon ganz anders erlebt hat.  [g] [v]
4. Der Interviewer bittet sie darum, dass sie „Schönheit" definiert.  [g] [v]
5. Sie glaubt nicht, dass sie eine wirklich gute Definition gelesen hat.  [g] [v]
6. Viele ihrer Klienten bestätigen, dass sie vom Aussehen von Models beeinflusst werden.  [g] [v]
7. Frau Bauer empfiehlt ihnen, dass sie versuchen, an sich selbst Gefallen zu finden.  [g] [v]
8. Viele sind froh, dass sie diesen Rat bekommen haben.  [g] [v]

d  Sagen Sie jetzt das Gleiche wie in 2c mithilfe von Infinitivsätzen.

*1. Frau Bauer findet es angenehm, so freundlich begrüßt zu werden.*

# D Schöne Diskussionen

## ❶ Vermutung oder Überzeugung ausdrücken – aber wie?

Welche Wörter oder Ausdrücke helfen? Notieren Sie „V" für Vermutung oder „Ü" für Überzeugung.

1. sicherlich  [V]
2. es steht außer Frage  [Ü]
3. unter Umständen  [ ]
4. ich nehme an  [ ]
5. auf jeden Fall  [ ]
6. es könnte sein  [ ]
7. wahrscheinlich  [ ]
8. zweifellos  [ ]
9. hundertprozentig  [ ]
10. eventuell  [ ]
11. sicher  [ ]
12. vermutlich  [ ]

## ❷ Vielleicht, möglicherweise, wahrscheinlich ...

Was passt anstelle der markierten Ausdrücke besser? Kreuzen Sie an und formulieren Sie die Sätze um.

1. Möglicherweise werden Sie oft mit anderen Leuten verwechselt.
   [a] höchstwahrscheinlich  [X] es könnte sein, dass
2. Dann sehen Sie wahrscheinlich vollkommen durchschnittlich aus.
   [a] vermutlich  [b] ohne Zweifel
3. Es steht außer Frage, dass durchschnittliche Gesichter als attraktiv bewertet werden.
   [a] wahrscheinlich  [b] zweifellos
4. Gelten gut aussehende Menschen also vielleicht auch als intelligenter, kreativer und fleißiger?
   [a] auf jeden Fall  [b] unter Umständen
5. Genau so ist es. Wahrscheinlich ist deshalb das Thema „Schönheit" für viele so wichtig.
   [a] hundertprozentig  [b] sicherlich

*1. Es könnte sein, dass Sie oft mit anderen Leuten verwechselt werden.*

### 3 Schön zusammenhängend – Texte schreiben

a Lesen Sie zuerst den Tipp rechts, dann den Forumsbeitrag. Überlegen Sie, ob im Textzusammenhang der bestimmte, der unbestimmte oder der Nullartikel passt. Streichen Sie jeweils den nicht passenden Artikel.

**Wie schön muss mein Partner / meine Partnerin sein?**
Zu [1] einer / der Frage habe ich [2] eine / die ganz klare Meinung: Niemand muss schön sein. Und was ist überhaupt schön? Ich habe [3] eine / die Studie gelesen: Aus der ging hervor, dass es kein allgemein gültiges „Partner-Idealbild" gibt, denn jeder Mensch hat [4] eine / die andere Vorstellung von Schönheit. [5] Eine / Die Vorstellung hängt z. B. stark davon ab, wie jemand aufgewachsen ist. Dabei spielt [6] die / -- jeweilige Familie [7] eine / die wichtige Rolle. Wenn z. B. Mädchen schon als Kinder lernen, dass es sehr wichtig ist, sich zu schminken, sich nach der Mode zu kleiden und [8] ein / das eigene Aussehen als das Wichtigste zu empfinden, werden sie sich wahrscheinlich auch später an dieser Vorstellung orientieren. Übrigens stand in [9] der / -- Studie auch, dass die Mehrheit [10] der / -- Deutschen bei der Wahl ihres Partners Natürlichkeit wichtiger findet als Schönheit. [11] Ein / Das Ergebnis hat mich persönlich nicht überrascht, auch ich gehöre zu den Menschen, für die Schönheit nicht an erster Stelle steht.

b Sprechen Sie im Kurs über Ihre Lösungen und begründen Sie sie.

# E Was ist schön?

### 1 Lesestil „globales Lesen"

Lesen Sie noch einmal den Tipp zum globalen Lesen im Arbeitsbuch 2 B, 2 a; bearbeiten Sie dann folgende Aufgaben.

1. Lesen Sie die Arbeitsanweisung, die Überschrift und den Vorspann des Textes im Lehrbuch 2 E, 1 a, und betrachten Sie das Foto. Um welche Textsorte handelt es sich? Wo ist der Text erschienen? Was vermuten Sie: Worum könnte es in dem Text gehen?
2. Überfliegen Sie nun den Text. Was sind die zwei wichtigsten Aussagen? Sprechen Sie im Kurs.

### 2 Wie ist das im Text formuliert?

Wie sind die markierten Umschreibungen im Text formuliert? Notieren Sie.

1. Was man als schön ansieht, ist nicht überall gleich.
   *Was als schön betrachtet wird, ist nicht überall gleich. (im Vorspann)*

2. Ähnliches gilt auch heute noch in manchen weniger reichen Ländern.

3. Man denkt, dass dicke Menschen keine Disziplin haben und man sie weniger belasten kann.
   Dicke Menschen gelten als

4. In manchen Regionen gilt eine helle Hautfarbe als etwas, was man gern haben möchte.

5. Das jeweilige Schönheitsbild hängt mit den gesellschaftlichen Verhältnissen zusammen.

6. Die weiße Oberschicht wollte sich vom Rest der Bevölkerung unterscheiden.

7. Sie folgen einem Trend, den man in vielen Kulturen sehen kann.

## ③ Unterschiede und Parallelen formulieren

Ordnen Sie die Redemittel in eine Tabelle wie unten ein.

> In meiner Heimat / In … ist es anders als in … | Bei uns ist es ähnlich / genauso wie in … |
> Ich sehe hier einen (großen) Unterschied, und zwar: … | Das Beispiel von … gilt auch bei uns. |
> Im Vergleich zu … ist es bei uns etwas anders: … | Den Trend, … zu …, gibt es auch bei uns. |
> Dass Frauen / Männer sich …, kenne ich auch aus unserem Land.

| Unterschiede | Parallelen |
|---|---|
| *In meiner Heimat / In … ist es anders als in …,* | |

G 2.3, 2.6 ## ④ Angaben im Mittelfeld und am Satzanfang

> **te – ka – mo – lo**
> te = temporal (Zeit, Dauer)
> ka = kausal (Grund)
> mo = modal (wie? mit wem?)
> lo = lokal (Ort, Richtung)

a Formulieren Sie aus den Elementen Sätze. Beginnen Sie mit dem Subjekt
und verwenden Sie im Mittelfeld für die Angaben die Reihenfolge „te ka mo lo".

1. Carla – wegen ihrer Figur – schon immer – Probleme – hat – gehabt

   ...........................................................................................................

2. Sie – diesen Monat – zu einer Ernährungsberaterin – aufgrund ihrer Gewichtsprobleme – voller Hoffnung –
   ist – gegangen

   ...........................................................................................................

3. Die Beraterin – sie – wegen ihrer Schwierigkeiten – am Abend – in einem Café – freundlicherweise – hat – getroffen

   ...........................................................................................................

4. Carla – dank der guten Ratschläge der Beraterin – sehr glücklich – heute – ist

   ...........................................................................................................

b Lesen Sie den folgenden Tipp und variieren Sie die Wortstellung: Verschieben Sie zunächst das Element von Position 1 ins
Mittelfeld. Probieren Sie dann verschiedene Positionen im Mittelfeld aus. Beginnen Sie deshalb immer mit dem Subjekt.

> Im Mittelfeld können die Angaben in einer anderen Reihenfolge als „te ka mo lo" stehen, das Ihnen nur eine
> grobe Orientierung geben soll. Die Reihenfolge hängt davon ab, was man im Text hervorheben will, z. B.
> • Carla geht besonders gern mit ihrer Freundin Anne shoppen. (= besonders gern mit der Freundin)
> • Carla geht mit ihrer Freundin Anne besonders gern shoppen. (= besonders gern shoppen)

1. Bei „Alfredo" geht Carla sehr oft essen.

   *Carla geht sehr oft bei „Alfredo" essen. / Carla geht bei „Alfredo" sehr oft essen.*

2. Zufälligerweise hat sie gestern dort ihre beste Freundin Anne getroffen.

   ...........................................................................................................

3. Sehr lange haben sich die beiden wegen der Wahlen über Politik unterhalten.

   ...........................................................................................................

c Lesen Sie den Tipp rechts und formulieren Sie die Sätze aus
4a neu, sodass sich ein zusammenhängender Text ergibt.
Vergleichen Sie Ihre Sätze im Kurs.

> **Tipp**
> Stilistisch ist es nicht gut, wenn man jeden
> Satz in einem Text mit dem Subjekt beginnt.
> Die Angaben im Mittelfeld können auch auf
> Position 1 stehen. Dies ist abhängig vom
> Textzusammenhang.

*Carla hat sich wegen ihrer Figur schon immer Sorgen gemacht.*

*Aufgrund …*

● G 2.3 **(5) Verschiedene Informationen im Satz betonen**

a Betonen Sie jeweils die genannte Angabe und schreiben Sie die Sätze entsprechend um.

1. Familie Funke war im Sommer zum ersten Mal in Italien.

   a. Temporalangabe: *Im Sommer war Familie Funke zum ersten Mal in Italien.*

   b. Lokalangabe: .......................................................................................................

2. Carla muss seit einem Monat aufgrund ihrer neuen Stelle pendeln.

   a. Temporalangabe: ...............................................................................................

   b. Kausalangabe: ...................................................................................................

3. Carlas Wohngemeinschaft trifft sich zum Reden meistens in der Küche.

   a. Lokalangabe: .....................................................................................................

   b. Modalangabe: ...................................................................................................

4. Herr und Frau Jahnke haben nach der Wende mit großem Erfolg einen Strandkorbverleih eröffnet.

   a. Temporalangabe: ...............................................................................................

   b. Modalangabe: ...................................................................................................

5. Frau Jahnke hat heute wegen des starken Windes besonders viele Strandkörbe vermietet.

   a. Temporalangabe: ...............................................................................................

   b. Kausalangabe: ...................................................................................................

b Lesen Sie Ihre Sätze in 5 a noch einmal. Überlegen Sie dann, ob die folgenden Sätze jeweils besser nach Satz a oder nach Satz b stehen sollten.

1. Aber in Frankreich ist sie schon mindestens fünfmal gewesen.   Nach Satz: *b* ......

2. Vorher konnte sie zu Fuß zur Arbeit gehen.   Nach Satz: ........

3. Im Sommer ist der Balkon natürlich beliebter.   Nach Satz: ........

4. Nicht funktioniert hat aber die Idee, Eis am Strand zu verkaufen.   Nach Satz: ........

5. Gestern lief das Geschäft allerdings nicht so gut.   Nach Satz: ........

● G 2.4 **(6) Wo im Satz steht die Negation?**

a Lesen Sie den Tipp. Verneinen Sie Satzteile oder den ganzen Satz mit „nicht".

1. Über dieses Thema wird kritisch genug gesprochen.
2. Schönheit sollte man überbewerten.
3. Viele stimmen daher dem modernen Schönheitskult zu.
4. Viele Stars würden es ohne Schönheits-OP schaffen.
5. Das bezweifelt die Autorin.
6. Den Schreibern im Internet ist das Thema wichtig.

*1. Über dieses Thema wird nicht kritisch genug gesprochen.* ..................................

> **Verneinung mit „nicht"**
> 1. „nicht" steht in der Regel links von dem Element, das verneint wird.
> 2. Wenn der ganze Satz verneint wird, steht „nicht" am Satzende.
> 3. „nicht" steht meist vor dem 2. Verb(teil), vor der Vorsilbe von trennbaren Verben, vor einer Prädikatsergänzung.

b Überlegen Sie, welches Satzelement verneint werden kann. Markieren Sie dieses und formulieren Sie die Verneinung.

1. Schöne Menschen sollten bevorzugt behandelt werden.
2. Das Äußere eines Menschen sagt alles über seinen Charakter.
3. Ein hübscher Mensch wirkt anziehender als ein „Durchschnittsbürger".
4. Wenn man mit sich zufrieden ist, sollte man nach den Gründen suchen.
5. Wirklich selbstbewusste Menschen streben nach Attraktivität und Schönheit.

*1. Schöne Menschen sollten nicht bevorzugt behandelt werden.*
..................................................................................................................

# F (Un)Schöne Momente

## 1 Beschreibungen

a Ordnen Sie die Adjektive in eine Tabelle wie unten ein.

> ~~schrecklich~~ | ~~hervorragend~~ | herrlich | miserabel | wunderschön | fürchterlich | bewegend |
> furchtbar | katastrophal | großartig | langweilig | überwältigend | gelungen

| positiv | negativ |
|---------|---------|
| hervorragend, | schrecklich, |

b Wie kann man es beschreiben? Es gibt je zwei richtige Lösungen. Kreuzen Sie an.

1. Ein unglaublich schönes Geschenk kann sein:
   a gelungen        b großartig        c fürchterlich
2. Ein außerordentlich gutes Konzert kann man so beschreiben:
   a ein großartiges Ereignis    b ein langweiliges Ereignis    c ein überwältigendes Ereignis
3. Ein unerwünschtes politisches Ereignis kann sein:
   a katastrophal        b furchtbar        c bewegend
4. Die eigene Hochzeitsfeier ist hoffentlich:
   a schrecklich        b herrlich        c wunderschön
5. Das verlorene Fußballspiel war für die Fans:
   a fürchterlich        b hervorragend        c miserabel

## G 6.3  2 Verstärkende Wörter

a Welches Konzert war besser? Kreuzen Sie an.

1. a ein unglaublich gutes Konzert     b ein recht gutes Konzert
2. a ein relativ gutes Konzert         b ein total gutes Konzert
3. a ein äußerst gutes Konzert         b ein ziemlich gutes Konzert
4. a ein extrem gutes Konzert          b ein sehr gutes Konzert
5. a ein ganz gutes Konzert            b ein wirklich gutes Konzert
   („ganz" nicht betont)

> **„ganz" (+ Adjektiv)**
> * kann eine positive oder negative Bedeutung verstärken. („ganz" wird beim Sprechen betont.)
> * kann eine positive Bedeutung einschränken. („ganz" wird beim Sprechen nicht betont.)

b Welches Konzert war schlechter? Kreuzen Sie an.

1. a ein ziemlich schlechtes Konzert      b ein unglaublich schlechtes Konzert
2. a ein relativ schlechtes Konzert       b ein wirklich schlechtes Konzert
3. a ein schrecklich schlechtes Konzert   b ein ziemlich schlechtes Konzert
4. a ein ganz schlechtes Konzert          b ein relativ schlechtes Konzert
5. a ein katastrophal schlechtes Konzert  b ein recht schlechtes Konzert

c Kritisieren Sie ein miserables Konzert. Fügen Sie ein: äußerst, extrem, furchtbar, ganz, katastrophal, schrecklich, unglaublich, wirklich, ziemlich. Es gibt immer mehrere Lösungen.

1. Ich war gestern bei einem Konzert, das ich _furchtbar_ schlecht und misslungen fand.

2. Die gesamte Show wirkte _____ unprofessionell.

3. Ich fand den neuen Sänger _____ enttäuschend.

4. Seine Texte hörten sich _____ langweilig an.

5. Trotzdem waren die Konzertkarten _____ teuer. Eine _____ Frechheit!

**③ Ein besonderes (positives oder negatives) Erlebnis in Ihrem Leben**

In Ihren Interviews im Kurs haben Sie über ein besonderes Erlebnis berichtet. Schreiben Sie nun einen Bericht darüber an einen Brieffreund in Deutschland.

* ein Urlaub, eine Reise
* ein Erfolgserlebnis im Beruf
* ein kulturelles Ereignis
* ein Wiedersehen
* ein Familienereignis
* …

> Einer meiner schönsten / schlimmsten Momente war, als ich … | Es war großartig / schrecklich / …, weil… |
> Das Besondere an diesem Ereignis / Erlebnis war, dass … | Es war äußerst / extrem / besonders … |
> Mein erster Eindruck war … | Ich war begeistert / entsetzt, denn…

# Aussprache

## ① Umstellen und betonen

AB ● 2    Hören Sie die Sätze und markieren Sie, welche Angabe besonders betont wird.

1. **a** Ich habe gestern wegen meiner schweren Prüfung nur sehr wenig geschlafen.

   **b** Wegen meiner schweren Prüfung habe ich gestern nur sehr wenig geschlafen.

2. **a** Ich bin vor der letzten Prüfung aus lauter Angst viel zu früh zur Uni gefahren.

   **b** Aus lauter Angst bin ich vor der letzten Prüfung viel zu früh zur Uni gefahren.

3. **a** Ich werde vor der morgigen Prüfung bestimmt viel früher ins Bett gehen.

   **b** Bestimmt werde ich vor der morgigen Prüfung viel früher ins Bett gehen.

## ② Welche Elemente sind betont?

AB ● 3    **a**    Hören Sie und markieren Sie die Satzakzente.

1. Die Leistung der Mannschaft beim letzten Turnier in Hamburg war großartig.

2. Die Mannschaft hatte zuerst Startschwierigkeiten, aber dann folgte ein Sieg auf den anderen.

3. Als der Sieg am Ende feststand, war die Stimmung überwältigend.

4. Nach dem Turnier gab es eine riesige Feier. Das war toll!

> **Tipp**
>
> In deutschen Sätzen oder Wortgruppen wird immer eine Silbe stärker betont als alle anderen. Diese am stärksten betonte Silbe ist der „Satzakzent".

AB ● 4    **b**    Hören Sie und markieren Sie die Satzakzente. Wie verändert sich die Betonung im Vergleich zu 2a?

1. In Hamburg beim letzten Turnier war die Leistung der Mannschaft großartig.

2. Zuerst hatte die Mannschaft Startschwierigkeiten, dann folgte ein Sieg auf den anderen.

3. Als am Ende der Sieg feststand, war die Stimmung überwältigend.

4. Es gab eine riesige Feier nach dem Turnier. Toll war das!

**c**    Bilden Sie Sätze. Beginnen Sie jeweils mit dem markierten Wort bzw. Ausdruck.

1. Maria – mit ihrer Freundin – gestern – hat – gesprochen – ihre Heiratspläne – über – im Café
2. Maria – nur mit ihr – bis jetzt – gesprochen – darüber – hat
3. die Freundin – aus Neugier – noch eine Stunde lang – am Abend – telefoniert – mit ihr – hat

*1. Maria hat gestern mit ihrer Freundin im Café über ihre Heiratspläne gesprochen.*

**d**    Welche Elemente sind in den Sätzen in 2c betont? Sprechen Sie die Sätze.

# Grammatik: Das Wichtigste auf einen Blick

**G 3.18** **1** **Der Infinitivsatz**

* Der Infinitivsatz steht in der Regel nach dem Hauptsatz. Wenn man den Infinitivsatz besonders betonen möchte, kann er auch vor dem Hauptsatz stehen. Im Infinitivsatz wird das Subjekt nicht genannt.

   z. B. Ich kann jedem nur raten, die Vorzüge des eigenen Körpers hervorzuheben.

   Sich zu stark mit anderen zu vergleichen, macht eher unglücklich.

* In Infinitivsätzen mit Modalverb steht „zu" zwischen Vollverb und Modalverb.

   z. B. Viele Menschen sind von der Idee besessen, schöner und perfekter aussehen zu müssen.

* Präpositionaladverbien (darauf, dazu, …) im Hauptsatz können auf einen Infinitivsatz verweisen.

   z. B. Ich möchte jeden dazu ermutigen, sich freundlicher zu betrachten.

### Vor- und Gleichzeitigkeit von Infinitivsätzen

* Wenn die Geschehen im Infinitivsatz und im Hauptsatz gleichzeitig stattfinden, verwendet man den Infinitiv Präsens: „zu" + Infinitiv.

   z. B. Ich würde vorschlagen, sich freundlicher zu betrachten.

* Wenn das Geschehen im Infinitivsatz vor dem Geschehen im Hauptsatz stattfindet, verwendet man den Infinitiv Perfekt: Partizip II + „zu" + Infinitiv vom Hilfsverb „haben" oder „sein".

   z. B. Im ersten Moment waren sie zufrieden, eine Diät gemacht zu haben.

### Passiv im Infinitivsatz

* Gegenwart: Partizip Perfekt + „zu" + „werden".

   z. B. Sie freut sich darauf, interviewt zu werden.

* Vergangenheit: Partizip Perfekt + „worden" + „zu" + „sein".

   z. B. Sie freut sich darüber, interviewt worden zu sein.

### Bildung und Gebrauch von Infinitivsätzen

* Man kann Infinitivsätze bilden, wenn das Subjekt im Hauptsatz und das (implizite) Subjekt im Nebensatz gleich sind.

   z. B. Frau Bauer freut sich, dass sie das Radiointerview geben kann.

      → Frau Bauer freut sich, das Radiointerview geben zu können.

* Infinitivsätze sind auch möglich, wenn die Subjekte in Haupt- und Nebensatz verschieden sind, aber eine Dativ- oder Akkusativergänzung im Hauptsatz sich auf das Subjekt im Nebensatz bezieht.

   z. B. Sie rät jedem Klienten, dass er seinen eigenen Körper akzeptiert.

      → Sie rät jedem Klienten, seinen eigenen Körper zu akzeptieren.

* Wenn möglich, verwendet man statt „dass"-Sätze Infinitivsätze, weil sie den Text kürzer machen und man sie leichter lesen kann.

**G 2.3** **2** **Angaben im Mittelfeld und am Satzanfang**

* Die häufigste Reihenfolge der Angaben im **Mittelfeld** kann man sich so merken: te ka mo lo.

* Die Zeitangabe ( te ) steht meistens vor der Ortsangabe ( lo ).

   z. B. Maria will sich nächste Woche in einer Spezialklinik beraten lassen.

* Die kausale Angabe ( ka ) und die modale ( mo ) Angabe stehen oft zwischen der Zeitangabe ( te ) und der Ortsangabe ( lo ).

   z. B. Maria will sich nächste Woche wegen einer Schönheitsoperation vielleicht in einer Spezialklinik beraten lassen.

* Die kausale Angabe ( ka ) steht oft vor der modalen Angabe ( mo ).

   z. B. Maria will sich wegen einer Schönheitsoperation vielleicht beraten lassen.

* Alle Angaben, besonders Zeit- und Ortsangaben, können auch auf **Position 1** stehen. Das hängt von der Absicht des Autors (z. B. besondere Betonung) und dem Textzusammenhang ab.

   z. B. Nächste Woche will sich Maria wegen einer Schönheitsoperation vielleicht in einer Spezialklinik beraten lassen.

# A Freundschaft

## 1 Weniger gute und gute Eigenschaften

**a** Wie heißt das Gegenteil? Überprüfen Sie Ihre Lösungen mithilfe der Adjektive im Lehrbuch 3 A, 1b.

1. unzuverlässig ≠ *zuverlässig* ....................
2. dumm ≠ ....................
3. geschwätzig ≠ ....................
4. pessimistisch ≠ ....................
5. humorlos ≠ ....................
6. kleinlich ≠ ....................

7. unehrlich ≠ ....................
8. lahm ≠ ....................
9. faul ≠ ....................
10. ungesellig ≠ ....................
11. denkfaul ≠ ....................
12. egoistisch ≠ ....................

**b** Wie heißen die Nomen zu den Adjektiven in 1a? Notieren Sie sie mit dem Artikel. Zu einem Adjektiv kann man kein Nomen bilden.

*1. die Unzuverlässigkeit, die Zuverlässigkeit*

2.

## 2 Gute Freunde

Wie heißen die Ausdrücke in den Forumsbeiträgen im Lehrbuch 3 A, 2 a? Kreuzen Sie an.

1. Zwischen uns
   - **a** hat Vertrauen.
   - **b** herrscht Vertrauen.
2. Man darf auch mal richtig scharfe Kritik
   - **a** anbringen.
   - **b** mitbringen.
3. Eine Freundschaft zwischen Jung und Alt ist eine Freundschaft über Generationen
   - **a** weg.
   - **b** hinweg.
4. An eine neue Umgebung muss man sich
   - **a** aufpassen.
   - **b** anpassen.
5. Es ist gut, wenn man schnell neue Kontakte
   - **a** knüpft.
   - **b** knöpft.
6. Wenn man sich gut versteht, ist man
   - **a** in einer Welle.
   - **b** auf einer Wellenlänge.

## 3 Über Unterschiede und Gemeinsamkeiten sprechen

**a** Formulieren Sie Redemittel aus den Elementen in 3 b.

**b** Notieren Sie nun jeweils „G" für Gemeinsamkeiten und „U" für Unterschiede. Manchmal passt beides.

> **„eine Freundin" oder „deine Freundin"?**
>
> Im Deutschen bezeichnet man häufig den Lebenspartner oder einen Menschen, mit dem man eine Liebesbeziehung hat, als „mein Freund"/„meine Freundin". Mit „ein Freund"/ „eine Freundin" bezeichnet man z. B. eine/n Schulfreund/in. Aber auch in diesem Fall kann man – je nach Kontext – „mein (bester) Freund"/„meine (beste) Freundin" sagen.

1. denken – ähnlich wie / ganz anders als – bei uns – man

   *Man denkt ähnlich wie / ganz anders als bei uns.* ....................　G / U

2. sehen – anders als – in meiner Heimat – man – das – im Beitrag …

   ....................

3. am ähnlichsten – Beitrag von … – unserer Vorstellung von Freundschaft – sein

   ....................

4. in … (Land) – die Vorstellung von Freundschaft – vergleichbar mit der von … – sein

   ....................

5. einige Aspekte – den Vorstellungen in meiner Heimat – in Beitrag … – (nicht) übereinstimmen mit

   ....................

# B Vereine

## 1 Wie lese ich einen Text?

**Lesestil „selektives Lesen"**

Wenn Sie in einem Text ganz bestimmte Informationen suchen, lesen Sie selektiv. In diesem Fall müssen Sie den Text nicht weiterlesen, wenn Sie die gesuchten Informationen gefunden haben.

a   Lesen Sie den Tipp rechts. Was erfahren Sie über das „selektive Lesen"?

b   Bis wohin müssen Sie den Bericht im Lehrbuch 3 B, 1b, lesen, wenn Sie herausfinden wollen, in welchen Ländern es mehr Vereine als in Deutschland gibt?

   bis Zeile: ...............

**Historisches Präsens**

Man verwendet das Präsens auch, um Ereignisse in der Vergangenheit zu beschreiben; man nennt es dann „historisches Präsens". Es dient als Stilmittel, um einen Text lebendiger und abwechslungsreicher zu gestalten.

c   Überfliegen Sie im Bericht den Teil über die Geschichte der Vereine. Welche Zeilen sind im historischen Präsens geschrieben?

   Zeile ............... bis Zeile: ...............

## 2 Vereinswortschatz und mehr

a   Welche Erklärung passt zu den Wörtern bzw. Ausdrücken im Bericht im Lehrbuch 3 B, 1b? Kreuzen Sie an.

1.  sich in einem Verein engagieren (Z. 2/3)
    - a   in einem Verein mitmachen
    - b   einen Verein gründen

2.  Das Vereinsleben geht auf das 18. Jh. zurück. (Z. 11)
    - a   Das Vereinsleben stammt vom Ende des 17. Jh.
    - b   Das Vereinsleben stammt aus dem 18. Jh.

3.  Das Vereinsleben setzte sich durch. (Z. 19)
    - a   Die Vereine hatten ein langes Leben.
    - b   Es wurde üblich, einem Verein anzugehören.

4.  ein Wohlfahrtsverband (Z. 20)
    - a   eine Vereinigung, die sich um soziale Maßnahmen kümmert
    - b   eine Vereinigung, die die materielle Situation seiner Mitglieder verbessern will

5.  ein Förderverein (Z. 42)
    - a   ein Verein, der die Gründung von anderen Vereinen unterstützt
    - b   ein Verein, der eine Organisation oder Personen finanziell unterstützt

b   Welches Wort / Welcher Ausdruck aus dem Bericht im Lehrbuch 3 B, 1b wird gesucht? Ergänzen Sie ggf. auch Artikel und Plural.

1.  Jemand, der sich übertrieben stark in einem Verein engagiert: *der Vereinsmeier,–*

2.  Eine Vorstellung, die auf einem Vorurteil beruht: ............................................................

3.  garantiertes Recht des Einzelnen gegenüber dem Staat: ............................................................

4.  die Art, wie jemand die Welt sieht und beurteilt: ............................................................

5.  in einen Verein eintreten: ............................................................

6.  Zusammenschluss von Bürgern, die ein bestimmtes Problem aktiv lösen wollen: ............................................................

7.  Gruppe von Personen, die gleiche Probleme haben und sich gegenseitig helfen wollen: ............................................................

c   Kombinieren Sie folgende Verben abwechselnd mit den Nomen „Verein", „Vereinigung", „Verband", „Gruppierung", „Initiative".

> eintreten in + A | austreten aus + D | sich zusammenschließen in + D | gründen + A |
> sich engagieren in + D | zusammenkommen in + D | vertreten sein in + D |
> angehören + D | jdn. ausschließen aus + D | sich betätigen in + D | beitreten + D

G 6.4 **3** ## Was halten Sie davon? – Präpositionaladverbien

Beantworten Sie die Fragen mit den Elementen in Klammern. In den Sätzen 1–3 können Sie mit „ja" oder „nein" antworten.

1. Möchten Sie einem Verein beitreten? (halten von – nichts / viel)

   *Nein, davon halte ich nichts. / Ja, ich ...*
   ................................................................................................................

2. Wussten Sie, dass es in Deutschland so viele Vereine gibt? (hören von – schon / noch nicht)

   ................................................................................................................

3. Ist Ihnen bekannt, dass es die meisten Vereine in Skandinavien gibt? (ja / nein – (nicht) informiert sein über)

   ................................................................................................................

4. Wozu trug das Vereinswesen bei? (beitragen zu – Adel – übernehmen – bürgerliche Werte – dass)

   ................................................................................................................

5. Wofür setzt sich der „BUND" ein? (sich einsetzen für – zu schützen – die Umwelt)

   ................................................................................................................

6. Wobei hilft die „Deutsche Krebshilfe"? (helfen bei – zu bekämpfen – diese Krankheit)

   ................................................................................................................

G 6.4 **4** ## Der gemeinnützige „Verein Deutsche Sprache e.V."

a Ergänzen Sie in dem Informationstext die fehlenden Präpositionaladverbien.

dabei | dabei | ~~dafür~~ | dafür | dagegen | daran | daran | darauf | davon | davor | davor | dazu

Der Verein wurde 1997 gegründet. Er tut alles [1] *dafür*..........., dass Deutsch als eigenständige Kultur- und

Wissenschaftssprache erhalten bleibt und sich weiterentwickelt. Außerdem soll das Deutsche [2] .............. bewahrt

werden, vom Englischen verdrängt zu werden. [3] .............. warnt der Verein auch besonders im Hinblick auf

die Wissenschaftssprache. Der Verein ist eine Bürgerbewegung mit derzeit über 34.000 Mitgliedern aus den

unterschiedlichsten Ländern, Kulturen, Parteien, Altersgruppen und Berufen. Ein Drittel [4] .............. sind Freunde

der deutschen Sprache aus Asien und Afrika. Der Verein will die Menschen in Deutschland [5] .............. erinnern, wie

wertvoll und schön ihre Muttersprache ist. Die Fähigkeit, neue Wörter zu erfinden, um neue Dinge zu bezeichnen,

darf nicht verloren gehen. [6] .............. verfolgt der Verein keine engstirnigen oder gar nationalistischen Ziele.

Fremdwörter wie „Interview", „Trainer" oder „Small Talk" und viele mehr gehören zur deutschen Sprache. [7] ..............

kann es keinen Zweifel geben. In Deutschland herrscht aber zurzeit die Tendenz, vieles auf Englisch auszudrücken,

weil es anscheinend schicker und „hipper" ist. [8] .............. protestiert der Verein immer wieder und weist

[9] .............. hin, wie unsinnig dieser Trend ist. Warum muss an der Schaufensterscheibe „Sale" statt „Ausverkauf"

stehen oder warum bezeichnet die Werbung eine gewöhnliche Umhängetasche als „Bodybag", was auf Englisch

„Leichensack" bedeutet? Der Verein wirbt also für das Ansehen der deutschen Sprache. Er veröffentlicht Artikel,

unterstützt Buchprojekte und lädt Sprachfreunde [10] .............. ein, sich z. B. in Arbeitsgruppen oder Kultur-

veranstaltungen mit Deutsch zu beschäftigen. Er gewinnt Autoren [11] .............., Lesungen oder Vorträge rund um

die deutsche Sprache zu halten. Außerdem hilft der Verein [12] .............., Fördermittel für Projekte zu gewinnen.

b Sehen Sie sich die Präpositionaladverbien in 4a an. Welche sind vorwärtsverweisend, welche rückverweisend?

   vorwärtsverweisend: Nr. *1*..........................     rückverweisend: Nr. ..........................

c Lesen Sie den Text in 4 a noch einmal und beantworten Sie die Fragen.

1. Was ist das Hauptziel des Vereins?
2. Wer sind seine Mitglieder?
3. Was kritisiert der Verein?
4. Wie fördert der Verein die deutsche Sprache?

○ G 6.4 **5 Wofür? – Für wen? – Dafür – Für sie / ihn / ...**

a Lesen Sie die Sätze und ergänzen Sie die Regel unten.

1. a. Sportvereine engagieren sich u. a. für die Förderung von Jugendlichen . Manche anderen Organisationen reden nur darüber .
   b. Wofür engagieren sich Sportvereine u. a. und worüber reden manche Organisation nur?
2. a. Der Trainer hat sich nicht genug für die Jugend engagiert. Er hat auch nicht genug für den Verein getan. Man kann nichts Gutes über ihn sagen.
   b. Für wen hat sich der Trainer nicht genug engagiert, für wen hat er nicht genug getan und über wen kann man nichts Gutes sagen?

---

1. Frage nach Abstrakta, Sachen: *wofür?* , _____ → Aussage: dafür, darüber etc.
2. Frage nach Personen, Institutionen: *für wen?* , _____ → Aussage: für sie, über ihn etc.

---

b Fragen Sie nach den markierten Satzteilen.

1. Der BUND hält einen Vortrag über Solarenergie . *Worüber hält der BUND einen Vortrag?*
2. Die Bürgerinitiative kämpft gegen den Fluglärm . ...........................................................................
3. Sie diskutiert mit dem Verkehrsminister . ...........................................................................
4. Der Kunstverein stellt für die Stadt alte Fotos aus. ...........................................................................
5. Freiwillige helfen beim Aufbau der Ausstellung . ...........................................................................

c Äußern Sie sich mithilfe der Elemente in Klammern zu den Sätzen in 5 b.

1. (wir – schon – viele Vorträge – hören) *Darüber haben wir schon viele Vorträge gehört.*
2. (unsere Bürgerinitiative – auch – kämpfen) ...........................................................................
3. (unsere – nicht diskutieren) ...........................................................................
4. (das Heimatmuseum – auch schon – Fotos – zeigen) ...........................................................................
5. (ich – nicht helfen können) ...........................................................................

# C Nebenan und Gegenüber

## 1 Nachbarn und ihre Eigenschaften

a Bilden Sie Adjektive und ordnen Sie sie den Beschreibungen zu.

---

ag | aufdring | bereit | egois | gierig | gleich | gressiv | gültig |
haltend | hilfs | kommend | lich | neu | tisch | zurück | zuvor

---

1. angriffslustig: *aggressiv*
2. lästig, sich jemandem aufdrängen: ...................................
3. gern helfen: ...................................
4. nur an sich selbst denken: ...................................
5. jdm. ist alles egal: ...................................
6. wer alles wissen will: ...................................
7. nicht aufdringlich: ...................................
8. hilfsbereit und höflich: ...................................

**3**

▶ G 10.1 b Schreiben Sie die Nomen zu den Adjektiven in 1a in eine Tabelle wie unten. Welche Endung ist nicht feminin? Ein Nomen bleibt übrig. Welches?

| -ion | -tät | -schaft | -heit | -keit | -ismus | -ung |
|---|---|---|---|---|---|---|
| Aggression | Aggressivität | | | | | |

## ② Nachbarschaftsverhältnisse in meiner Kultur

Ordnen Sie folgende Redemittel den fünf Fragen im Lehrbuch 3C, 2d, zu.

- 1  A. Bei uns spielt Nachbarschaft eine (nicht so) wichtige Rolle, weil …
- ☐  B. In den letzten Jahrzehnten kann man folgende Veränderungen feststellen: …
- ☐  C. Gute Nachbarschaft bedeutet für mich …
- ☐  D. In meiner Heimat ist das Verhältnis zu Nachbarn eher eng / nah / distanziert / neutral.
- ☐  E. Ich finde es schrecklich, wenn Nachbarn …
- ☐  F. Auf dem Land ist es anders als in der Stadt: …
- ☐  G. Um ein gutes Verhältnis zu seinen Nachbarn zu haben, muss man …
- ☐  H. Im Laufe der Zeit hat sich einiges geändert.
- ☐  I. Ein guter Nachbar sollte …
- ☐  J. Man kann das Verhältnis verbessern, wenn man …

## ③ Checkliste für gute Nachbarschaft

Lesen Sie die Regeln im Lehrbuch 3C, 3a, noch einmal und formulieren Sie sie kurz wie im Beispiel.

1. sich im Haus vorstellen
2. …

# D Eltern und Kinder

## ① Lesen und Verstehen – Strategien

a Schauen Sie sich folgende Aufgaben im Lehrbuch 3D noch einmal an. Um welche Lesestrategie bzw. welchen Lesestil handelt es sich jeweils? Kreuzen Sie an.

1. Aufgabe 1b:  a selektives Lesen  b Vorwissen aktivieren
2. Aufgabe 1d:  a selektives Lesen  b globales Lesen

b Lesen Sie den Vorspann des Berichts im Lehrbuch 3D, 1c, noch einmal und formulieren Sie das Ergebnis der Studie mit „einerseits – andererseits".

Das Ergebnis der Studie war, dass Kinder einerseits …

## ② Lesestil „detailliertes Lesen"

a Lesen Sie rechts die Erläuterung zum „detaillierten Lesen" und markieren Sie die wichtigsten Informationen. Was erfahren Sie über diesen Lesestil?

**Lesestil „detailliertes Lesen"**

Der Lesestil „detailliertes Lesen" bietet sich an, wenn man einem Text oder Textabschnitt möglichst viele und ins Einzelne gehende Informationen entnehmen möchte. Man liest dafür einen Text sehr genau und gründlich. Detailliertes Lesen ermöglicht es außerdem, „zwischen den Zeilen zu lesen" und z. B. die Meinung des Verfassers zu dem dargestellten Sachverhalt zu ermitteln.

b Lesen Sie den Auszug aus dem Bericht im Lehrbuch 3 D, 1d, noch einmal und beantworten Sie die Fragen.

1. Wie drückt Johanna aus, dass sie früher Streitigkeiten mit ihren Eltern hatte?
2. Welche Folge hatte es, dass Johannas Eltern ihr vertraut haben?
3. Wie lange will sie zu Hause wohnen bleiben?
4. Wie drückt Christoph aus, dass seine Mutter die Tendenz hatte, sich zu viel um seine Angelegenheiten zu kümmern?
5. Wie beschreibt er seinen Vater?
6. Was drückt Christoph mit „leider" im Satz „Aber so richtig vertrauensvoll wird es wohl leider nie sein." (Z. 23 / 24) aus?
7. Wie lange hat Jana zu Hause gewohnt?
8. Worauf waren die Spannungen zwischen Jana und ihrer Mutter zurückzuführen?
9. Zu welchem Ergebnis führte eine heftige Auseinandersetzung mit ihren Eltern?
10. Worauf können sich Janas Eltern verlassen?

*1. Es hat Auseinandersetzungen gegeben.*

○ G 3.5 **3** **Christoph: Sooft ich mich an meine Kindheit erinnere ...**

a Vergleichen Sie folgende Satzpaare. Welche Erklärung gehört zu welchem Satz? Ordnen Sie zu.

1.1 Als mein Vater nach Hause kam, war er schlecht gelaunt.

1.2 Wenn mein Vater nach Hause kam, war er schlecht gelaunt.

    a. Das passierte einmal. *1.1*        b. Das passierte immer. *1.2*

2.1 Sobald ich das Abitur gemacht hatte, zog ich aus.

2.2 Nachdem ich das Abitur gemacht hatte, zog ich aus.

    a. einige Zeit nach dem Abitur. ......        b. sofort nach dem Abitur. ......

3.1 Während ich mein altes Fotoalbum durchblättere, werde ich traurig.

3.2 Sooft ich mein altes Fotoalbum durchblättere, werde ich traurig.

    a. Das passiert einmal. ......        b. Das passiert jedes einzelne Mal. ......

4.1 Wenn ich mehr Geld verdiene, werde ich mir ein Haus kaufen.

4.2 Sobald ich mehr Geld verdiene, werde ich mir ein Haus kaufen.

    a. Das mache ich irgendwann in der Zukunft. ......  b. Das tue ich sofort nach der nächsten Gehaltserhöhung. ......

5.1 Bis ich mir das Haus kaufen kann, muss ich viel sparen.

5.2 Seitdem ich das Haus gekauft habe, muss ich viel sparen.

    a. zuerst Haus kaufen, dann sparen ......        b. zuerst sparen, dann Haus kaufen ......

b Lesen Sie noch einmal die Sätze und Erklärungen in 3 a. Was fällt auf? Kreuzen Sie an.

1. Temporale Nebensätze mit „als" verwendet man für Ereignisse, die
    **a** wiederholt      **b** einmal      in der Vergangenheit stattgefunden haben.
2. Temporale Nebensätze in der Vergangenheit mit „wenn" verwendet man für Ereignisse, die
    **a** wiederholt      **b** einmal      stattgefunden haben.
3. Temporale Nebensätze für Ereignisse in der Gegenwart und der Zukunft mit „wenn" verwendet man für Ereignisse, die
    **a** nur wiederholt      **b** wiederholt oder nur einmal      stattfinden.
4. „sobald" hat die Bedeutung:
    **a** lange danach      **b** sofort danach
5. „sooft" hat die Bedeutung:
    **a** immer wenn      **b** einmal wenn
6. Die Handlung in Sätzen mit „bis" findet
    **a** nach      **b** vor      der Handlung im Hauptsatz statt.

**c** Lesen Sie die Sätze. Überlegen Sie, was zuerst und was danach bzw. was gleichzeitig passiert, und ergänzen Sie dann die passende Zeitform.

1. Als ich noch bei meinen Eltern _wohnte_ (wohnen), gab es sehr oft Auseinandersetzungen.
2. Wenn mein Vater nach Hause ............................... (kommen), war er schlecht gelaunt.
3. Ich glaube, dass er sehr unglücklich war, nachdem er die Stelle ............................... (wechseln).
4. Sobald ich das Abitur ............................... (machen), suchte ich mir einen Job und zog aus.
5. Als ich ein preiswertes Zimmer bei einer Familie ............................... (finden), war ich überglücklich.
6. Während ich dort ............................... (leben), machte ich eine Ausbildung als IT-Fachmann.
7. Als ich die Ausbildung ............................... (beenden), suchte ich mir eine eigene Wohnung.
8. Wenn ich heute meine Eltern ............................... (besuchen), verstehen wir uns ganz gut.
9. Aber sooft ich an meine Kindheit ............................... (denken), werde ich traurig.

> **„als": vorzeitig und gleichzeitig**
>
> - „als" kann eine vorzeitige Bedeutung haben, vergleichbar mit „nachdem", z. B. Als / Nachdem ich ausgezogen war, ging es mir besser / ist es mir besser gegangen.
>   → „Als-Satz": Plusquamperfekt, Hauptsatz: Präteritum / Perfekt
> - „als" kann eine gleichzeitige Bedeutung haben, z. B. Als ich noch zu Hause wohnte / gewohnt habe, gab es oft Streit / hat es oft Streit gegeben.
>   → „Als-Satz": Präteritum / Perfekt, Hauptsatz: Präteritum / Perfekt

**d** Bilden Sie Sätze mit den Nebensatzkonnektoren in Klammern.

1. Eltern – haben – heute – kleine Kinder – viele Erziehungsratgeber – lesen – sie (wenn)

    ...........................................................................................................................

2. die Eltern – Kinder – sein – selbst – Erziehungsmethoden – sein – noch sehr autoritär (als)

    ...........................................................................................................................

3. sie – machen – einen kleinen Fehler – bestraft werden – sie (sobald)

    ...........................................................................................................................

4. Christoph – seinem Vater – sprechen mit – lange – der Vater – seine Strenge – bereuen (nachdem)

    ...........................................................................................................................

5. dieses Gespräch – stattfinden – ihr Verhältnis – schlecht – sein (bis)

    ...........................................................................................................................

▶ G 3.5 **4 Jana berichtet**

Lesen Sie die Mail von Jana und beantworten Sie die Fragen auf der nächsten Seite mit Nebensätzen mit „während", „bevor", „nachdem" „seitdem" und „bis".

---

✉ ▣ 📎 →                                                                                    ▭ ◻ ✕

Liebe Kathrin,

unglaublich! Seit meinem letzten Besuch bei dir ist schon wieder so viel Zeit vergangen! Hast du auch so viel zu tun? Bei uns ist es eher noch schlimmer geworden. David hat ein neues Projekt und seitdem arbeitet er noch länger. Er sieht die Kinder kaum noch und bis zum Ende des Projekts wird das wohl auch so bleiben. Bei mir ist es auch nicht besser: Eine Kollegin ist krank und solange sie nicht wiederkommt, mache ich nur noch Überstunden. Unser Glück ist der Ganztagskindergarten! Ein Problem dort war ja immer das Essen. Aber nach der Einstellung einer neuen Köchin ist das Essen sehr viel besser und die Kinder mögen es sogar! Leider sind die beiden jetzt im Winter öfter krank und müssen zu Hause bleiben. Während dieser Zeit passt Mama auf sie auf. Gut, dass wir sie haben! Aber sie ist immer noch (fast) dieselbe: Sofort nach der Begrüßung geht es auch schon mit ihren „guten Ratschlägen" los. Na ja, du kennst sie ja. Einmal war Papa dabei und hat richtig geschimpft. Seitdem hält sie sich wieder ein bisschen zurück. Aber im Allgemeinen verstehen wir uns prima. Gut, dass beide so fit sind. Und du? Wie geht's dir? Du fährst ja bald zwei Monate nach Kanada. Kommst du vorher noch mal zu Besuch? Das wäre toll! – Jana

---

1. Seit wann ist viel Zeit vergangen?
2. Seit wann arbeitet David länger?
3. Wie lange wird er länger arbeiten?
4. Wie lange muss Jana Überstunden machen?
5. Wann wurde das Essen besser?
6. Wann passt Janas Mutter auf die Kinder auf?
7. Wann geht es mit den Ratschlägen von Janas Mutter los?
8. Seit wann hält Janas Mutter sich zurück?
9. Wann soll Kathrin zu Besuch kommen?

*1. Seitdem Jana Kathrin besucht hat.*

> **„nachdem"**
>
> - Etwas findet vor etwas anderem in der **Vergangenheit** statt: Nebensatz: nachdem + Plusquamperfekt, Hauptsatz: Präteritum oder Perfekt.
> - Etwas findet vor etwas anderem in der **Gegenwart** statt: Nebensatz: nachdem + Perfekt, Hauptsatz: Präsens.

○ G 3.5 **5** **Bis zum Ende des Studiums – Johanna erzählt**

a Formulieren Sie Sätze mit temporalen Präpositionen.

1. während – fast nie – meine Kindheit – Konflikte mit Eltern – geben

    *Während meiner Kindheit gab es fast nie Konflikte mit meinen Eltern.*

2. seit – meiner Pubertät – ich – Auseinandersetzungen – haben – ein paar – mit ihnen – nur

3. nach – mein erster Versuch – abends alleine auszugehen – kommen zu – Streit mit Eltern

4. vor – einer Diskussion – sich überlegen – ich – meine Argumente – gut – immer

5. bei – meine Eltern – solche Gespräche – Verständnis – zeigen – viel – deshalb – sein – unser – Verhältnis – sehr gut

6. und so – bis zu – Studienende – zu Hause – wohnen bleiben – vielleicht – ich

b Formulieren Sie die Sätze mithilfe der Verbindungsadverbien in Klammern neu.

1. Sobald Johanna das Abitur gemacht hatte, hat sie einen Studienplatz gesucht. (gleich danach)
2. Bevor sie eine Zusage in München bekommen hat, hat sie ein Praktikum gemacht. (davor)
3. Seit sie in München studiert, muss sie lange Fahrzeiten in Kauf nehmen. (seitdem)
4. Solange sie aber auf ein Zimmer in einer WG wartet, bleibt sie zu Hause wohnen. (solange)
5. Während sie viele Stunden im Zug verbringt, kann sie gut lernen. (währenddessen)

*1. Johanna hatte das Abitur gemacht. Gleich danach hat sie sich einen Studienplatz gesucht.*

> **„solange"**
>
> „solange" drückt die Dauer einer Handlung aus. Es ist Nebensatzkonnektor und Verbindungsadverb. Das Gleiche gilt für „seitdem".

c Sehen Sie sich die Übungen 3 bis 5 noch einmal an und ergänzen Sie die Tabelle.

| Nebensatzkonnektor | Verbindungsadverb | Präposition |
|---|---|---|
| während, solange, als | dabei, … | während, bei |
| sooft, … | dabei | (immer) bei |
| als, … | … | nach |
| sobald | … | … |
| bevor | vorher, … | … |
| bis | bis dahin | … |
| seit(dem) | … | … |

## 6 Eine Geschichte erzählen – Zusammenhänge darstellen

a Lesen Sie die Geschichte. Markieren und notieren Sie die Ausdrücke, die für den Textzusammenhang sorgen.

Bei einem Dorffest erzählte unser Nachbar folgende Geschichte:

„Kurz nach dem Krieg war das Leben für meine Eltern, wie für fast alle hier, wirklich schwer. Sie 
5 mussten sehr hart arbeiten, lebten auf engstem Raum und wussten oftmals nicht, wie sie ihre drei Kinder über die Runden bringen sollten. Ich war damals ein Baby von sechs Monaten, und meine Eltern hatten kaum Zeit, sich mit mir zu 
10 beschäftigen. Deshalb schrie ich ziemlich viel. Das nervte die Nachbarn, die neben uns auf dem Hof wohnten, sodass sie sich schließlich beklagten. Nachdem meine Mutter alles Mögliche versucht

hatte, kam sie auf eine außergewöhnliche Idee. In einem separaten kleinen Stall stand unser 15 Bulle. Er mochte es wohl nicht, angebunden zu sein, und stieß vielleicht deshalb immer mit den Hörnern gegen die Stalltür, die dadurch hin und her schwang. Nun band meine Mutter meinen Kinderwagen mit einem Gummiband an die 20 Türklinke des Stalls. Auf diese Weise hin und her geschaukelt und von eigenartigen Geräuschen unterhalten, war ich wohl zufrieden, denn von nun an war kein Weinen mehr auf dem Hof zu hören. Die Nachbarn wunderten sich bestimmt ein wenig 25 darüber, aber letztendlich waren alle glücklich.“

b Schreiben Sie eine Geschichte zu den Bildern. Denken Sie auch an die verbindenden Ausdrücke aus 6a.

Christoph lebt allein.
Seine Nachbarin …

# E Verliebt, verlobt, verheiratet – geschieden

## 1 Hörstil „globales Hören"

Lesen Sie den Tipp rechts. Schauen Sie sich dann die Aufgaben 2a–d im Lehrbuch 3E an. Welche Aufgabe erfordert „globales Hören"?

Aufgabe ...................

> **Hörstil „globales Hören"**
> Wenn Sie sich nur für die Hauptinformationen eines Hörtextes interessieren oder sich nur ein Bild vom Inhalt machen wollen, konzentrieren Sie sich beim Hören auf wenige zentrale Aussagen, d.h., es genügt, den Text „global" zu hören.

## 2 Heiraten – Ja oder Nein? – Eine Talkshow

a Welches Verb aus der Talkshow passt wo? Ergänzen Sie in der richtigen Form.

| abraten | einlassen | einschlagen | eintreten | führen | halten | machen | schließen |

1. eine Ehe *schließen* ............................

2. in den Hafen der Ehe ............................

3. Die Beziehung ............................ hoffentlich ewig.

4. sich auf eine Heirat ............................

5. eine langjährige Ehe ............................

6. von einer Hochzeit ............................

7. Der Blitz hat ............................

8. jdm. einen Heiratsantrag ............................

b    In der Talkshow: Setzen Sie die Redemittel aus den Elementen zusammen und schreiben Sie sie dann in
     die Tabelle unten.

     1.  Sie – genau – damit – meinen – was? *Was meinen Sie damit genau?*

     2.  ich – nicht – sagen – das – so – würde

     3.  Prozent – hundert – Meinung – Ihrer – ich – sein

     4.  wie – es – damit – wäre?

     5.  sich regen – hier – Widerspruch, – ich – annehmen

     6.  Sie – was – erwähnen, – durchaus – sein – richtig

     7.  Sie – zustimmen – dem – würden?

     8.  noch – zu – ich – etwas – dieser Punkt – sagen – mögen

     9.  völlig – sehen – ich – das – anders

| Nachfrage | Überleitung | Zustimmung | Widerspruch |
|---|---|---|---|
| *Was meinen Sie damit genau?, ...* | | | |

# F Außenseiter

## 🔑 1 Hörstil „selektives Hören"

a    Lesen Sie den Tipp rechts und markieren Sie in den Aussagen in
     1b die Wörter, auf die Sie sich konzentrieren müssen, um die
     richtige Lösung zu finden. Eventuell hören Sie nicht die gleichen
     Wörter, aber verwandte Begriffe.

> **Hörstil „selektives Hören"**
> Wenn Sie sich nur für bestimmte Informationen
> in einem Hörtext interessieren, konzentrieren
> Sie sich beim Hören auf Begriffe, die mit diesen
> Informationen zu tun haben, d. h., Sie hören
> „selektiv".

Ⓟ telc
LB ① 23

b    Hören Sie nun Teil 2 des Gesprächs aus Lehrbuch 3 F, 2 c, noch einmal
     und entscheiden Sie, ob die Aussagen richtig (r) oder falsch (f) sind.

     1.  Fred war schon als kleines Kind ein Außenseiter.                           r  f
     2.  In der Schule prügelte er sich oft mit anderen Kindern.                    r  f
     3.  Auf dem Schulhof stand er allein, und man ließ ihn in Ruhe.               r  f
     4.  Fred konnte mit seiner Mutter über seine Probleme sprechen.              r  f
     5.  Er war ein guter Schüler.                                                  r  f
     6.  Während seiner Ausbildung hatte Fred mehr Kontakte.                       r  f
     7.  In seinem neuen Job fand Fred zunächst keinen Kontakt zu seinen Kollegen. r  f
     8.  Freds neuer Chef ließ ihn verantwortungsvolle Aufgaben erledigen.        r  f
     9.  Fred gewann Selbstvertrauen und es fiel ihm leicht, auf andere zuzugehen. r  f
     10. Er hat sich Hilfe bei einer Psychologin geholt.                          r  f
     11. Heute hat Fred Freunde und ist glücklich.                                r  f

LB ① 24   c   Hören Sie Teil 3 des Gesprächs noch einmal. Welche positiven Aspekte nennen die Psychologin und der Reporter?

     1.  Psychologin:

     2.  Reporter:

## ② Casper, der Emo-Rapper

Lesen Sie den Bericht über Casper aus dem Internet und beantworten Sie die Fragen.

Casper heißt eigentlich Casper Benjamin Griffey. Geboren ist er 1982 in Bösingfeld, einem kleinen Ort, ca. 50 km von Bielefeld. Seine Familie zieht jedoch in die USA, als er noch ein kleines Kind ist, da sein Vater bei der Army ist. Sie wohnen dort in einem Wohnwagenpark und leben in einer prekären sozialen Situation. Der Vater ist viel im Einsatz, und wenn er da ist, streiten sich die Eltern ständig. Nach einigen Jahren geht die Mutter mit dem 11-jährigen Casper zurück nach Deutschland. Dies sind schwere Zeiten für den Jungen und so klammert er sich an die Musik, um die Probleme ein wenig zu vergessen. Als er sich dem Hip-Hop zuwendet, stellen sich die ersten Erfolge ein. Im Jahr 2008 erscheint sein erstes Soloalbum „Hin zur Sonne", für das er einen Preis gewinnt. In seinen sehr persönlichen, emotionalen Texten thematisiert er Familien- und Beziehungsprobleme. Deshalb und wegen seines sensiblen Auftretens nennt man ihn auch „Emo-Rapper". Auch in den Texten seines zweiten Albums mit Raps „XOXO"(2011), auf dem sich u.a. der Titel „So perfekt" befindet, führt er die schonungslose Selbstreflexion fort. In der ersten Woche nach seiner Veröffentlichung steht das Album auf Platz 1 der Charts in Deutschland. Zurzeit lebt Casper in Berlin, wo es eine große Musik- und Clubszene gibt. Er ist bei seinen zahlreichen Fans sehr beliebt.

1. Warum war Musik für Casper schon als Kind wichtig?
2. Welche Erfolge hat er mit seinen beiden Alben?
3. Wie kam er zu dem Namen „Emo-Rapper"?
4. Wo lebt Casper heute?

# Aussprache

## ① Der Wortakzent

**a** Im Deutschen betont man die Silben der Wörter nicht gleich. Eine Silbe ist stärker akzentuiert: die Akzentsilbe. Wie klingt sie? Hören Sie und kreuzen Sie an.

☐ leiser   ☐ lauter   ☐ deutlicher   ☐ undeutlicher

**b** Hören Sie die Wörter. Wo ist der Wortakzent? Ordnen Sie sie in die Tabelle ein.

Dorffest | erzählen | Nachbarn | Geschichte | wirklich | arbeiten | beschäftigen | deshalb | beklagen | nachdem | außergewöhnlich | Idee | separat | angebunden | Kinderwagen | unterhalten | Türklinke | Geräusche | Gummiband | zufrieden | überschreiten

| Akzent auf der ersten Silbe | Akzent auf der zweiten Silbe | Akzent auf der dritten Silbe |
|---|---|---|
| Dorffest, | | |

**c** Hören Sie die Wörter in 1b noch einmal und sprechen Sie nach. Welche Regelmäßigkeiten erkennen Sie?

**d** Lesen Sie die Wörter laut. Wo ist der Wortakzent? Markieren Sie ihn.

• Rapper • Musikszene • Probleme • Beziehung • prekär • Wohnwagenpark
• Familie • Soloalbum • vergessen • zurück • Album • Selbstreflexion

# Grammatik: Das Wichtigste auf einen Blick

## ⊙ G 6.4 ❶ Präpositionaladverbien: „da(r)-auf / -zu / -bei …"

### Bildung und Stellung

* Präpositionaladverbien bildet man so: „da(r)" + Präposition, z. B. dabei, dafür, daran, darüber.
* Präpositionaladverbien stehen für einen präpositionalen Ausdruck und können sich auf:

  ein **Nomen** beziehen.
  z. B. Viele Vereine bieten Hilfsprogramme an. Dabei geht es oft um Hilfe zur Selbsthilfe.
  eine **ganze Aussage** beziehen.
  z. B. Viele Leute entscheiden sich dafür, einem Förderverein beizutreten.

* Präpositionaladverbien können **„vorwärtsverweisend"** verwendet werden.
  z. B. Fördervereine dienen dazu, bestimmte Ziele finanziell zu unterstützen.

* Präpositionaladverbien können **„rückverweisend"** verwendet werden.
  z. B. Die „Vereinsmeierei" scheint „typisch deutsch" zu sein. Darüber gibt es zahlreiche Witze.

### Fragen

* Frage nach **Abstrakta, Sachen**: wofür, worüber, …? → Aussage: dafür, darüber etc.
  z. B. Wofür engagieren sich Sportvereine und worüber reden manche Organisationen nur?
      → Sportvereine engagieren sich für die Förderung von Jugendlichen. Manche Organisationen reden nur darüber.

* Frage nach **Personen, Institutionen**: für wen, über wen, …? → Aussage: für sie, über ihn etc.
  z. B. Für wen hat sich der Trainer nicht genug engagiert, für wen hat er nicht genug getan und über wen kann man nichts Gutes sagen?
      → Der Trainer hat sich nicht genug für die Jugend engagiert. Er hat auch nicht genug für den Verein getan. Man kann nichts Gutes über ihn sagen.

## ⊙ G 3.5 ❷ Temporale Haupt- und Nebensätze

### Gleichzeitigkeit, Vorzeitigkeit oder Nachzeitigkeit ausdrücken

* Gleichzeitigkeit: als, während, wenn    z. B. Während andere unterwegs waren, hatte ich Stubenarrest.

* Vorzeitigkeit: nachdem, sobald, als    z. B. Nachdem ich geheiratet hatte, wurde unser Verhältnis etwas distanzierter.

* Nachzeitigkeit: bevor    z. B. Bevor ich meine erste Stelle gefunden habe, habe ich zu Hause gewohnt.

### Eine Zeitdauer benennen

* **bis**: drückt eine Dauer von einem Zeitpunkt bis zu einem späteren Zeitpunkt aus.
  z. B. Bis ich mir das Haus kaufen kann, muss ich viel sparen.

* **seit / seitdem**: drückt eine Dauer von einem vergangenen Zeitpunkt bis jetzt aus.
  z. B. Seit / Seitdem ich eine eigene Wohnung habe, ist unser Verhältnis besser geworden.

### Einen Zeitpunkt oder eine Wiederholung benennen

* **als**: Das Ereignis im Nebensatz hat einmal in der Vergangenheit stattgefunden.
  z. B. Als mein Vater von der Dienstreise kam, war er schlecht gelaunt.

* **wenn / sooft**: Temporale Nebensätze in der Vergangenheit mit „wenn" und „sooft" verwendet man für Ereignisse, die wiederholt stattgefunden haben.
  z. B. Wenn / Sooft / Immer wenn / Jedes Mal wenn mein Vater von einer Dienstreise kam, war er schlecht gelaunt.

* **wenn**: Temporale Nebensätze für Ereignisse in der Gegenwart und der Zukunft mit „wenn" verwendet man für Ereignisse, die nur einmal oder die wiederholt (hier auch „sooft") stattfinden.
  z. B. Wenn ich mehr Geld verdiene, werde ich mir ein Haus kaufen.
  z. B. Wenn / Sooft / Immer wenn / Jedes Mal wenn ich meine Eltern sehe, freue ich mich.

# A Dinge

## 1 René Magritte

Sortieren Sie die Angaben im Kasten und schreiben Sie dann die Biografie des belgischen Künstlers.

> 1922 Hochzeit mit Georgette Berger | Magrittes Malerei und seine Ideen zur Kunst beeinflussen die Pop-Art und die Konzeptkunst der 60er-Jahre | 1967 Magritte erstellt erstmals Entwürfe und Gussformen für Skulpturen zu seinen Bildern, die 1968 in Paris ausgestellt werden | Malen und Zeichnen seit dem zwölften Lebensjahr | *21 November 1898 in Lessines (Belgien) | 15. August 1967 plötzlicher Tod durch Krebs | 1927 erste Einzelausstellung | sie war auch sein Modell | bis 1926 Gelegenheitsjobs | Freundschaften mit André Breton, Paul Éluard, Joan Miró, Hans Arp und Salvador Dalí | Aufenthalt in Paris (1927–1930) | ab 1936 Magritte stellt international in großen Galerien und Museen aus | 1916–1918 Kunststudium an der Brüsseler Akademie der Schönen Künste | viele Kontakte mit französischen Surrealisten | 1929–1966 Tätigkeit als Redakteur

*René Magritte wurde am 21. November 1898 in Lessines, Belgien, geboren. ...*

## 2 Bildbeschreibung: Die persönlichen Werte (1952)

a Schauen Sie sich das Bild „Die persönlichen Werte" im Lehrbuch 4 A noch einmal genauer an und ergänzen Sie die Bildbeschreibung.

> auf dem Bild | einen Kontrast | scheinen | der Betrachter | Absicht | aus der Perspektive | im Vordergrund | die Farbgebung | im Hintergrund | dahinter | vermuten | realistisch | der Blick | rechts davon

[1] *Auf dem Bild* sieht man ein Zimmer. Es ist mit einem Bett, einem Schrank und zwei Teppichen eingerichtet.

[2] ............................ sieht man verschiedene Alltagsgegenstände: ein Streichholz und ein Stück Seife, die auf dem

Boden liegen, und ein Weinglas, das auf dem Holzboden steht. Auf einem Bett [3] ............................ lehnt ein Kamm

an der Wand. [4] ............................ steht ein Schrank, auf dem ein Rasierpinsel liegt. Die Wand [5] ............................,

an der das Bett und der Schrank stehen, zeigt einen für viele von Magrittes Bildern typischen blauen Wolkenhimmel.

Es entsteht der Eindruck, dass [6] ............................ durch ein großes Fenster direkt in den Himmel schaut.

Was [7] ............................ des Bildes angeht, so dominieren blau, weiß und braun. Dabei bilden die eher kühlen

Farben weiß und blau [8] ............................ zu den warmen Brauntönen. Das Zimmer mit seiner Einrichtung und

auch die Alltagsgegenstände sind sehr [9] ............................ dargestellt. Doch dieser Eindruck wird einerseits durch

die Himmel-Wand gestört, andererseits durch die überraschende Größe der Alltagsgegenstände. Der Kamm, der

Rasierpinsel, das Weinglas, die Seife und das Streichholz [10] ............................ die Größe von Möbeln zu haben.

Man könnte [11] ............................, dass die außergewöhnliche Größe der normalerweise sehr kleinen Gegenstände

ihre Bedeutung für den Besitzer hervorheben soll. Der Betrachter scheint diese [12] ............................ eines

Zwerges anzuschauen. Nicht nur die Dinge erleben also eine Metamorphose, sondern auch [13] ............................

des Betrachters. So kommt es, dass auf Magrittes Bildern scheinbar reale Dinge in den Bereich des Nichtrealen, des

Surrealen verlagert werden. Doch mit welcher [14] ............................? Der Maler gibt darauf keine Antwort, er selbst

jedoch sieht seine Kunst als Ausdruck eines Gedankens, dessen Sinn verborgen bleibt wie der Sinn der Welt.

b   Beschreiben Sie nun das folgende Bild des Künstlers. Benutzen Sie auch die Redemittel im Lehrbuch 4 A, 1b.
Was ist dargestellt? Was fällt auf? Vergleichen Sie Ihre Beschreibungen in Gruppen.

Der gesunde Menschverstand (1945)

# B Die Welt der Dinge

## ➊ Welches Produkt ist besser?

a   Lesen Sie die Informationen über das detaillierte Hören.
Bei welchen Textsorten könnte dieser Hörstil noch wichtig sein?

.........................................................................................

**Hörstil „detailliertes Hören"**

Wenn Sie ganz genau wissen wollen, was in einem Hör-
text gesagt wird, sind alle Details wichtig, um die Ge-
samtaussage zu verstehen, d.h., Sie wählen den Hörstil
„detailliertes Hören". Dies ist bei einigen Textsorten
besonders wichtig, z.B. bei einer Kochsendung im Radio,
bei der Sie ein Rezept mitschreiben wollen, oder bei einer Informationssendung für Verbraucher, die ihnen dabei
helfen soll, die richtige Kaufentscheidung zu treffen.

b   Lesen Sie zuerst die Situationsbeschreibung und dann die Liste
mit den Punkten unten. Welcher wichtige Punkt fehlt?

Ihr Freund Rolf macht in seiner Freizeit das ganze Jahr über Alpinsport. Er braucht einen neuen Schlafsack und hat Sie
gebeten, ihm bei der Recherche nach einem geeigneten Modell zu helfen. Der Preis ist wichtig, aber nicht das Entschei-
dende. Zufällig hören Sie im Radio eine Verbrauchersendung über Schlafsäcke und machen sich Notizen.

|  | **Lamina 20** | **Mammut Denali 5-Seasons** |
|---|---|---|
| 1. Für welche Wetterbedingungen geeignet? |  |  |
| 2. Material? |  |  |
| 3. Wärmeleistung? |  |  |
| 4. wasserdicht? |  |  |
| 5. Schnitt und Extras? |  |  |
| 6. Gewicht? |  |  |
| 7. Wie packbar? |  |  |
| 8. … |  |  |

AB ● 7–8   c   Hören Sie jetzt den Auszug aus der Radiosendung und machen Sie Notizen zu den Punkten in 1b. Welchen Schlafsack soll
Rolf kaufen? Warum? Sprechen Sie im Kurs.

## ❷ Produktbeschreibungen – Mittel der Beschreibung

Formulieren Sie Produktbeschreibungen mit den Mitteln in Klammern.

1. Schlafsack – bestehen aus (Präpositionalergänzung: widerstandsfähiges Nylon)
2. Er – isoliert – sein – gut (Ausdruck der Verstärkung: besonders)
3. Material – sein – sehr flauschig (Relativsatz: ausgezeichnet speichern die Körperwärme)
4. Der „Mammut Denali 5-Seasons" – Schlafkomfort – bieten (Adjektiv im Superlativ: hoch)
5. Kapuze – Schutz – bieten vor – Kälte und Nässe (Adjektive: groß, voll, extrem)

*1. Der Schlafsack besteht aus widerstandsfähigem Nylon.*

❍ G 10.2 ❸ ## Noch mehr Beschreibungen – Adjektive und ihre Endungen

a Schreiben Sie die Nomen bzw. Verben auf, von denen folgende Adjektive abgeleitet sind.

| | | | |
|---|---|---|---|
| 1. beweglich | *bewegen + lich* | 8. geräumig | |
| 2. farbig | *Farbe + ig* | 9. technisch | |
| 3. empfindlich | | 10. ruhig | |
| 4. optisch | | 11. pflanzlich | |
| 5. seitlich | | 12. nützlich | |
| 6. automatisch | | 13. aromatisch | |
| 7. verkäuflich | | 14. medizinisch | |

b Welche Endung passt? Ordnen Sie die Wortteile den passenden Endungen zu.

techn- | appetit- | bill- | stürm- | exot- | kind- | prakt- | regner- | gemüt- | lieb- | berg- | sommer- | fried- | romant- | abhäng- | klass- | salz- | hügel- | freund- | köst- | typ- | sonn- | harmon- | idyll- | vorsicht- | gewöhn- | elektron-

| -isch | -lich | -ig |
|---|---|---|
| *technisch,* | *appetitlich,* | *billig,* |
| | | |

c Finden Sie je drei Adjektive aus 3a, mit denen man Folgendes näher beschreiben kann.

| ein Gerät | ein Lebensmittel | eine Landschaft | das Wetter | einen Menschen |
|---|---|---|---|---|
| *technisch,* | *appetitlich,* | *bergig,* | | |

d Schauen Sie sich die Schilder an. Was glauben Sie, aus was für einem Geschäft stammen sie?

**alle Produkte schadstofffrei**

*proteinhaltige Sojabohnen*

cholesterinfreies Öl

frisches, vitaminreiches Gemüse

fettarmer Käse

*kalorienarme Desserts*

besonders proteinreiche Berglinsen

**ballaststoffreiches Müsli**

phosphatfreie Waschmittel

e  Ordnen Sie die Adjektive aus 3d folgenden Definitionen zu.

| ohne (+ A) | mit wenig (+ D) | mit viel (+ D) | enthält (+ A) |
|---|---|---|---|
| schadstofffrei = ohne Schadstoffe, | | | |

f  Machen Sie Werbung für die Produkte in 3d.

reich an + D | arm an + D | frei von + D | Wir führen … | Wir haben eine große Auswahl an … | Bei uns finden Sie … | Wir bieten Ihnen … | Das Besondere bei uns ist, dass …

*Alle unsere Produkte sind schadstofffrei! Unser Gemüse ist immer ganz frisch und besonders reich an Vitaminen!*

*Wir führen ausgezeichneten …*

g  Werbung – brandneu. Wie heißen die Adjektive? Ordnen Sie zu. Manchmal gibt es mehrere Lösungen. Arbeiten Sie mit einem einsprachigen Wörterbuch.

| | | | |
|---|---|---|---|
| 1. brand- | 8. riesen- | A. automatisch | H. schick |
| 2. top- | 9. himmel- | B. traurig | I. modern |
| 3. super- | 10. hoch- | C. blau | J. leise |
| 4. tod- | 11. voll- | D. brisant | K. klar |
| 5. tief- | 12. blitz- | E. groß | L. hart |
| 6. nagel- | 13. glas- | F. hübsch | M. schnell |
| 7. bild- | 14. stein- | G. neu | N. aktuell |

| 1. | 2. | 3. | 4. | 5. | 6. | 7. | 8. | 9. | 10. | 11. | 12. | 13. | 14. |
|---|---|---|---|---|---|---|---|---|---|---|---|---|---|
| G | | | | | | | | | | | | | |

h  Ergänzen Sie die Adjektive aus 3g in der entsprechenden Form. Manchmal gibt es mehrere Lösungen.

1. Dieses Magazin ist immer _topaktuell_. Dort findet man oft _____ Artikel.

2. Die CD von „Erdmöbel" ist _____. Der Sound ist wirklich _____.

3. Die neue Wohnung ist _____ und auch noch _____.

4. Oh, dein neues Kleid ist ja _____. Darin siehst du _____ aus.

5. Paul fährt einen _____ Ferrari. Dieses Auto bringt ihn _____ ans Ziel.

6. Diese Kaffeemaschine mahlt den Kaffee _____ und bereitet ihn _____ zu.

7. Dieser Edelstein leuchtet _____. Eine tolle Farbe! Und er ist dennoch _____.

○ G 10.2  **4  Wie Menschen sein können: hoffnungslos – hoffnungsvoll?**

a  Drücken Sie das Gegenteil aus.

Mein neuer Chef ist leider rücksichtslos, taktlos, stillos und auch noch humorlos.

*Warum ist er nicht rücksichtsvoll,* _____,

*und* _____?

**Tipp**
Adjektiv auf „-los"
→ Nomen auf „-igkeit",
z.B. rücksichtslos →
die Rücksichtslosigkeit

b Nicht immer ist „-voll" das Gegenteil von „-los". Es gibt andere Endungen, und manchmal kann man das Gegenteil auch nur umschreiben. Benutzen Sie ggf. ein Wörterbuch.

1. interesselos ≠ *interessiert*
2. respektlos ≠ ...........
3. fehlerlos ≠ ...........
4. arbeitslos ≠ ...........
5. glücklos ≠ ...........
6. kinderlos ≠ ...........
7. schuldlos ≠ ...........
8. lieblos ≠ ...........

## G 10.2 ⑤ Missgeschicke und Unglücksfälle

Ergänzen Sie die Präfixe „miss-" und „un-".

Vera ist heute [1] *miss*gelaunt. Claudia hat sich ihr gegenüber sehr [2] ........höflich verhalten. Sie hatte ein Telefonat von Vera und ihrem Chef mitgehört und einiges [3] ........verstanden. Trotzdem hat sie den Inhalt weitererzählt und Vera damit vor allen Kollegen [4] ........möglich gemacht. Vera ist nun [5] ........glaublich wütend auf die [6] ........günstige Claudia. Und auch ihr Chef ist über die Sache sehr [7] ........glücklich. Bei den Kollegen ist Claudia nun sehr [8] ........beliebt. Bei einem Gespräch zu dritt soll diese [9] ........schöne Angelegenheit demnächst geklärt werden. Hoffentlich [10] ........lingt das nicht.

# C Die Beschreibung der Dinge

## G 5.1 ① Der Teddybär – Legenden

Ergänzen Sie die Adjektivendungen.

Der [1] amerikanisch*en* Legende nach erhielt der [2] beliebt........ Teddy seinen Namen nach dem [3] amerikanisch........ Präsidenten Theodore „Teddy" Roosevelt, dem 1902 auf einer Jagd in Mississippi nicht ein [4] gefährlich........ Bär, sondern nur ein [5] angebunden........ Bärenbaby von Mitgliedern der Jagdgesellschaft vor die Flinte gesetzt wurde. Roosevelt weigerte sich, dieses [6] klein........ Tier zu erschießen. Clifford K. Berryman, ein [7] bekannt........ Karikaturist der Washington Post, stellte diesen [8] merkwürdig........ Vorfall auf einem [9] lustig........ Bildchen dar. Berryman verwendete den [10] klein........ Bären auch später noch in seinen Karikaturen weiter, deshalb wurde das Bärchen schnell zu einer [11] bekannt........ Symbolfigur des Präsidenten. Außer dieser [12] amerikanisch........ Version gibt es eine [13] deutsch........ 1902 entwickelte Richard Steiff, ein Neffe der [14] bekannt........ deutsch........ Spielzeugherstellerin Margarete Steiff, den [15] erst........ Teddybären mit [16] beweglich........ Armen und Beinen. Er stellte ihn auf der Spielwarenmesse in Leipzig aus, wo ihn mancher [17] neugierig........ Besucher bewunderte. Schließlich kaufte ihn ein [18] amerikanisch........ Gast, der in [19] letzt........ Minute ein [20] nett........ Verlegenheitsgeschenk zum Mitbringen suchte. Aber anscheinend gefiel das Geschenk dem Beschenkten nicht, sodass das [21] niedlich........ Tierchen schließlich im Schaufenster eines [22] klein........ Geschäfts in Amerika landete. Dort wurde es aus [23] rein........ Zufall vom Sekretär Teddy Roosevelts entdeckt und schmückte letztendlich den Geburtstagstisch der [24] klein........ Tochter Roosevelts. Das Kind freute sich so über das [25] flauschig........ Tierchen, dass sie es nach ihrem Vater „Teddy" nannte. Ab da wurde es zu einem immer [26] beliebter........ Geschenk, und so wurden 1903 auf der Leipziger Frühjahrsmesse von einem [27] amerikanisch........ Vertreter bei der Firma Steiff 3.000 Teddybären bestellt. Heute gibt es Teddys in allen Größen. Der [28] größt........ (5,40 m) kommt ebenso aus Deutschland wie der [29] kleinst........ (nur 5 mm), der trotz seiner [30] unglaublich........ Winzigkeit voll beweglich ist.

## 2  Sammlerbörse

Sie möchten in einer Online-Sammlerbörse einige Dinge verkaufen,
die Sie nicht mehr benötigen. Verfassen Sie Anzeigen aus den
Elementen wie im Beispiel. Erfinden Sie auch eigene.

1. Spielzeug – Eisenbahn – kaum gebraucht – zahlreiches Zubehör
2. antik – Kerzenleuchter – klassisches Design – sehr gut erhalten
3. Schmuck – trendig – gebraucht – bunte Glassteine

Biete originelles Lederbild aus den 60er-
Jahren von M. Neumann in wunderschönem
Rahmen.   Neupreis 3.000 €   VB 180 €
Kontakt: m.lied@xmp.de

## 3  Besser geht's nicht! – mit Vergleichen beschreiben

a  Wiederholen Sie die Komparation und ergänzen Sie die Tabelle.

| Adjektiv: Grundform | Komparativ | Superlativ |
| --- | --- | --- |
| schön | schöner | am schönsten |
| leicht | | |
| | | am meisten |
| | besser | |
| beliebt | | |
| | | am liebsten |
| | teurer | |
| nah | | |
| | hübscher | |
| | | am höchsten |
| dunkel | | |
| | heißer | |
| groß | | |

b  Hans im Glück oder gibt's jemand Glücklicheren beim Klassentreffen? Ergänzen Sie die Adjektive in der passenden Form
(Komparativ oder Superlativ).

elegant | gern | glücklich | groß | gut | hoch | hübsch | klein | niedrig | schnell | teuer | viel | viel

Alle sind da, reden durcheinander und zeigen Fotos. Michael hat ein Haus mit acht Zimmern und drei Bädern. Aber

das Haus von Andreas ist viel [1] größer _____, es hat zehn Zimmer und eine Wellnesslandschaft. Anna und

ihr Mann haben drei Pferde. Matthias allerdings hat [2] _____ Pferde, nämlich sieben. Simone liebt die

Geschwindigkeit. Sie fährt daher einen Porsche. Christians Auto ist aber [3] _____, er fährt nämlich einen

Ferrari. An ihrer Kleidung erkennt man sofort, dass alle sehr gut verdienen. Aber die Designer-Kleidung von Heike ist

mit Abstand [4] _____. Dafür ist Monika [5] _____ angezogen. Christa hat fünf Jahre in Madrid

gelebt. Sie spricht daher [6] _____ Spanisch als ihr Klassenkamerad Pedro, der in Deutschland aufgewachsen

ist. Die berufliche Position von Ernst wiederum ist [7] _____ als die der anderen. Bernds Kinder sind

dafür [8] _____. Und Hans? – Sein Haus ist [9] _____ als das der anderen und sein Gehalt ist

[10] _____. Aber dafür hat er [11] _____ Zeit. Die verbringt er [12] _____ mit seiner

Familie. Deshalb ist er [13] _____ von allen. Ein richtiger Hans im Glück also.

# D Die Macht der Dinge

## 1 Ordnung in die Dinge bringen

Welches Wort passt nicht? Kreuzen Sie an.

1. **a** aufräumen   **b** entrümpeln   **c** sortieren   **d** verbrauchen
2. **a** Durcheinander   **b** Albtraum   **c** Chaos   **d** Unordnung
3. **a** chaotisch   **b** unordentlich   **c** locker   **d** schlampig
4. **a** herumliegen   **b** horten   **c** aufheben   **d** behalten
5. **a** Müll   **b** Dreck   **c** Schrott   **d** Abfall
6. **a** überflüssig   **b** unbrauchbar   **c** unnütz   **d** wiederverwendbar
7. **a** verstauen   **b** beseitigen   **c** unterbringen   **d** lagern

## 2 Das Messie-Syndrom – Informationen

a Vergleichen Sie die Stichpunkte mit den Informationen, die Sie im Lehrbuch 4 D, 1d, gesammelt haben. Welche wichtigen Informationen fehlen? Notieren Sie.

- 1,8 Mio Messis
- noch keine klinische Diagnose
- leiden oft an: Depressionen, Angstzuständen
- Auslöser: kritische Lebensereignisse, z.B. Verlust von Lebenspartner, Arbeitsplatz

b Wie könnten Sie den Brief oder die Mail für Ihre Freundin im Lehrbuch 4 D, 2, aufbauen? Bringen Sie folgende Inhaltspunkte in eine sinnvolle Reihenfolge.

[ ] Grußformel   [ ] Vorschlag, sich zu treffen   [ ] Ratschläge für Ihre Freundin   [ ] Informationen aus 2 a

[1] Anrede   [ ] aktuelle Infos über Sie selbst   [ ] Bezug auf Bitte Ihrer Freundin

c Schreiben Sie nun an Ihre Freundin. Berücksichtigen Sie auch die Stichpunkte in 2a.

## G 3.15 3 Meikes „Messie-Schicksal" – Beschreiben mit Relativsätzen

a Andrea hat Meike bei den „Anonymen Messies" kennengelernt. Finden Sie die passenden Ergänzungen, um den Messie-Haushalt von Meike und die Reaktion ihrer Nachbarn näher zu beschreiben.

1. Die Wohnung war in einem chaotischen Zustand.

> aus der | deren | ~~die sie~~
>
> ~~seit 3 Jahren bewohnen~~ | man die Tür kaum öffnen können | ein merkwürdiger Geruch kommen

2. Das Schlafzimmer war völlig zugestellt.

> das | dessen | in dem
>
> man kaum das Bett erreichen können | mehr als 20 m² groß sein | sein Fenster man nicht öffnen können

3. Der Keller war vollkommen zugemüllt.

> durch dessen | in dem | über den
>
> es nach verdorbenen Lebensmitteln riechen | durch seine Gitterstäbe man Kartonberge sah | die Nachbarn sich beklagen

4. Die Nachbarn riefen die Polizei.

> mit denen | deren | für die
>
> ihre Geduld am Ende sein | die Situation unerträglich sein | Meike nicht mehr sprechen

*1. Die Wohnung, die sie seit 3 Jahren bewohnte, war in einem chaotischen Zustand. Die Wohnung, deren Tür ...*

**b** Sehen Sie sich die Regeln 2, 3 und 4 im Lehrbuch 4 D, 4 a, noch einmal an. Welche grafische Darstellung entspricht welchen Regeln?

1. Der Kollege aus der IT-Abteilung, der mit Meike arbeitet, hat nichts von ihrer Krankheit bemerkt.

   Regel: ..............................

2. Die Kollegin aus der Bibliothek, mit der Meike früher befreundet war, hat sich über ihre Zurückhaltung gewundert.

   Regeln: ..............................

3. Ihre Ärztin hat ihr den Therapeuten empfohlen, dessen Behandlung sie für die beste hält.

   Regel: ..............................

**c** Lesen Sie zuerst den Tipp. Ergänzen Sie dann die Sätze unten. Welches Relativpronomen passt in welchen Satz: „deren" oder „derer"?

> **deren – derer: Feminin / Plural**
>
> **deren** = Relativpronomen mit possessiver Bedeutung (steht mit einem Nomen ohne Artikel), z. B.
> • Meike, deren Wohnung zugemüllt war; die Nachbarn, deren Geduld am Ende war
>
> **derer** = „reines" Relativpronomen, z. B.
> • Die Frist, innerhalb derer Meike ihre Wohnung verlassen muss, ist sehr kurz.
> Im gehobenen Sprachgebrauch verwendet man bestimmte Verben mit dem Genitiv und dem entsprechenden Relativpronomen, z. B.
> • Wir gedenken heute der Verstorbenen. – die Verstorbene / n, derer wir heute gedenken
> • Messies bedürfen der Hilfe. – die Hilfe, derer sie bedürfen
> Manchmal findet man bei diesem Gebrauch auch „deren".

1. die Nachbarin, ..................... Bekanntschaft Meike gemacht hat

2. die Unterstützung, ..................... Meike bedarf

3. die Periode, innerhalb ..................... Meikes Therapie beendet sein muss

4. Meike, ..................... Leben sich positiv verändert hat

**d** Markieren Sie zunächst im ersten Satz den Satzteil, auf den sich der markierte Teil im 2. Satz bezieht. Bilden Sie dann aus dem 2. Satz einen Relativsatz.

1. Eine Nachbarin war dagegen, dass man die Polizei rief. Sie arbeitete in einer Beratungsstelle.
2. Sie versuchte, mit Meike ins Gespräch zu kommen. Sie hatte Meikes Krankheit erkannt.
3. Meike war aber nicht ansprechbar. Ihr Leben war gerade sehr kompliziert.
4. Die Nachbarn wollten nicht mehr warten. Diese Gesprächsversuche dauerten ihnen zu lange.
5. Die Polizei riet ihnen, zuerst selbst mit Meike zu sprechen. Sie riefen bei der Polizei an.
6. Schließlich gelang es doch, mit Meike in Kontakt zu kommen. Sie hatte inzwischen eine Therapie angefangen und begann langsam, ihr Leben zu ordnen.
7. Es fällt ihr immer noch nicht leicht, mit den Nachbarn zu sprechen. Sie schämt sich vor ihnen.
8. Leider hat ihr Vermieter ihr gekündigt. Ihm ist die Angelegenheit zu Ohren gekommen.
9. Die „Anonymen Messies" helfen ihr sehr. Sie trifft sich einmal pro Woche mit ihnen.
10. Sie hat nun ein ganz neues Leben in einem anderen Stadtteil begonnen. Sie wollte schon immer in den Stadtteil ziehen.

*1. Eine Nachbarin, die in einer Beratungsstelle arbeitete, war dagegen, dass man die Polizei rief.*

..............................................................................................

# E Die Ordnung der Dinge

## 1 Lesestil „kursorisches Lesen"

a   Lesen Sie den Tipp zum „kursorischen Lesen" und markieren Sie die wichtigsten Informationen.

> **Lesestil „kursorisches Lesen"**
>
> Den Lesestil „kursorisches Lesen" wendet man an, wenn man sich einen gründlicheren Überblick über einen Text verschaffen will, als dies beim globalen Lesen möglich ist. Hierzu liest man einen Text aufmerksam, aber hält sich nicht an Einzelheiten auf. Dieser Lesestil dient dazu, zentrale Inhalte des Textes, seinen groben Aufbau und den roten Faden zu ermitteln. Auf der Basis des kursorischen Lesens kann man anschließend entscheiden, ob man einzelne Textpassagen oder den gesamten Text noch einmal genauer liest.

b   Lesestile reflektieren: Welche der drei Aufgaben erfordert kursorisches Lesen: 1, 2 oder 3? Welche Lesestile erfordern die übrigen Aufgaben? Notieren Sie.

1.  Überfliegen Sie den Essay „eBay – die Ordnung der Dinge". Wie ist die Einstellung des Autors zu eBay?

    **a** eher positiv   **b** eher negativ   ........................................................

2.  Überfliegen Sie die einzelnen Abschnitte des Essays. Welche Aussage gibt die zentrale Information des jeweiligen Abschnitts wieder: a oder b? Kreuzen Sie an. (vgl. LB 4 E, 2 b)   ........................................................

3.  Wie begründet der Autor, dass der finanzielle Gewinn für viele Teilnehmer an eBay-Auktionen nicht so wichtig ist?

    ........................................................

## 2 Handel und Konsum

a   Ordnen Sie die Begriffe in eine Tabelle wie unten ein und notieren Sie jeweils den Artikel und ggf. den Plural.

> ~~Absatz~~ | ~~Konsument~~ | Rechnung | Käufer | Versteigerung | Personal | Verlust | Verbraucher | Bestellung | Gewinn | Händler | Rabatt | Import | Kunde | Profit | Quittung | Vertreter | Werbung | Umsatz | Angebot

| Personen | Geld | Aktivität |
|---|---|---|
| *der Konsument, –en,* | *der Absatz,* | |

b   Welche Definition passt? Kreuzen Sie an.

1.  Eine Auktion ist
    **a** eine Veranstaltung, bei der ein Produkt an die Kunden verkauft wird, die am meisten bezahlen.
    **b** eine Verkaufsaktion, bei der man alte Dinge verkauft.

2.  Ein Ertrag ist
    **a** ein Geschäft, das man ertragen muss.
    **b** der Gewinn, den man beim Verkauf erzielt.

3.  Ein Warenhaus ist
    **a** ein Haus, in dem Waren verkauft werden.
    **b** ein Haus, das Waren sammelt.

4.  Ein Schnäppchen ist
    **a** eine Sache, die man sehr billig gekauft hat.
    **b** ein Produkt, das man zu teuer gekauft hat.

5.  Der Lohn ist
    **a** die Bezahlung für ein Objekt.
    **b** das Geld, das man für Arbeit oder eine Leistung erhält.

c   Wortschatz im Kurs üben: Formulieren Sie Definitionen zu den Begriffen in 2a nach dem Modell in 2b. Arbeiten Sie ggf. mit einem einsprachigen Wörterbuch. Stellen Sie entsprechende Fragen in Ihrer Gruppe, die anderen antworten.

# F Die Präsentation der Dinge

**1** **Geschichte der Uhr – Notizen verstehen und bewerten**

a   Welche Bezeichnung passt zu welcher Uhr: Kirchturmuhr, Sand-, Sonnen-, Armbanduhr? Notieren Sie.

..........................   ..........................   ..........................   ..........................

AB ◉ 9   b   Hören Sie einen Radiobeitrag zur „Geschichte der Uhr" und vergleichen Sie dazu die beiden Notizzettel.

**A**

Geschichte der Uhr

- vorhistorische Zeit: Beobachtung der Himmelsgestirne, Sonne, Mond, Jahreszeiten

- 5000 v. Chr. Altägyptisches Reich: Kalender entwickelt

- genauere Zeiterfassung notwendig: Sonnenuhr vermutl. 3. Jt. v. Chr. Tag in Zeiteinheiten aufgeteilt: Verabredungen möglich

- 14 Jh. v. Chr. Wasseruhren verwendet, Vorteil: tageslichtunabhängig

- Kerzenuhr: unabhängig vom Tageslicht genutzt, einfach und verfügbar, ab ca. 900 n. Chr.

- mechanische Uhr im Mittelalter, ab wann genau? nicht bekannt

- mechanische Uhren: große Instrumente, Klöster und Kirchen, für die 7 Tagesgebete läuten

- Im 14. Jh. tauchten Sanduhren in Europa auf: Sand rieselt durch einen schmalen Hals von der oberen Gefäßhälfte in die untere, heute: in Computern Symbol für Rechenvorgang

- Massenproduktion von Uhren: Mitte 19. Jh., Fortschritte in Feinmechanik: Taschenuhr

- Anfang 20. Jh.: Armbanduhr, Automatikuhr (John Harwood)

- Atomuhr, 1949 zum ersten Mal eingesetzt, seit 1967: Braunschweig: synchronisiert Funkuhren in Mitteleuropa

**B**

Geschichte der Uhr

| wann? | was? |
|---|---|
| 5.000 v. Chr. | Altägyptisches Reich Kalender entwickelt |
| 3. Jt. v. Chr. | Sonnenuhr |
| 14 Jh. v. Chr.: | Wasseruhren – Vorteil: tageslichtunabhängig! |
| 2. Jh. v. Chr. | rel. genaue Wasseruhr mit Zifferblatt und Zeiger |
| ab 900 n. Chr. | in Europa: Kerzenuhr |
| Mittelalter: wann genau? | mechanische Uhr = große Instrumente, zunächst Klöster, Kirchen |
| 14. Jh. | in Europa: Sanduhren – unabhängig von Temperatur |
| Mitte 19. Jh. | Massenproduktion von Uhren – Fertigung von Taschenuhren |
| Anfang 20. Jh. | Armbanduhren |
| 1949 | Atomuhr – Funksignale für Funkuhren |

c   Welche Notizen finden Sie verständlicher? Warum? Kreuzen Sie an.

| Notizen A finde ich verständlicher, | Notizen B finde ich verständlicher, |
|---|---|
| ☐ weil sie länger und ausführlicher sind. | ☐ weil sie kürzer und übersichtlicher sind. |
| ☐ weil sie wichtige Informationen mit Erklärungen bieten. | ☐ weil sie nur die wichtigsten Informationen nennen. |
| ☐ weil sie sich auf die Entwicklung der Uhr konzentrieren. | ☐ weil sie chronologisch nach Jahreszahlen strukturiert sind. |

## ② Notizen machen

Gestalten Sie einen kleinen Notizzettel zum Thema „Meine schönste Reise" (maximal 20 Wörter). Tauschen Sie Ihren Zettel mit einem Partner / einer Partnerin aus. Versuchen Sie nun, die Erlebnisse Ihres Partners anhand des Notizzettels wiederzugeben. Der Partner bestätigt oder korrigiert.

## ③ Die zehn goldenen Regeln

LB ① 45–54

**a** Beantworten Sie die Fragen zunächst aus Ihrem Gedächtnis. Hören Sie dann die Regeln im Lehrbuch 4 F, 3 b, noch einmal und ergänzen Sie ggf. Ihre Antworten.

1. Warum sind Einstieg und Schluss wichtig bei einer Präsentation?
2. Wie kann man einen Spannungsbogen bei der Präsentation erzeugen?
3. Wie kann man es den Zuhörern erleichtern, der Präsentation zu folgen?
4. Welche Wirkung sollte die Körpersprache haben?
5. Warum ist Blickkontakt wichtig?
6. Wie kann man lebendig und wirkungsvoll sprechen?
7. Warum sollte man ab und zu Pausen machen?
8. Was bedeutet der Satz „Präsentieren Sie glaubwürdig und engagiert"?
9. Was muss man bei der Foliengestaltung beachten?
10. Wie sollte man seinen Vortrag vor der Präsentation üben?

*1. Guter Einstieg motiviert Publikum, zuzuhören; durch guten Schluss wirkt Präsentation stimmig.*

**b** Besprechen Sie Ihre Antworten mit einem Partner / einer Partnerin.

# Aussprache

## ① Aussprache: e-Laute

AB ● 10–13

**a** Hören Sie und sprechen Sie nach. Achten Sie dabei auf die unterschiedliche Aussprache des Vokals „e".

1. [eː]: See, Klee, Tee, zehn, Schnee, Café, ewig, Fehler, Mehl, leer, Lehre, ebenfalls, Regel, wer
2. [ə]: danke, Kindchen, Sache, ihnen, können, träumen, Dinge, Studie, nahen
3. [ɛ]: eng, streng, hell, schnell, Welt, Geld, entdecken, Zelle, fett, Äpfel, erfasst, Pässe, wenn
4. [ɛː]: Bär, Käse, Nähe, Väter, Zähne, nähen, wählen, Träne, Lähmung, fair, jäh, vermählen

> **Tipp**
> Die Endung „-er"
> spricht man fast
> wie ein „a" [ɐ],
> z. B. „Fehl**er**".
> Die Endung ist
> unbetont.

AB ● 14

**b** Welchen e-Laut hören Sie? Achten Sie auf die unterschiedliche Aussprache von „e" am Anfang und am Ende der Wörter und ordnen Sie sie zu.

> jeder | Dehnung | geben | Fähre | Mehl | später | sehen | Krebs | Glätte | Städtchen | Leben |
> Seele | Wege | zärtlich | her | Ärger | Reste | letzte | Ende | jährlich | Rente | zählen | Käfig | Helden |
> mähen | sprechen | denken | nämlich | Wetter | helfen | Kälte | Länge | Mädchen | mehr | schräg |
> weniger | Gäste | bezahlen

| [eː] | [ə] | [ɛ] | [ɛː] |
|---|---|---|---|
| jeder, Dehnung, geben, | geben, | | |

# Grammatik: Das Wichtigste auf einen Blick

G 5.1 **1 Die Adjektivdeklination**

- Wenn die **Signalendung (r, s, e, n, m)** beim **Artikelwort** steht, hat das Adjektiv die Endung „-e" oder „-en". Dies gilt auch nach: dieser, jener, jeder, mancher, welcher, alle.
- Wenn es kein Artikelwort gibt oder das Artikelwort keine Endung hat, hat das **Adjektiv** die **Signalendung**. Dies gilt auch nach: wenig, viel und mehr; **Ausnahmen:** Genitiv Singular Maskulinum und Neutrum: Endung „-en".

|   | M: der Inhalt | N: das Spielzeug | F: die Form | Pl: die Objekte |
|---|---|---|---|---|
| N | der praktische<br>(k)ein praktischer<br>praktischer | das bekannte<br>(k)ein bekanntes<br>bekanntes | die schöne<br>(k)eine schöne<br>schöne | die großen<br>keine großen<br>große |
| A | den praktischen<br>(k)einen praktischen<br>praktischen | das bekannte<br>(k)ein bekanntes<br>bekanntes | die schöne<br>(k)eine schöne<br>schöne | die bunten<br>keine bunten<br>bunte |
| D | dem praktischen<br>(k)einem praktischen<br>praktischem | dem bekannten<br>(k)einem bekannten<br>bekanntem | der schönen<br>(k)einer schönen<br>schöner | den bunten -n[2]<br>keinen bunten -n[2]<br>bunten -n[2] |
| G | des praktischen -(e)s[1]<br>(k)eines praktischen -(e)s[1]<br>praktischen -(e)s[1] | des bekannten -(e)s[1]<br>(k)eines bekannten -(e)s[1]<br>bekannten -(e)s[1] | der schönen<br>(k)einer schönen<br>schöner | der bunten<br>keiner bunten<br>bunter |

[1]Das Nomen hat (auch) die Signalendung.    [2]Im Dativ Plural: Endung „-n", außer Nomen auf „-s" im Plural: immer -s.

G 3.15 **2 Relativsätze und Relativpronomen**

- Relativsätze sind **Nebensätze**, die ein **Nomen** im **Hauptsatz** erklären. Sie beginnen mit einem **Relativpronomen**: der, das, die
- Das **Genus** (Maskulinum, Neutrum, Femininum) und der **Numerus** (Singular, Plural) des Relativpronomens richten sich nach dem Nomen, auf das sich das Relativpronomen bezieht.
  z. B. Ein Messie ist ein Mensch, der alles sammelt und nichts wegwerfen kann.
- Der **Kasus** (Nominativ, Akkusativ, Dativ, Genitiv) des Relativpronomens richtet sich nach dem Verb im Relativsatz (z. B. sehen + A) oder nach der Präposition (z. B. sprechen mit + D).
  z. B. Der Nachbar, den Andrea täglich sah und mit dem sie oft sprach, wusste nichts von ihrer Krankheit.
- Die **Formen** von **Relativpronomen** und **bestimmtem Artikel** sind gleich. **Ausnahmen:**
  Dativ Plural: „denen"
  z. B. Die Menschen, mit denen Andrea befreundet war, bemerkten nichts von ihrer Krankheit.

  Genitiv Singular Femininum und Genitiv Plural: „deren"
  z. B. Die Frau(en), deren Wohnung völlig zugemüllt war, war(en) beruflich sehr organisiert.

  Genitiv Singular Maskulinum und Neutrum: „dessen"
  z. B. Der Mann, dessen Wohnung völlig zugemüllt war, war beruflich sehr organisiert.
  Das Messie-Syndrom, dessen Ursache noch nicht erforscht ist, ist eine Krankheit.
- Das **Nomen**, das auf die Relativpronomen „dessen" und „deren" folgt, hat keinen Artikel.
- Außer den Relativpronomen im Genitiv mit possessiver Bedeutung gibt es noch die **„reinen" Relativpronomen** **„dessen"** (Mask. und Neutr. Sing.) und **„derer"** (Fem. Sing. / Plural). Man verwendet sie, wenn das Verb, die Präposition oder ein Ausdruck im Relativsatz eine Genitivergänzung erfordern.
  z. B. Der Berater, dessen Andrea sich noch gut entsinnt, hat ihr sehr geholfen.
  Die Probleme, aufgrund derer Andrea ihre Wohnung verlassen muss, hat sie schon seit langem.

# A Arbeit

## ➊ Arbeiten mit einem einsprachigen Wörterbuch

**a** Lesen Sie die Wörterbucheinträge. Beantworten Sie die Fragen und ergänzen Sie die Sätze.

**tä·tig** *adj /nicht steig./* ➊ *so, dass man in einem bestimmten Beruf arbeitet:* als Architekt/Lehrerin/Maurer tätig sein ➋ *(≈ tatkräftig) so, dass man praktisch handelt:* tätige Hilfe/Nächstenliebe ➌ *(≈ aktiv ↔ untätig) so, dass man aktiv ist und handelt:* Wir sind den ganzen Tag tätig gewesen, jetzt wollen wir uns ausruhen.; Wann wird die Stadt endlich tätig in dieser Sache? ➍ *(≈ aktiv) so, dass es in Betrieb ist oder eine bestimmte Aktivität zeigt:* Der Vulkan ist seit einigen Wochen wieder tätig.; ein tätiger Vulkan; Das Herz hat aufgehört tätig zu sein.; Diese Seilbahn ist nicht mehr tätig.
**tä·ti·gen** *mit OBJ* ■ *jmd. tätigt etwas (geh.) ausführen:* ein Geschäft tätigen
**Tä·tig·keit** *die <-, -en>* ➊ */kein Plur./ (≈ Aktivität) das Tätigsein:* jemanden in seiner Tätigkeit unterbrechen; emsige/fieberhafte Tätigkeit entfalten ➋ *(≈ Job) berufliche Beschäftigung:* eine neue Tätigkeit aufnehmen/suchen; eine Tätigkeit als Verkäuferin angeboten bekommen; Sie hat in der Vergangenheit schon verschiedene Tätigkeiten ausgeübt. ➌ */kein Plur. / das In-Betrieb-Sein:* Die Anlage ist schon sehr lange in/außer Tätigkeit.; Die Tätigkeit des Herzens überwachen.; die erneute Tätigkeit des Vulkans

© pons

1. Was bedeuten die Punkte in „tä·tig", „tä·ti·gen", „Tä·tig·keit"?
2. Warum ist das „ä" in diesen Wörtern unterstrichen?
3. Welche Wortart ist „tätig"?
4. Was bedeutet: nicht steig.?
5. Was bedeutet: ↔ ?
6. Was bedeutet: OBJ?
7. Was bedeutet: kein Plur.?
8. Ergänzen Sie die fehlenden Wörter bzw. Begriffe:

   a. Mein Bruder ist ........................... Ingenieur in Asien ........................... .

   b. Diese Tätigkeit ........................... er erst seit kurzem ........................... .

   c. Allerdings lebt er dort gefährlich, denn in der Nähe seines Wohnortes gibt es einen Vulkan, der noch ........................... ist.

   d. Die Häuser in seiner Stadt sind auch nicht erdbebensicher gebaut. Die Einwohner fragen sich, wann die Regierung in dieser Sache ........................... wird.

   e. Synonym von „in Tätigkeit sein"? ...........................

**b** Suchen Sie die Wörter aus 1a in einem anderen einsprachigen Wörterbuch. Notieren Sie die Unterschiede und tauschen Sie sich im Kurs aus.

## ➋ Wichtige Eigenschaften (nicht nur) in der Arbeitswelt

**a** Lesen Sie die Definitionen und bilden Sie dann die passenden Wörter aus den Silben.

> aus | ~~be~~ | be | bel | cher | dau | ernd | fähig | fle | flei | gründ | in | krea | läs | li | pflicht | res | ~~selbst~~ | siert | sig | ßig | te | team | tiv | ver | ~~wusst~~ | wusst | xi | zu

1. Jemand hat in sich selbst Vertrauen. Er ist *selbstbewusst* ............... .

2. Sie kann sehr gut in einem Team arbeiten. Sie ist sehr ............... .

3. Das Gegenteil von faul ist ............... .

4. Sie ist geistig beweglich und kommt mit verschiedenen Lösungen zurecht.
   Sie ist ............... .

5. Er arbeitet genau und sorgfältig. Ja, er ist ein wirklich ............... Arbeiter.

6. Sie schaut täglich ins Intranet, ob es etwas Neues in der Firma gibt. Sie ist sehr ............... an ihrer Arbeit.

7. Er findet neue Lösungen, die andere nicht finden. Er ist ............... .

8. Sie erfüllt alle Pflichten gut und pünktlich. Sie ist sehr ............... .

9. Er hält immer, was er verspricht. Er ist immer ............... .

10. Sie kann stundenlang konzentriert arbeiten. Sie ist wirklich ............... .

b  Wie heißen die Nomen zu den Adjektiven in 2a? Ergänzen Sie auch die Artikel.

1. *das Selbstbewusstsein* ................................................................
2. ................................................................
3. ................................................................
4. ................................................................
5. ................................................................

6. ................................................................
7. ................................................................
8. ................................................................
9. ................................................................
10. ................................................................

## 3 Tätigkeiten und Aktivitäten

Was tun diese Menschen? Kreuzen Sie die passenden Verben an. Es gibt immer zwei richtige Lösungen.

| | | a | | b | | c |
|---|---|---|---|---|---|---|
| 1. | eine Abteilung | durchführen | | leiten | | führen |
| 2. | als Reiseleiterin | jobben | | arbeiten | | tun |
| 3. | Möbel | anfertigen | | tun | | herstellen |
| 4. | bei der Stadtverwaltung | tätig sein | | ausüben | | beschäftigt sein |
| 5. | seinen Lebensunterhalt | verdienen | | bestreiten | | arbeiten |
| 6. | bei einer Arbeit | aushelfen | | beschäftigen | | einspringen |
| 7. | Interesse | haben | | zeigen | | sein |
| 8. | eine Tätigkeit | ausüben | | führen | | verrichten |
| 9. | eine Untersuchung | tun | | durchführen | | machen |

# B Welt der Arbeit

## 1 Unbekannte Wörter mit strategischen Fragen erschließen

Lesen Sie die folgenden Fragen und erschließen Sie mit ihrer Hilfe die fehlenden Wörter im Text unten. Orientieren Sie sich dabei am Beispiel auf der nächsten Seite oben; Sie müssen nicht immer alle Fragen beantworten.

1. Um welche Wortart könnte es sich handeln?
2. Mit welchen Wörtern passt das Wort vom Sinn her zusammen?
   Handelt es sich z. B. um eine übliche Wortkombination oder eine Aufzählung?
3. Bezieht sich das unbekannte Wort auf benachbarte (vorangehende oder folgende) Textteile?
   Wenn ja, wie sieht diese Beziehung aus?
4. Versuchen Sie, sich jetzt noch einmal den ganzen Sinnzusammenhang vorzustellen.
   Welche Ideen kommen Ihnen zur möglichen Bedeutung des fehlenden Wortes?

### Beim Wanderschneider

Alle zwei Wochen [1] *setzt* ........................ der Hongkonger Modemacher Raja Daswani eine auffällige Anzeige in große deutsche Tageszeitungen, in der die nächste Deutschlandtour seiner beiden Neffen angekündigt wird. Die Wanderschneider [2] ........................ im Tagesrhythmus in deutsche Großstädte, wo sie potentielle [3] ........................ in Hotelsuiten empfangen. Die Daswanis präsentieren den Interessenten ihre [4] Stoff-........................ – von einfacher bis zu Luxus-Qualität, besprechen mit ihnen eingehend ihre Wünsche, [5] ........................ anschließend Maß und vereinbaren den Preis. Es gibt Anzüge ab 250 Euro – eine unglaubliche Summe, denn in Deutschland liegen die [6] ........................ für Maßanzüge sonst im vierstelligen Bereich. Kaum sind die Maße notiert, beginnt schon die [7] ........................ im fernen Hongkong. Nach sechs Wochen [8] ........................ der fertige Anzug per Post zum Kunden.

| | 1. Wortart | 2. Wortkombination | 3. Bezug zu Textteilen | 4. Sinnzusammenhang | 5. mögliche Lösung |
|---|---|---|---|---|---|
| 1. | Verb, denn es steht auf Pos. 2 | eine Anzeige finden, verfassen, lesen, aufgeben in, setzen in | der Modekönig R. Daswani aus Hongkong, in großen deutschen Tageszeitungen → also passen nicht „finden", und „lesen", weil er wahrscheinlich die Anzeige aufgegeben hat, um für sein Geschäft zu werben; „aufgeben in" passt nicht, weil es ein trennbares Verb + Dat. ist → „setzen in" + Akk. = „aufgeben" | Wenn jemand Werbung für sein Geschäft machen möchte, setzt er häufig eine Anzeige in die Zeitung. (Ihr Weltwissen bestätigt die Lösung, Sie konnten sie aber auch schon finden, ohne diese Frage zu beantworten.) | setzen in → er setzt ... in |
| 2. | ... | | | | |

## 2 Arbeit in der Welt

**a** Lesen Sie den Kommentar im Lehrbuch 5 B, 2 c, noch einmal und entscheiden Sie bei jeder Aussage zwischen „stimmt mit Text überein" (j), „stimmt nicht mit Text überein" (n) und „Text gibt darüber keine Auskunft" (?).

1. Daswani trifft seine Kunden nur in New York.     j  n  ?
2. Daswani ist ein Großunternehmer.     j  n  ?
3. 10 % der deutschen Großunternehmen wollen im Ausland investieren.     j  n  ?
4. In China investieren die Unternehmer am liebsten.     j  n  ?
5. Auslandsinvestitionen stärken in vielen Fällen den inländischen Betrieb.     j  n  ?
6. Wer im Ausland expandiert, investiert automatisch auch im Inland.     j  n  ?
7. Firmen, die in mehreren Ländern tätig sind, sind meist produktiver.     j  n  ?
8. Am Anfang muss ein großer Teil des Umsatzes investiert werden, bis der Betrieb richtig läuft.     j  n  ?
9. Wenn Experten in Deutschland fehlen, kann man sie aus der ausländischen Filiale holen.     j  n  ?

**b** Lesen Sie die Sätze, finden Sie Synonyme für die markierten Ausdrücke und formulieren Sie ggf. die Sätze neu. Zwei Wörter bleiben übrig.

erhalten | Fachleute | ~~tätig sein~~ | Produktion | Geschäft | herstellen | Verkaufsorganisation | investieren

1. Viele Unternehmen agieren über Landesgrenzen hinweg. (Z. 20 – 22)

   *Viele Unternehmen sind über Landesgrenzen hinweg tätig.*

2. Sie wollen vor Ort einen eigenen Vertrieb aufbauen. (Z. 34 – 36)

   ............................................................

3. Sie wollen sich über die Herstellung im Ausland Märkte erschließen. (Z. 36/37)

   ............................................................

4. Der Mittelstand fertigt in aller Welt Vorprodukte. (Z. 42 – 44)

   ............................................................

5. Man muss 40 % des Umsatzes aufwenden. (Z. 64 – 66)

   ............................................................

6. Experten aus der Heimat sind gefragt. (Z. 68 / 69)

   ............................................................

○ G 1.2 **3** ## Nomen-Verb-Verbindungen

**a** Korrigieren Sie die Nomen-Verb-Verbindungen.

1. eine große Rolle ~~vertreten~~ *spielen*

2. in Anspruch ~~fassen~~

3. den Entschluss ~~nehmen~~

4. einen Markt ~~gelangen~~

5. zur Überzeugung ~~nehmen~~

6. sich in Acht ~~erschließen~~

7. die Ansicht ~~spielen~~

**b** Mit Fehlern umgehen. Ersetzen Sie die markierten Verben und Ausdrücke durch die Nomen-Verb-Verbindungen aus 3a.

1. Eine positive Fehlerkultur ist sehr wichtig.
2. Denn wir sind überzeugt, dass Fehler eine Chance darstellen.
3. Wir haben deswegen beschlossen, konstruktiver mit Fehlern umzugehen.
4. Dafür möchten wir die Hilfe eines Beraters nutzen.
5. Denn wir wollen erfolgreich auf den neuen Markt kommen.
6. Wir meinen, dass das eine notwendige Maßnahme ist.
7. Wir sollten aber aufpassen, dass wir Fehler nicht zu sehr tolerieren.

*1. Eine positive Fehlerkultur spielt eine große Rolle.*

# C Arbeiten auf Probe

**1** ## Praktikum – Pro und Contra

Ergänzen Sie die folgenden Wörter und Ausdrücke. Einige bleiben übrig.

> ~~absolvieren~~ | anwenden | sich arrangieren | ausnutzen | bereitstellen | betreuen | eingliedern |
> gering qualifiziert | in Kauf nehmen | sammeln | suchen | übernommen werden

1. ein Praktikum *absolvieren*

2. Erfahrung(en)

3. einen Berufseinstieg

4. eine schlechtere Bezahlung akzeptieren:

   eine schlechtere Bezahlung

5. Praktikanten finanziell

6. das Gelernte in der Praxis

7. ins Arbeitsleben wieder

8. keine feste Stelle bekommen:

   nicht

○ G 4.8 **2** ## Aktiv oder Passiv? – Wer tut etwas – was wird getan?

Überlegen Sie, ob die Sätze besser im Aktiv oder im Passiv formuliert werden, und formulieren Sie sie ggf. um. Begründen Sie warum.

1. Abends putzt irgendjemand die Büros.
2. Der Chef persönlich begrüßt die neuen Mitarbeiter.
3. Allen Praktikanten stellt man zunächst die einzelnen Abteilungen vor.
4. Seit neuestem schließt der Hausmeister die Eingangstür schon um 19.00 Uhr ab.

*1. Abends werden die Büros geputzt. (wichtig ist der Vorgang, also dass geputzt wird, und nicht die Person, die putzt)*

**5**

G 4.8 **3** # Rund ums Praktikum – Das Passiv: Zeitformen

a  Lesen Sie die Passivsätze und ordnen Sie die passende Zeitform zu.

1. Die Praktikantin wurde leider ausgenutzt.
2. Vorher war ihr eine selbstständige Tätigkeit versprochen worden.
3. Die Situation der Praktikanten wird hoffentlich verbessert werden.
4. Dieser Praktikant wird für drei Monate eingestellt.
5. Sein Praktikum ist gut bezahlt worden.

A. Präsens    1. [C]
B. Perfekt    2. [ ]
C. Präteritum 3. [ ]
D. Plusquamperfekt 4. [ ]
E. Futur      5. [ ]

b  Markieren Sie die Passivformen in 3a und ergänzen Sie die Tabelle.

| Passiv – Zeit | Bildung | Beispiel |
|---|---|---|
| 1. Präsens | „werden" im .......................... + Partizip II | .......................... |
| 2. Präteritum | „werden" im _Präteritum_ + Partizip II | _wurde ... ausgenutzt_ |
| 3. Perfekt | „sein" im .......................... + Partizip II + „worden" | .......................... |
| 4. Plusquamperfekt | „sein" im .......................... + Partizip II + „worden" | .......................... |
| 5. Futur I | „werden" im .......................... + Partizip II + „werden" | .......................... |

Partizip II = Partizip Perfekt

c  Das „Agens" im Passiv: Lesen Sie den Tipp und ergänzen Sie die Passivformen im Präteritum der Verben in Klammern sowie „von" oder „durch".

**Das „Agens"**

• Das „Agens" ist eine Person oder Sache, die etwas tut oder verursacht.
  z.B. Die Nachricht wurde mir von Max überbracht.
       Das Geld wurde von der Versicherung überwiesen.

• Bei nicht willentlich herbeigeführten Umständen oder wenn das Agens nur „als Vermittler" auftritt, verwendet man auch „durch".
  z.B. Wir wurden durch den Streik aufgehalten.
       Lisa wurde vom Chef durch dessen Sekretärin informiert.

1. Mir _wurde_ _vom_ Freund meines Vaters eine Praktikumsstelle _angeboten_. (anbieten)
2. .................. den Einsatz der Personalabteilung .................. alle Formalitäten schnell .................. (erledigen)
3. Am ersten Tag .................. ich .................. den Kollegen sehr herzlich .................. (begrüßen)
4. Später .................. ich .................. die Vermittlung der Agentur für Arbeit in eine Weiterbildungsmaßnahme .................. (aufnehmen)
5. Schließlich .................. ich .................. einer Chemiefirma .................. (einstellen)

d  Bilden Sie Sätze im Passiv mit den Zeitformen in Klammern – mit oder ohne Nennung des Agens.

1. Andreas Scheu – wichtig sein, – dass – anwenden – das im Studium Gelernte – in der Praxis (Präs.)
2. viele Unternehmen – Bereitschaft – junge Leute – ausnutzen – systematisch (Präs.)
3. Raffaela Hönings Praktikum – bei einem Hygieneproduktehersteller – bezahlen – sehr gut (Prät.)
4. Praktikanten – schon immer – verrichten – auch qualifizierte Tätigkeiten (Perf.)
5. häufig – vorher – Zusagen machen, – die – die Firmen – später – nicht einhalten (Plusqu. / Prät.)
6. in den letzten Jahren – Unternehmen – viel Geld – investieren – in die Betreuung – von Praktikanten (Perf.)

_1. Für Andreas Scheu ist es wichtig, dass das im Studium Gelernte in der Praxis angewandt wird._

e  Bilden Sie Sätze im Passiv ohne Subjekt.

1. Bei einem Praktikum lernt man viel.
2. Man arbeitet immer mehr.
3. Man spricht oft über den Einsatz der Praktikanten.
4. In der Regel helfen alle den Praktikanten gern.
5. Sie haben viel diskutiert.
6. Im Büro darf man nicht rauchen.

*1. Bei einem Praktikum wird viel gelernt.*

> **Passiv ohne Subjekt oder „unpersönliches Passiv"**
>
> • Für allgemeine Aussagen oder Regeln verwendet man das Passiv ohne Subjekt.
> • Wenn Position 1 im Satz nicht durch eine Angabe oder Ergänzung besetzt ist, kann „es" als Platzhalter für das Subjekt stehen, z.B. Es wurde (in der Firma) viel gearbeitet.
> Aber: In der Firma wurde viel gearbeitet. → Hier ist kein „es" nötig.

G 4.8  **4  Negative Erfahrungen im Praktikum – Passiv mit Modalverben**

a  Lesen Sie die Sätze aus Sabines schriftlicher Beschwerde und markieren Sie die Passivformen.

1. Von morgens bis abends musste das Telefon bedient werden.
2. Eine dicke Gebrauchsanleitung hat schnell übersetzt werden müssen.
3. Und davor hatte noch eine riesige Adressenkartei aktualisiert werden sollen.
4. Die Bedingungen von Praktika müssen dringend verbessert werden.

b  Schreiben Sie die Sätze aus 4a in die Tabelle.

|  |  | Pos. 2 |  | Satzende |
|---|---|---|---|---|
| **Präsens** |  |  |  |  |
| **Präteritum** |  |  |  |  |
| **Perfekt** |  |  |  |  |
| **Plusquamperfekt** |  |  |  |  |

c  Lesen Sie die Sätze in 4b noch einmal. Was fällt auf? Kreuzen Sie an.

> 1. Das Passiv mit Modalverben im Perfekt bildet man so:
>    a Präsens von „haben" + Infinitiv Passiv + Infinitiv des Modalverbs
>    b Perfekt von „haben" + Infinitiv Passiv + Infinitiv des Modalverbs
> 2. Das Passiv mit Modalverben im Plusquamperfekt bildet man so:
>    a Präteritum von „haben" + Infinitiv Passiv + Infinitiv des Modalverbs
>    b Plusquamperfekt von „haben" + Infinitiv Passiv + Infinitiv des Modalverbs

> **Der Infinitiv Passiv**
>
> Den Infinitiv Passiv bildet man mit dem Partizip Perfekt des Vollverbs und dem Infinitiv von „werden", z.B. gemacht werden; angerufen werden.

d  Praktikumsbedingungen – ein Bericht. Formulieren Sie die Aktivsätze im Passiv.

1. Man muss die Arbeitsbedingungen unbedingt verändern.

   *Die Arbeitsbedingungen müssen unbedingt verändert werden.*

2. Immer musste ich mehrere Dinge gleichzeitig erledigen.

   ..........................................................................

3. Deshalb konnten wir nichts gründlich tun.

   ..........................................................................

4. Außerdem konnten wir wegen fehlender Ersatzteile nicht ordentlich arbeiten.

   ..........................................................................

5. Man hat die Reparaturen bisher noch nicht ausführen können!

   ..........................................................................

**e** Passiv mit Modalverben im Nebensatz. Lesen Sie, was Sabine Wagner in einem Beschwerdebrief geschrieben hat.
Wo steht das Modalverb? Markieren Sie es und kreuzen Sie dann in der Regel rechts an.

> Es geht doch nicht an, dass Zeugnisse von den Praktikanten selbst verfasst werden sollen und der Inhalt des Praktikums beliebig falsch dargestellt werden kann.

> Das Modalverb steht ⓐ vor dem Infinitiv Passiv.
> ⓑ nach dem Infinitiv Passiv.

▶ G 4.8 **⑤** **Das ist doch schon längst erledigt! – Das „sein"-Passiv**

**a** Das Sommerfest der Firma naht und Ihr Chef erinnert Sie an Ihre Aufgaben. Sie haben aber alles schon erledigt.
Antworten Sie ihm wie im Beispiel.

1. ◾ Die Einladungen müssen noch verschickt werden!

   ☐ *Die sind schon längst verschickt!* ........................

2. ◾ Die Räume sollten noch beschriftet werden.

   ☐ ........................................................

3. ◾ Die Lokalredaktion muss noch benachrichtigt werden.

   ☐ ........................................................

4. ◾ Der Gärtner muss unbedingt noch bestellt werden.

   ☐ ........................................................

5. ◾ Die Hilfskräfte müssen noch eingewiesen werden.

   ☐ ........................................................

6. ◾ Die Lautsprecheranlage muss überprüft werden.

   ☐ ........................................................

**b** Ihre Kollegin kommt zurück und denkt, dass sie noch viel vorbereiten muss. Als sie sieht, dass Sie schon alles gemacht
haben, ist sie erleichtert und erzählt zu Hause, dass alles schon erledigt war.

Ach, ich bin richtig erleichtert! Als ich zurückkam, war alles schon erledigt:

1. alle Einladungen verschicken:

   *Stellt euch vor, alle Einladungen waren schon verschickt.* ..................

2. Räume einrichten:

   ........................................................

3. Zeitung benachrichtigen:

   ........................................................

4. Gärtner beauftragen:

   ........................................................

5. Hilfskräfte einweisen:

   ........................................................

6. Musikanlage installieren:

   ........................................................

7. alles optimal regeln:

   ........................................................

Warum bin ich nicht länger zu Hause geblieben?!

> **„sein"-Passiv**
> „sein" + Partizip Perfekt
> Vergleichen Sie:
> Etwas geschieht/ist geschehen:
> • Die Einladungen werden verschickt.
> • Die Einladungen sind verschickt worden.
> Ein neuer Zustand ist/war erreicht:
> • Die Einladungen sind verschickt.
> • Die Einladungen waren schon verschickt, als ich zurückkam.

# D Arbeit gesucht

## 1 Bewerbung – typische Redemittel

a In welcher Reihenfolge würden folgende Redemittel in einem Bewerbungsschreiben vorkommen? Nummerieren Sie sie. Vergleichen Sie ggf. mit dem Bewerbungsbrief im Lehrbuch 5 D, 1a.

- [ ] A. Ich würde meine Kenntnisse gern in Ihrem Unternehmen einbringen.
- [ ] B. Über die Einladung zu einem persönlichen Gespräch würde ich mich sehr freuen.
- [ ] C. Ich verfüge (bereits) über Erfahrungen in … / im Bereich …
- [ ] D. Zurzeit studiere ich … an … mit dem Schwerpunkt …
- [ ] E. Besonders interessiert mich…
- [1] F. Auf die in … ausgeschriebene Stelle als … möchte ich mich bewerben und sende Ihnen hiermit meine Bewerbungsunterlagen.
- [ ] G. Ich arbeite mich leicht in neue Aufgabenfelder ein, bin es gewohnt, selbstständig zu arbeiten, kann mich aber ebenso gut in ein Team integrieren.

b Gestalten Sie ein DIN-A4-Blatt als Briefbogen und tragen Sie folgende Daten an der passenden Stelle ein.

> Eigene Adresse | Adresse des Empfängers | Datum | Betreff |
> Anrede | Textbereich | Grußformel | Unterschrift | Anlagen

## 2 Anzeigen verstehen und verfassen

a Lesen Sie folgende Anzeigen und schreiben Sie die Abkürzungen aus.

**A**
Dipl. Betriebswirt (31) sucht neue Herausforderung! Erfahrg. im Eink., Verk., MS-Office, bisher tätig in Handel u. Direktvertrieb. Fremdspr. Engl. E-Mail: newjob@gmz.eu

**B**
PR-Spezialistin, MBA, 45 J. jung, langjähr. Erfahrg. in Finanzuntern., in ungekünd. Stellg., stilsicher, kompetent in Recherche, Text, Organisat. sucht feste freie Mitarb. Zuschr. erb. unt. ✉ ZS 347896

**C**
*Mann für alle Fälle gesucht?*
Als Fahrer, Sekr., Verkäuf., Hausm. = All in one! 52 J., gepfl. Erscheinungsbild, gute Engl- und PC-Kenntn., belastb., PKW vorh., su. neue Herausford. E-Mail: allinone@wlb.de

A: Diplom Betriebswirt (31) sucht neue Herausforderung! Erfahrung im …

........................................................................................................................................................

b Verfassen Sie nun Anzeigen mit den folgenden Daten. Wegen der Kosten wollen Sie möglichst viel abkürzen. Die Anzeige sollte aber dennoch verständlich sein.

1. Sie sind Student / in und suchen eine Aushilfstätigkeit in Verkauf oder Gastronomie abends und am Wochenende. Sie sind einsatzfreudig und flexibel. E-Mail: aushilfe@wlb.de

2. Sie sind Diplom-Übersetzer / in (24 Jahre) für Spanisch und Französisch. Berufserfahrung: Praktikum bei einem Sprachenservice, Auslandserfahrung. Sie suchen eine feste Stelle; sehr gute MS-Office- und TRADOS-Kenntnisse, belastbar, zuverlässig, flexibel. Sie erbitten Zuschriften unter Chiffre 9575, Stadtanzeiger.

3. Sie sind als Sekretär / in fest angestellt und suchen eine neue Aufgabe. Sie haben fünf Jahre Berufserfahrung. Englisch: verhandlungssicher; Chinesisch: Grundkenntnisse. Sehr gute Kenntnisse in Bürokommunikation. Sie sind belastbar, professionell und teamorientiert. Erreichbar unter ANeum@aco.de

c Gestalten Sie eine Anzeigentafel „Stellensuche" und vergleichen Sie Ihre Anzeigen. Welche Abkürzungen wurden verwendet? Wie verständlich sind die Anzeigen?

## 5

### ③ Bewerbungsschreiben verfassen

ⓟ telc  **a**  Bewerben Sie sich bei Alpha-Zeitarbeit. Gehen Sie dabei auf drei der folgenden Punkte ein. Die Redemittel unten und in Übung 1 helfen Ihnen.

- Ihre Ausbildung
- Ihre berufliche Erfahrung
- Ihre zusätzlichen Kenntnisse oder Fähigkeiten
- Grund für die Bewerbung

 **Alpha-Zeitarbeit**

Wir suchen ständig Mitarbeiter/innen zur Festanstellung für folgende Bereiche: Büro, IT, Handwerk, Netzwerke, Projektmanagement, Technik, Versicherung und viele mehr.

Zusätzliche Informationen unter www.alpha-zeitarbeit/jobsuche-de.com Bewerbungen unter info@alpha-za-de.com

> Über eine Einladung zum Vorstellungsgespräch würde ich mich sehr freuen. | Ihre Annonce im Stadtanzeiger habe ich mit Interesse gelesen. | Aufgrund der bisher durchgeführten Praktika (s. Lebenslauf) verfüge ich über … | Aus diesem Grund möchte ich gerade in Ihrer Firma sehr gerne arbeiten. | Für weitere Informationen zu meiner Person stehe ich Ihnen jederzeit gern zur Verfügung. | Da ich sehr gute IT-Kenntnisse (MS-Office, SAP, HTML) habe, … | Nach meinem Abitur habe ich eine Ausbildung zur/zum … absolviert. | … und möchte mich für die Bereiche Büro oder IT bewerben.

**b**  Bewerben Sie sich auf eine Anzeige in der Zeitung oder im Internet und korrigieren Sie Ihre Bewerbung mit einem Partner/einer Partnerin.

### ④ Einen tabellarischen Lebenslauf schreiben

**a**  Tragen Sie die Stichworte an der passenden Stelle im Lebenslauf ein. Fünf Stichworte bleiben übrig.

> Schul- und Berufsausbildung | Datum | Praxiserfahrung | Ort | Sprachkenntnisse | Unterschrift | Lebenslauf | Angaben zur Person | Interessen/Hobbys | Berufliche/Außerberufliche Weiterbildung | EDV-Kenntnisse | Schule und Studium

**b**  Ergänzen Sie die Stichworte aus 4a mit Ihren Daten und schreiben Sie Ihren Lebenslauf. Korrigieren Sie Ihren Lebenslauf mit einem Partner/einer Partnerin.

---

Alexander Winkelmeier . Merkurstraße 138 . 40223 Düsseldorf

[1] Lebenslauf

[2] .........................

| | |
|---|---|
| Nachname/Vorname | Winkelmeier, Alexander |
| Adresse | Merkurstraße 138, 40223 Düsseldorf |
| Telefon | +49 (0) 211 – 93758   Mobil: 0176 – 159320 |
| E-Mail | alwinkelmeier@xpu.de |
| Geburtsdatum | 22.03.1988 |

[3] .........................

| | |
|---|---|
| seit 04/2007 bis heute | Studium der Betriebswirtschaftslehre an der Universität Düsseldorf, Schwerpunkt: Marketing |
| voraussichtlich 09/2012 | Master of Science (M.Sc.) Betriebswirtschaftslehre |
| 09/2010 | Bachelor of Science (B.Sc.) Betriebswirtschaftslehre (Note: 1,6) |
| 06/2006 | Allgemeine Hochschulreife (Note: 2,0) |

[4] .........................

| | |
|---|---|
| 02/2010 – 03/2010 | Deutsche Bahn AG, Institut für Marketing, Marktforschung |
| 07/2008 – 09/2008 | Henkel Kosmetik, Marktforschung |
| 07/2006 – 03/2007 | Internationaler Freiwilligendienst: Straßenkinderprojekt in Südafrika |

[5] .........................

| | |
|---|---|
| Englisch | kompetente Sprachverwendung in Wort und Schrift (C1) |
| Französisch | selbstständige Sprachverwendung in Wort und Schrift (B2) |

[6] .........................   sehr gute Kenntnisse in MS-Office (Excel, Word, Power Point), InDesign

[7] .........................   Zeichnen, Malen, Basketball

Nürnberg, den 05.04.2012

*Alexander Winkelmeier*

# E Freude an der Arbeit

**G 7.3** **1** **Was man gern tut und was einem Freude macht ...**

a   Was passt wozu? Ordnen Sie die Satzteile zu.

1. Dass man immer Spaß an der Arbeit haben muss,

A. was einem leichtfällt.   1. ☐ B

2. Dass einem die Arbeit Spaß macht,

B. ist eine falsche Behauptung.   2. ☐

3. Etwas gut zu machen, bringt einen mit der Zeit dazu,

C. ist nämlich nicht selbstverständlich.   3. ☐

4. Man sollte sich fragen,

D. es gern zu tun.   4. ☐

b   Lesen Sie die Sätze in 1a. Markieren Sie die deklinierten Formen von „man" und schreiben Sie sie in die Tabelle.

| Nominativ | Akkusativ | Dativ | Genitiv |
|-----------|-----------|-------|---------|
| man | | | eines (ungebräuchlich) |

c   Setzen Sie die richtigen Formen von „man" ein.

Wenn [1] _man_ nur noch die Arbeit machen würde, die [2] .................. Spaß macht, würde die Firma

[3] .................. am besten gleich entlassen, weil man die meiste Zeit des Tages nichts tun würde. Wenn es

[4] .................. aber gelingt, seine Stärken zur Geltung zu bringen, hat [5] .................. Freude an der Arbeit.

Denn was man besser kann, macht [6] .................. in der Regel auch mehr Spaß. Man sollte also nach dem suchen,

was [7] .................. leichtfällt, das kann [8] .................. dann auch gut machen und es wird [9] ..................

deshalb zufriedenstellen.

**G 4.8** **2** **In der Werkstatt – Das ist leider nicht mehr zu reparieren!**

a   Ein Gespräch zwischen Chef und Angestelltem. Sagen Sie das Gleiche mit den Passiversatzformen in Klammern.

1. Das Auto muss bis morgen überprüft werden! Der TÜV kommt! (sein + zu + Inf.)
2. Das kann aber nicht bis morgen erledigt werden. (sich lassen + Inf.)
3. Denn man kann den Wagen nicht mehr reparieren. (sein + -bar)
4. Das glaube ich nicht. Man kann das sicher noch machen. (sich lassen + Inf.)
5. Chef, das kann einfach nicht geschafft werden! (sein + zu + Inf.)
6. Tut mir leid! Diese Sache kann man einfach nicht verhandeln! (sein + -bar)

*1. Das Auto ist bis morgen zu überprüfen! Der TÜV kommt!* ..................

b   Ersetzen Sie die Passiversatzformen durch Passivformen mit Modalverb.

1. Die Mängel ließen sich nicht mehr ignorieren.

   *Die Mängel konnten nicht mehr ignoriert werden.* ..................

2. Es war so viel zu reparieren, das war in der kurzen Zeit nicht zu schaffen.

   ..................

3. Die Prüfung durch den TÜV war nicht verschiebbar.

   ..................

4. Der TÜV-Prüfer sagte: „Das Auto ist stillzulegen!"

   ..................

5. Der Werkstattchef argumentierte: „Die Ersatzteile sind doch bis nächste Woche zu besorgen."

   ..................

6. Der TÜV-Prüfer ließ sich aber vom Werkstattchef nicht überreden, ein Auge zuzudrücken.

   ..................

# F Erst die Arbeit, dann das Vergnügen

## 1 Absprachen treffen

Ordnen Sie die Redemittel in eine Tabelle wie unten ein.

> ~~Könnten Sie / Kannst du bitte …?~~ | Dann machen Sie es so. | Was verstehen Sie / verstehst du unter …? |
> Fehlt noch etwas? | Wäre es möglich, dass …? | So könnte es gehen. | Es ist wirklich wichtig, dass … |
> Sie möchten / Du möchtest also, dass …? | Wenn Sie … machen / du … machst, übernehme ich … |
> Gibt es sonst noch etwas, was wir klären müssen? | Ich werde es versuchen. | Haben wir nichts vergessen?

| etwas vereinbaren | nachfragen | zum Schluss kommen |
|---|---|---|
| Könnten Sie / Kannst du bitte …?, … | | |

## 2 Sprichwörter

Wie beginnen bzw. enden folgende Sprichwörter? Ergänzen Sie.

1. ......................................................................................................................., dann das Vergnügen.

2. Müßiggang ist ...............................................................................................................................

3. Nach getaner Arbeit ist ..................................................................................................................

4. ......................................................................................................, das verschiebe nicht auf morgen.

5. Arbeit, Müßigkeit und Ruh schließt ...............................................................................................

## 3 Gotthold Ephraim Lessing

Lesen Sie den Lexikonartikel. Welche Wirkung hat Lessing bis heute?

*Gotthold Ephraim Lessing* (\*22.01.1729 in Kamenz, Sachsen; †15.02.1781 in Braunschweig) war ein bedeutender Dichter der deutschen Aufklärung. Mit seinen Dramen und seinen theoretischen Schriften, die vor allem dem Toleranzgedanken verpflichtet sind, hat er die Entwicklung des Theaters und die öffentliche Wirkung von Literatur wesentlich beeinflusst. Lessing ist der erste deutsche Dramatiker, dessen Werk bis heute ununterbrochen aufgeführt wird.

# Aussprache

## 1 Aller Anfang ist schwer

AB ⊙ 15 **a** Sie hören folgende Sätze je zweimal. Welche Variante klingt jeweils „deutscher": a oder b? Begründen Sie.

1. Am Anfang arbeitete Anna ohne Anstrengung bis zum Abend.    a b
2. Alle anderen achteten auf sie und versuchten alles, um sie abzulenken.    a b
3. Aber Anna arbeitete immer weiter, ohne aufzuschauen.    a b
4. Ob sie ein Automat sei, wollte endlich einer wissen.    a b
5. Aber Anna antwortete nicht, sie lächelte einfach.    a b

> **Knacklaut**
>
> Wörter oder Silben mit einem Vokal am Anfang = fester Vokaleinsatz.
> Es klingt hart und knackt leise: „Knacklaut".

**b** Lesen Sie die Sätze in 1a laut. Achten Sie auf den „Knacklaut".

      

# Grammatik: Das Wichtigste auf einen Blick

**G 4.8** **1** **Das Passiv**

Das Passiv beschreibt einen Vorgang. Die Person oder Sache, die etwas tut oder verursacht (das Agens) wird im Passivsatz nicht genannt. Sie ist entweder allgemein bekannt, unbekannt oder im Kontext nicht wichtig.

z.B. **Aktiv:** Unternehmen stellen meistens nur noch befristet Arbeitnehmer ein.

**Passiv:** Junge Arbeitnehmer werden meistens nur noch befristet eingestellt.

**Bildung des Passivs**

| Zeit | Bildung | Beispiel |
|------|---------|----------|
| **Präsens** | „wird" + Partizip Perfekt | Lena wird übernommen. |
| **Präteritum** | „wurde" + Partizip Perfekt | Lena wurde übernommen. |
| **Perfekt** | „ist" + Partizip Perfekt + „worden" | Lena ist übernommen worden. |
| **Plusquamperfekt** | „war" + Partizip Perfekt + „worden" | Lena war übernommen worden. |
| **Futur I** | „wird" + Partizip Perfekt + „werden" | Lena wird übernommen werden. |

| Zeit | Bildung: Passiv mit Modalverben | Beispiel |
|------|--------------------------------|----------|
| **Präsens** | Modalverb im Präsens + Infinitiv Passiv | Silke kann / konnte übernommen werden. |
| **Präteritum** | Modalverb im Präteritum + Infinitiv Passiv | |
| **Perfekt** | „haben" im Präsens + Infinitiv Passiv + Infinitiv vom Modalverb | Silke hat / hatte übernommen werden können. |
| **Plusquamperfekt** | „haben" im Präteritum + Infinitiv Passiv + Infinitiv vom Modalverb | |

**Das „Agens" im Passiv**

- Das „Agens" ist eine Person oder Sache, von der etwas getan oder verursacht wird.
- Es wird in der Regel mit „von" + Dativ angegeben.
  z.B. Die Nachricht wurde mir von Max überbracht.
- Bei nicht willentlich herbeigeführten Umständen oder wenn das Agens nur „als Vermittler" auftritt, verwendet man auch „durch" + Akkusativ.
  z.B. Wir wurden durch den Streik aufgehalten.
      Der Angestellte wurde vom Chef durch dessen Sekretärin informiert.

**Passiv ohne Subjekt (= unpersönliches Passiv)**

- Für allgemeine Aussagen, Regeln gebraucht man das Passiv ohne Subjekt.
- „Es" kann auf Position 1 als Platzhalter für das Subjekt stehen. Wenn eine Angabe oder Ergänzung auf Position 1 steht, ist kein „es" notwendig.
  z.B. Man darf im Büro nicht rauchen. → Es darf im Büro nicht geraucht werden. / Im Büro darf nicht geraucht werden.

**„sein"-Passiv (= Zustandspassiv)**

- Das Passiv mit „sein" beschreibt das Ergebnis eines Vorgangs oder einen Zustand.
  z.B. Sarah wurde drei Monate lang eingearbeitet. → Nun ist sie gut eingearbeitet.

**G 4.8** **2** **Passiversatzformen**

Passivsätze mit „können" und „müssen" kann man auch durch Passiversatzformen ersetzen.

z.B. Das Projekt kann in zwei Monaten realisiert werden.    Das Projekt muss in fünf Monaten realisiert werden!
  → Das Projekt ist in zwei Monaten zu realisieren.      → Das Projekt ist in fünf Monaten zu realisieren!
  → Das Projekt lässt sich in zwei Monaten realisieren.
  → Das Projekt ist in zwei Monaten realisierbar.

# A Streiten oder kooperieren?

## ❶ Wenn zwei sich streiten ...

Notieren Sie die Nomen zu den Adjektiven im Lehrbuch 6 A, 1a, notieren Sie auch den Artikel.
Zu einem Adjektiv kann man kein Nomen bilden.

*die Selbstkritik, ...*

## ❷ Welche Adjektive haben eine ähnliche Bedeutung?

Ordnen Sie die Adjektive in die Tabelle ein. Benutzen Sie ggf. ein einsprachiges Wörterbuch.

mitfühlend | dickköpfig | aggressiv | entgegenkommend | taktlos | stur | herausfordernd | provokant | tolerant | flegelhaft | streitlustig | einsichtig | eigensinnig | nachsichtig | frech | uneinsichtig

| verständnisvoll | unhöflich | rechthaberisch | streitsüchtig |
|---|---|---|---|
| *mitfühlend, ...* | | | |

## ❸ Redewendungen

Da stimmt etwas nicht. Korrigieren Sie die Redemittel.

1. Warum gehst du immer gleich in den Wind? *Warum gehst du immer gleich in die Luft?*
2. Das bringt mich echt auf die Tanne!
3. Da ist mir der Kragen aufgegangen.
4. Da ist er einfach geplatzt.
5. Da hat sie vor Wut gebacken.
6. Bist du säuerlich auf mich?

## ❹ Mehr oder weniger verständnisvoll reagieren

Wie reagieren Sie? Ordnen Sie die Redemittel in eine Tabelle wie unten ein.

~~Das glaube ich einfach nicht.~~ | Da findet sich bestimmt eine Lösung. | Ich mache Ihnen / dir keine Vorwürfe, aber ... | Das kann man jetzt sowieso nicht mehr ändern. | Das macht wirklich nichts. | Das ist doch nicht so schlimm! | Das kann / darf doch nicht wahr sein! | Halb so schlimm. | Reiß dich zusammen! | Reg dich doch nicht so auf! | Ist schon in Ordnung. | Jetzt ist es sowieso zu spät! | So etwas kann jedem passieren. | Ich würde Ihnen / dir wirklich gern helfen. | Das nervt unglaublich. | Kopf hoch! Wir finden einen Weg.

| wenig verständnisvoll | ziemlich verständnisvoll | sehr verständnisvoll |
|---|---|---|
| *Das glaube ich einfach nicht!, ...* | | |

# B Konfrontation oder Verständigung?

## 1 Wenn die Fetzen fliegen

GI / telc **a** Lesen Sie den Kommentar im Lehrbuch 6 B, 1b, noch einmal.
Welche Antwort passt: a, b oder c? Belegen Sie sie durch eine Textstelle.

**Zeile(n)**

1. Was machen Menschen meistens, um einen Streit zu beenden?

   *13 – 15*

  a Sie gehen vor Gericht.

  ☒ Beide Parteien geben etwas nach.

  c Sie streiten so lange, bis sie Recht bekommen.

2. Warum kommt es häufig bei besonderen Ereignissen zu Streitereien?

  a Die Beteiligten geben sich da weniger Mühe.

  b Alle gehen zu harmonisch miteinander um.

  c Die hohen Erwartungen der Beteiligten werden enttäuscht.

3. Welchen positiven Aspekt kann eine Auseinandersetzung haben?

  a Man lernt, mit Stress umzugehen.

  b Man erfährt Neues über sich selbst.

  c Man sagt einander endlich die Wahrheit.

4. Warum zwingt man sich bei Streitigkeiten dazu, Entscheidungen besonders sorgfältig zu durchdenken?

  a Um nicht das Gesicht zu verlieren.

  b Um nicht zu verlieren.

  c Um kreativere Lösungen zu finden.

5. Welchen Tipp gibt der Psychologe für einen guten Streit?

  a Eine gute Atmosphäre schaffen und so dem Gegenspieler geschickt die Schuld zuweisen.

  b Darauf achten, dass man sich gut ausdrückt.

  c Den Gesprächspartner über die eigenen Bedürfnisse informieren.

**b** Wie heißen die Präpositionen zu den Verben aus dem Kommentar im Lehrbuch 6 B, 1b? Ergänzen Sie auch den Kasus.

1. hervorgehen *aus* + *D*
2. klagen ........... einem Gericht
3. etw. verbinden ........... + ...........
4. geeignet sein ........... + ...........
5. sich etw. erhoffen ........... + ...........
6. sich blamieren ........... jemandem
7. sich / jemanden zwingen ........... + ...........
8. achten ........... + ...........
9. beitragen ........... + ...........
10. verzichten ........... + ...........

**c** Schreiben Sie einen Beispielsatz mit jedem Verb in 1b und überprüfen Sie Ihre Sätze zusammen mit einem Partner / einer Partnerin.

**d** Nomen-Verb-Verbindungen. Welche Verben fehlen hier? Ergänzen Sie sie.

> bieten | ~~erzeugen~~ | finden | geben | legen | schaffen | schließen | übernehmen

1. Druck *erzeugen*
2. einen Kompromiss ...........
3. eine Rolle ...........
4. eine positive Atmosphäre ...........
5. eine Chance ...........
6. etw. auf Eis ...........
7. jdm. die Schuld ...........
8. eine Lösung ...........

## 2 Texte schreiben – Verweisformen und Textzusammenhang

a Lesen Sie zuerst den Tipp. Sehen Sie sich dann die Aufgabe 2a im Lehrbuch 6B noch einmal an. Sind die Verweisformen dort rückverweisend oder vowärtsverweisend?

**Verweisformen**

Verweisformen dienen der Textkohärenz, d.h., durch sie werden bestimmte Textteile miteinander verknüpft. Dadurch entsteht hauptsächlich der Textzusammenhang. Verweisformen sind z.B. Pronomen, Konnektoren, Verbindungsadverbien oder sich wiederholende Ausdrücke. Sie können sein:

* **rückverweisend** (häufiger), z.B.: Lukas ist streitsüchtig. **Er** hat immer Konflikte. **Das** ist sehr unangenehm und **deshalb** hat **er** auch nicht viele Freunde und ist oft unglücklich. **Sein Unglück** bringt **ihn** vielleicht dazu, **sich** zu ändern. **Darauf** hoffen alle.

* **vorwärtsverweisend** (seltener), z.B.: **Eins** hatten wir lange nicht gewusst und erst sehr spät erfahren: Er war sehr schwer krank. Wir waren traurig **darüber**, dass er nichts gesagt hatte. **Weil** er schwieg, konnten wir ihm nicht helfen. **Es** war schlimm, nichts tun zu können.

b Lesen Sie den folgenden Text aus einem Ratgeber und ergänzen Sie die Verweisformen an der passenden Stelle.

aber | da | daher | dazu | denn | die | die | dies | ~~eins~~ | ihre | Streit

**Streiten warum und wie?**

[1] *Eins* sollte man nicht vergessen: In jedem Streit liegt eine Chance. [2] _____ durch Konflikte,

[3] _____ erfolgreich gelöst werden, entwickeln sich die Beteiligten weiter. [4] _____ sollten Streitigkeiten

nicht nur negativ bewertet werden. [5] _____ positive Seite ist, dass sie, wenn sie konstruktiv bewältigt werden,

die Beziehung eher stärken als schwächen. Wie nun streiten? Bei jedem [6] _____ sollte man versuchen, sich in die

Situation des anderen hineinzuversetzen. [7] _____ man sich unter Umständen angegriffen fühlt, fällt

[8] _____ manchmal schwer. Denn aufgrund der Emotionslage neigt man eher [9] _____, sich zu verteidigen.

[10] _____ nur das gegenseitige Verständnis kann helfen, eine gemeinsame Lösung zu finden, [11] _____

für beide Teile akzeptabel ist.

c Lesen Sie den Text in 2b noch einmal und markieren Sie die Textteile, auf die sich die Verweisformen beziehen.

### 3 Texte schreiben – Standpunkte abwägen und persönliche Meinung ausdrücken

a Ordnen Sie die Redemittel zur Gliederung einer Stellungnahme in eine Tabelle wie unten ein.

~~Meiner Ansicht nach …, denn …~~ | Wenn von … die Rede ist, wird dies oft positiv / negativ bewertet. | Viele bewerten … als positiv / negativ, denn … | Was spricht nun dafür / dagegen, … zu … | Häufig wird … positiv / negativ dargestellt, weil … | Auf der einen / anderen Seite … | Ich stehe auf dem Standpunkt, dass …, weil … | Für / Gegen … kann man anführen, dass …

| Einleitung | Hauptteil: Argumente für / gegen | Schluss / Persönliche Meinung |
|---|---|---|
| | | *Meiner Ansicht nach …, denn …* |

b Formulieren Sie Sätze mit einigen Redemitteln aus 3a.

*Meiner Ansicht nach sollte man sich auch streiten, denn dann werden Konflikte angesprochen.*

c Tauschen Sie Ihren Text, den Sie im Lehrbuch 6B, 3, geschrieben haben, mit einem Partner / einer Partnerin und achten Sie auf die Gliederung und die Verweisformen: Ist die Gliederung klar? Sind die Textteile gut verknüpft?

# C Streit um jeden Preis

## 1 Richtig schreiben – Fehler finden und korrigieren

a   Überlegen Sie, welche Fehler Sie am häufigsten beim Schreiben machen.
Schauen Sie sich dafür auch Texte an, die Sie in letzter Zeit geschrieben
haben und die Ihr Kursleiter / Ihre Kursleiterin korrigiert hat.
Machen Sie Stichpunkte.

b   Lesen Sie die Tipps und ordnen Sie Ihre Fehler den Kategorien in der Checkliste zu.

- Markieren Sie die Fehler in Ihrem Text je nach Kategorie (vgl. Checkliste unten) mit verschiedenen Farben und / oder
  notieren Sie am Rand die Kürzel, dann haben Sie einen Überblick, welche Fehler am häufigsten sind.

- Bitten Sie ggf. auch Ihren Kursleiter / Ihre Kursleiterin, beim Korrigieren die Fehler mit den Kürzeln in der Checkliste zu
  kennzeichnen bzw. Ihre Checkliste zu verwenden.

- Falls Sie den Text mit einem PC schreiben, achten Sie darauf, welche Wörter die Fehlerkorrektur des Programms als
  falsch anzeigt, und machen Sie sich bewusst, zu welcher Kategorie die Fehler gehören.

### Meine Fehler – Checkliste

| Kategorie | Kürzel | Fehleranzahl |
| --- | --- | --- |
| Satzbau: Stellung der Verben in Haupt- und Nebensatz, Stellung der Ergänzungen und Angaben | SB | |
| Satzzusammenhang: Pronomen, Konnektoren, Präpositionen | SZ | |
| Deklination: Kasus, Artikel, Pluralform | D | |
| Konjugation: Personalendung, Zeitform, Modus | K | |
| Rechtschreibung: Groß- und Kleinschreibung, Getrennt- und Zusammenschreibung, Buchstabendreher | R | |
| Wortschatz: Wortwahl, Stilebene, Wiederholungen | WS | |
| Zeichensetzung: Komma, Punkt, Anführungszeichen bei Zitaten etc. | Z | |

c   Korrigieren Sie im folgenden Text weitere 14 Fehler und zwei unnötige Wiederholungen mithilfe der Checkliste in 1b.

| | |
| --- | --- |
| Frau Wald, Mutter von drei kleine_n_ Kindern, arbeitet zu Hause, weil sie ~~ist~~ | _Z, D, SB_ |
| Übersetzerin. Sein Nachbar, Herr May, baut schon seit ein Jahr seine Wonung | .................... |
| um und Herr May arbeitet sogar an der Nacht. Frau Wald hat schon mehrfach | .................... |
| versucht, mit ihm sprechen aber vergeblich. Weil sie inzwischen ein schlechter | .................... |
| Verhältnis haben, sie will es Heute noch einmal versuchen. Frau Wald hofft, das | .................... |
| sie Glück hat und alles wieder Gut wird. Frau Wald ist optimistisch und sagt: | .................... |
| „es kann nur besser wird" | .................... |

### 2 Kommentare – Redemittel

a Bilden Sie Sätze aus den folgenden Elementen. Achten Sie auch auf die Satzzeichen.

1. gehen um – Gespräch – in – Folgendes: …
2. meiner Ansicht nach – sein – Argumente – von Frau X – besser – insgesamt – weil …
3. Situation – sich lassen – folgendermaßen – bewerten – zusammenfassend
4. Frau X – der Meinung sein – dass …
5. Herr Y – argumentieren – aber – dass …
6. Artikel – in – gehen – darum – dass …
7. halten für – ich – dieses Argument – besser als – das – von Herrn Y – weil …
8. Herr Y – anführen – dass …
9. Frau X – deshalb – sein – im Recht – meines Erachtens
10. Argument – mehr – überzeugen – von Herrn Y – mich – denn …
11. Frau X – … positiv / negativ – bewerten – weil …
12. Bericht – in – Thema „Nachbarschaftshilfe" – Stellung nehmen zu – Menschen
13. der Argumentation – folgen – eher – von Herrn Y – ich – können – weil …
14. wäre – sicher – gut – es – also – wenn …

b Ordnen Sie die Sätze aus 2a den drei Kategorien „Einleitung" (E), „Hauptteil" (H) und „Schluss" (S) zu.

*1. In dem Gespräch geht es um Folgendes: … (E)*

### 3 Wie wichtig ist Nachbarschaftshilfe heutzutage? – Einige Stellungnahmen

a Unterstreichen Sie die unterschiedlichen Meinungen und Argumente und ordnen Sie sie dann in die linke Spalte des „Kommentar-Baukastens" auf der nächsten Seite ein. Am besten zeichnen Sie sich dafür einen eigenen Kommentar-Baukasten auf ein Blatt Papier.

---

**Nachbarschaftshilfe heute**

*Jan Börner, Kiel:*
Nachbarschaftshilfe ist heute auch nichts anderes als früher. Kleine Gefälligkeiten: Schlüssel austauschen, sich gegenseitig informieren, wenn man in Urlaub fährt, und gewisse Aufgaben während der Abwesenheit der Nachbarn übernehmen, wie z. B. das Entleeren des Briefkastens oder das Hochfahren von Rollläden. Dem Nachbarn zu helfen, ist eine soziale Verpflichtung und für mich eine Selbstverständlichkeit.

*Ida Schnarrenberger, Hamburg:*
Aus eigenen schlechten Erfahrungen kann ich nur betonen: Echte Nachbarschaftshilfe gibt es nicht. Ich vertraue niemandem außer der Polizei, der Videokamera vor der Eingangstür und dem Wachdienst, der täglich mehrmals durchs Viertel geht und alle Auffälligkeiten (fremde Autos, Menschen etc.) der Polizei meldet. Meist steckt hinter Hilfsangeboten nur Neugier oder heutzutage sogar noch Schlimmeres.

*Knuth Wampe, Lüneburg:*
Warum sollte man sich von den Nachbarn abhängig machen? Deshalb habe ich z. B. keine Blumen. Kleine Hilfestellungen, wie den Briefkasten leeren oder jemandem einen Schlüssel geben, falls mal ein Wasserrohrbruch wäre, würde ich noch akzeptieren. Aber für alle anderen Dienstleistungen sollte man jemanden bezahlen und nicht den Nachbarn zur Last fallen, besonders heute nicht, wo jeder genug zu tun hat. „Leben und leben lassen", das ist mein Motto.

---

**Kommentar-Baukasten:**

| Informationen aus den Stellungnahmen | Redemittel |
|---|---|
| Worum geht es in dem Text? ⟨...⟩ | Einleitung: ⟨...⟩ |
| Welche Meinungen / Argumente / Ideen gibt es dort dafür? Welche positiven Aspekte? ⟨...⟩ | Hauptteil: ⟨...⟩ |
| Welche Meinungen / Argumente / Ideen gibt es dort dagegen? Welche negativen Aspekte? ⟨...⟩ | ⟨...⟩ |
| Welches Fazit ziehen Sie? Was ist Ihre persönliche Meinung dazu? Welche Lösung könnten Sie sich ggf. vorstellen? ⟨...⟩ | Schluss: ⟨...⟩ |

b   Ergänzen Sie die rechte Spalte des Baukastens, indem Sie die Redemittel aus Übung 2 einfügen, die Sie für einen Kommentar benutzen wollen.

c   Schreiben Sie nun einen kurzen Kommentar zum Thema „Nachbarschaftshilfe". Vergleichen Sie dann Ihren Text mit dem eines Partners / einer Partnerin und korrigieren Sie ihn mithilfe der Checkliste in 1b.

d   Korrigieren Sie nun den Text Ihres Partners / Ihrer Partnerin aus Lehrbuch 6C, 1d, mithilfe der Checkliste in 1b. Überprüfen Sie zudem, ob der Text klar gegliedert ist. Der Textbaukasten in 3b hilft Ihnen dabei.

G 3.7, 4.10  **4  Wie ist / war das in der Realität?**

a   Formen wiederholen: Lesen Sie den Tipp und ergänzen Sie die Konjunktiv-II-Formen.

| Präteritum | Konj. II Aktiv Gegenwart | Präteritum | Konj. II Aktiv Gegenwart |
|---|---|---|---|
| 1. du kamst | du käm(e)st | 6. ihr konntet | |
| 2. er ging | | 7. sie wollten | |
| 3. ich fuhr | | 8. es sollte | |
| 4. wir wurden | | 9. es musste | |
| 5. sie gab | | 10. Sie brachten | |

**Konjunktiv II Aktiv Gegenwart:**
• Verbstamm vom Präteritum + -e, -(e)st, -e, -en, -et, -en
• a, o, u: meist Umlaut; Ausnahmen: sollen, wollen → kein Umlaut

b   Vergleichen Sie die Formen des Indikativs Präteritum und die Konjunktiv-II-Formen der schwachen Verben und ergänzen Sie die Regel.

Präteritum: er machte, sie sagte → Konjunktiv II: er machte, sie sagte. Da die Formen gleich sind, verwendet man die Ersatzform mit „würde": er würde machen , sie ⟨...⟩.

c   Lesen Sie zuerst den Tipp und dann die irrealen Bedingungssätze. Notieren Sie,
    wie es in der Realität ist. Achten Sie dabei auf die markierten Wörter.

1.   Wenn Frau Walds Kinder schon groß wären, würden sie weniger Krach machen.

2.   Hätte Frau Wald weniger Übersetzungen, wäre sie nicht so stark unter Druck.

3.   Wenn Herr May gut verdienen würde, müsste er nicht zusätzlich arbeiten.

4.   Könnte Frau Wald eine bezahlbare Wohnung finden, würde sie umziehen.

*1. Frau Walds Kinder sind noch klein / nicht groß, deshalb machen sie viel Krach.*

> **irreal ⟷ real: Was ändert sich?**
> - schon ⟷ noch (nicht)
> - ein ⟷ kein
> - – ⟷ nicht
> - viel / mehr ⟷ wenig(er)
> - noch ⟷ nicht ... mehr / kein ... mehr
> - erst ⟷ schon
> - sehr ⟷ nicht so

○ G 3.7 **5   Vom Realen zum Irrealen**

a   Formulieren Sie irreale Bedingungssätze im Passiv. Beginnen Sie mit und ohne
    „wenn" und achten Sie auf die markierten Wörter.

1.   Die Firma wird nicht verkauft, deshalb hat Herr May noch Hoffnung.

2.   Seine Möbel werden sehr oft bestellt, darum macht er keine Werbung.

3.   Seine Arbeit wird sehr gelobt, deshalb bekommt er viele neue Aufträge.

4.   Die Rechnungen werden erst spät bezahlt, daher ist sein Leben nicht einfach.

*1. Wenn die Firma verkauft würde, hätte Herr May keine Hoffnung mehr. / Würde die Firma ...*

> **Konjunktiv II Passiv Gegenwart**
>
> würde + Partizip Perfekt, z. B. Wenn das gemacht würde, wäre ich froh. / Würde das gemacht, wäre ich froh.

b   Formulieren Sie Sätze im Konjunktiv II der Vergangenheit. Beginnen Sie mit und ohne „wenn".

1.   Frau Wald hatte schon oft mit Herrn May gesprochen, darum hatte sie keine Geduld mehr.

2.   Herr May hat sehr viel Lärm gemacht, darum ist es zu Konflikten gekommen.

3.   Die Nachbarn beschwerten sich nicht. Das war keine große Hilfe für Frau Wald.

4.   Herr May hatte keine Werkstatt, deshalb ist es zu den Problemen gekommen.

*1. Wenn Frau Wald noch nicht so oft mit Herrn May gesprochen hätte, hätte sie noch Geduld gehabt. / Hätte Frau W. ...*

c   Formulieren Sie die irrealen Bedingungssätze in 5a in der Vergangenheit. Beginnen Sie mit und ohne „wenn".

*1. Wenn die Firma verkauft worden wäre, hätte Herr May keine Hoffnung mehr gehabt. / Wäre die Firma ...*

○ G 4.10 **6   Das hätte man tun sollen – Konjunktiv II Vergangenheit mit Modalverben**

a   Lesen Sie die zwei Sätze. Wie bildet man den Konjunktiv II Aktiv und Passiv mit Modalverben in der Vergangenheit?

Herr May hätte nicht so viel Lärm machen sollen. Und Frau Wald hätte beruhigt werden müssen.

> - Aktiv: Konjunktiv II von „haben" + ........................ des Vollverbs + Infinitiv des Modalverbs.
> - Passiv: Konjunktiv II von „haben" + ........................ des Vollverbs + „werden" + ........................ des Modalverbs.

b   Ergänzen Sie in den Bedingungssätzen die passenden Verbformen.

> aufheben | führen | arbeiten | müssen

1.   *Hätte* ........................ die Firma die Kurzarbeit nicht ........................ können, hätte Herr May

weiter abends ........................ ........................ .

2.   ........................ ein Prozess ........................ ........................ müssen, wäre es für

einen der beiden Nachbarn teuer geworden.

**c** Sehen Sie sich die Tabelle an und ergänzen Sie die Regeln.

| | Indikativ Vergangenheit Aktiv | Konjunktiv II Vergangenheit Aktiv |
|---|---|---|
| **Prät.** | Die Firma konnte die Kurzarbeit aufheben. | Wenn die Firma die Kurzarbeit nicht hätte aufheben können, … / |
| **Perf.** | Die Firma hat die Kurzarbeit aufheben können. | |
| **Plusq.** | Die Firma hatte die Kurzarbeit aufheben können. | Hätte die Firma die Kurzarbeit nicht aufheben können, … |
| | **Indikativ Vergangenheit Passiv** | **Konjunktiv II Vergangenheit Passiv** |
| **Prät.** | Es musste kein Prozess geführt werden. | Wenn ein Prozess hätte geführt werden müssen, … / |
| **Perf.** | Es hat kein Prozess geführt werden müssen. | |
| **Plusq.** | Es hatte kein Prozess geführt werden müssen. | Hätte ein Prozess geführt werden müssen, … |

1. Den drei Zeitformen in der Vergangenheit im Indikativ entspricht jeweils nur ........................ Form im Konjunktiv.

2. Man kann die irrealen Bedingungssätze mit oder ........................ „wenn" formulieren. Bei den Sätzen mit „wenn" steht „hätte" nicht am Satzende, sondern ........................ allen anderen Verben.

**d** Formulieren Sie die Sätze ohne Konnektoren. Beginnen Sie dabei mit dem konjugierten Verbteil.

1. Falls Herrn May hätte gekündigt werden müssen, hätte er sich selbstständig machen können.
   *Hätte Herrn May gekündigt werden müssen, hätte er sich selbstständig machen können.*

> **Tipp**
> Außer „wenn" können auch „falls" und „sofern" Bedingungssätze einleiten.

2. Sofern er das hätte machen wollen, hätte er einen Kredit aufnehmen müssen.

   ....................................................................................................................................

3. Falls er den Kredit hätte bekommen können, wäre er ein hohes Risiko eingegangen.

   ....................................................................................................................................

4. Sofern Herr May seine Situation hätte ändern können, hätte er das sicher getan.

   ....................................................................................................................................

○ G 4.10 **7 Ratschläge – Was könnten / sollten Sie tun? Was hätten Sie tun können / sollen?**

**a** Geben Sie Herrn May Ratschläge.

1. (sich einen neuen Job suchen) *Sie sollten sich einen neuen Job suchen. / An Ihrer Stelle würde ich mir einen neuen Job suchen. / Wie wäre es, wenn Sie sich einen neuen Job suchen würden?*

2. (umziehen) ...........................................................................................................

   ....................................................................................................................................

3. (eine Werkstatt im Keller einrichten) .....................................................................

   ....................................................................................................................................

4. (abends nicht so lange arbeiten) ............................................................................

   ....................................................................................................................................

**b** Hinterher weiß man alles besser! – Formulieren Sie die Ratschläge aus 7a in der Vergangenheit.

*1. Sie hätten sich einen neuen Job suchen sollen. / An Ihrer Stelle hätte ich mir einen neuen Job gesucht. / Wäre es nicht besser gewesen, wenn Sie sich einen neuen Job gesucht hätten?*

⊙ G 4.10 **8** Das hätte ich so nicht erwartet

Formulieren Sie irreale Annahmen über Gegenwärtiges und Vergangenes.

1. Die Geschichte ist wahr. *Ich dachte, die Geschichte wäre nicht wahr / wäre gelogen.*

2. Sie haben den Streit beendet. *Ich habe angenommen, sie hätten den Streit nicht beendet.*

3. Sie sind Freunde geworden. _____

4. Sie heiraten. _____

5. Ihre Wohnung ist umgebaut worden. _____

6. Herr May ist sehr erfolgreich geworden. _____

7. Sie sind sehr glücklich. _____

> **Passiv Perfekt**
> Partizip Perfekt + „worden", z. B. Die Wohnung ist umgebaut worden.
> **Perfekt des Vollverbs „werden":** „geworden", z. B. Sie sind glücklich geworden.

⊙ G 4.10 **9** Höfliche Bitten

Formulieren Sie höfliche Bitten.

1. Helfen Sie mir bitte!
2. Zeigen Sie mir bitte das Kino auf der Karte!
3. Wiederholen Sie das bitte noch einmal!
4. Erklären Sie mir das bitte!
5. Können Sie das Fenster schließen?
6. Haben Sie einen Stift für mich?
7. Rufen Sie mich an?
8. Darf ich Ihre Telefonnummer weitergeben?

*1. Entschuldigung, würden Sie mir bitte helfen? / Könnten Sie mir bitte helfen? / Wären Sie so nett, mir zu helfen?*

# D Verhandeln statt streiten

**1** Konflikte am Arbeitsplatz

Was bedeuten folgende Ausdrücke aus dem Zeitungskommentar im Lehrbuch 6 D, 1b? Ordnen Sie zu.

| | | |
|---|---|---|
| 1. sich abspielen | A. jdm. nicht helfen | 1. [G] |
| 2. etw. an sich reißen | B. bei jdm. besonders gut dastehen wollen | 2. [ ] |
| 3. bei jdm. glänzen wollen | C. versuchen, etwas zu klären | 3. [ ] |
| 4. sich trauen | D. jeder besteht noch mehr auf seiner Position | 4. [ ] |
| 5. jdn. im Stich lassen | E. etw. in seinen Besitz / unter seine Kontrolle bringen | 5. [ ] |
| 6. die Fronten verhärten sich | F. Mut haben | 6. [ ] |
| 7. einer Sache auf den Grund gehen | G. sich ereignen | 7. [ ] |

**2** Lösungen aushandeln

Ergänzen Sie passende Redemittel aus Aufgabe 2d im Lehrbuch 6 D. Es gibt oft mehrere Möglichkeiten.

Hr. Braun: Entschuldigen Sie, Herr Mohn, können wir kurz über eine Sache sprechen?

Hr. Mohn: Ja, sicher. Worum geht es denn?

Hr. Braun: [1] *Ich sehe nicht ein* _____, dass Sie immer schon um 15.30 Uhr gehen und ich Ihre Anrufe entgegennehmen muss.

Hr. Mohn: Tut mir leid! Aber [2a] _____ später gehen, [2b] _____ ich habe zu Hause noch viel zu tun. Außerdem komme ich schon um 7.00 Uhr und Sie erst um 9.00 Uhr.

Hr. Braun: [3] _____. Deshalb [4] _____: Sie gehen erst um 16.00 Uhr und ich komme schon um 8.30 Uhr?

Hr. Mohn: [5] .............................. . Ich muss meine Tochter nämlich schon um 16.00 Uhr abholen.

Aber [6] .............................. : Ich gehe zwei Tage später und komme dafür auch später?
Dann holt meine Frau die Kleine ab und ich kümmere mich morgens um sie.

Hr. Braun: [7] .............................. . [8] .............................. : Am Montag und am Mittwoch komme ich um
7.30 Uhr und Sie bleiben bis 18.00 Uhr.

Hr. Mohn: [9] .............................. .

Hr. Braun: [10] .............................. .

# E Gemeinsam sind wir stark

G 4.10 **1 Wenn ich doch fliegen könnte!**

Welche Wünsche haben die Tiere? Schreiben Sie ihre Gedanken auf und verwenden Sie dabei irreale
Wunsch- und Bedingungssätze.

1. Lunge – an Land leben: *Wenn ich doch an Land leben könnte! / Könnte ich doch nur an Land leben! /*
*Wenn ich eine Lunge hätte, könnte ich an Land leben. / Hätte ich eine Lunge, könnte ich an Land leben.*

2. Flügel – fliegen: .....................................................................................................................
.........................................................................................................................................

3. Arme – Obst pflücken: ...............................................................................................................
.........................................................................................................................................

4. Stimme – singen: .....................................................................................................................
.........................................................................................................................................

5. Beine – laufen: .......................................................................................................................
.........................................................................................................................................

6. Flossen – schwimmen: ..............................................................................................................
.........................................................................................................................................

G 3.13 **2 Sie benehmen sich, als wären sie . . . / Er tut so, als ob . . .**
**Irreale Vergleichssätze**

a Formulieren Sie irreale Vergleichssätze mit „als".

1. (ein Ungeheuer sein) Der Esel tat so, *als wäre er ein Ungeheuer.* .................................................

2. (eine Hexe mit langen Krallen sein) Die Katze benahm sich so, ...................................................... .

3. (ein scharfes Messer haben) Der Hund tat so, ........................................................................... .

4. (ein Rennen gewinnen wollen) Die Räuber flüchteten so schnell, ..................................................... .

5. (schon immer in dem Haus gewohnt haben) Die Tiere fühlten sich, ................................................... .

6. (für ihr arbeitsreiches Leben belohnt worden sein) Es scheint so, ................................................... .

7. (wirklich passiert sein) Die Leute erzählen die Geschichte, ........................................................... .

8. (eine ähnliche Geschichte schon einmal gehört haben) Mir ist, ....................................................... .

b Formulieren Sie die irrealen Vergleichssätze in 2a mit „als ob".

*1. Der Esel tat so, als ob er ein Ungeheuer wäre.*
.........................................................................................................................................

# F Pro und Contra

## 🔑 ① Checkliste: Wie schreibe ich eine Erörterung?

Notieren Sie die Tipps stichpunktartig in einer logischen Reihenfolge. Orientieren Sie sich an ihnen bei der Erstellung Ihrer Erörterung. Sehen Sie sich zudem noch einmal die Übungen 2 und 3 im Arbeitsbuch 6 B und die Übungen 1 bis 3 im Arbeitsbuch 6 C an.

- Erstellen Sie dann eine Gliederung (Einleitung, Hauptteil mit Pro- und Contra-Argumenten bzw. Contra- und Pro-Argumenten, Schluss) und ordnen Sie dabei die Argumente nach ihrer Wichtigkeit.
- ~~Erfassen Sie das Thema. Worum geht es?~~
- Machen Sie eine Stoffsammlung und sammeln Sie Pro- und Contra-Argumente in einer Tabelle. Überlegen Sie sich auch Begründungen für jedes Argument sowie Beispiele zur Veranschaulichung.
- Anschließend legen Sie die Argumente für Ihren Standpunkt (pro oder contra) dar, bekräftigen ihn mit triftigen Begründungen und veranschaulichen ihn anhand von Beispielen.
- Schreiben Sie eine Einleitung, die allgemeine Aussagen (Definition, Zahlenmaterial, ein Zitat etc.) zum Thema enthalten sollte. Die Problematik sollte in Frageform wiederholt werden.
- Im Schlussteil geben Sie ein persönliches Urteil über den Sachverhalt ab, indem Sie Ihre wichtigsten Argumente noch einmal kurz zusammenfassen.
- Im Hauptteil stellen Sie zunächst die Argumente der Position (pro oder contra) dar, die Sie selbst nicht vertreten. Dabei sollten Sie mindestens drei wichtige Argumente aufführen, diese durch Begründungen bekräftigen und mit Beispielen illustrieren.
- Lesen Sie Ihre Erörterung noch einmal durch. Die Checkliste im Arbeitsbuch 6 C, 1b, kann beim Korrigieren helfen.
- Dabei sollten Sie auch auf die Argumente der Gegenposition eingehen und diese mithilfe Ihrer Argumente und Begründungen entkräften. (Wenn Sie die Pro- und Contra-Argumente abwechselnd aufführen, wird der Text neutraler. Wollen Sie den Leser von Ihrer Position überzeugen, gehen Sie wie oben beschrieben vor.)

*1. Das Thema erfassen: Worum geht es?*

# Aussprache

## ① pkt und bgd

 **a** Welches Wort hören Sie? Markieren Sie.

**1. p oder b:**
Pille – Bille
Paar – Bar
Pier – Bier
Oper – Ober
Gepäck – Gebäck
Raupen – rauben

**2. k oder g:**
Kern – gern
Kreis – Greis
Kuss – Guss
Ecke – Egge
decken – Degen
lecken – legen

**3. t oder d:**
Tank – Dank
Tipp – Dip
Tier – dir
Weite – Weide
Marter – Marder
entern – ändern

**b** Hören Sie die Wortgruppen und sprechen Sie sie nach.

1. bittere Pille – glücklicher Kuss – didaktischer Tipp
2. biederes Paar – ganzer Kern – doppelter Tank
3. passables Bier – kranker Greis – tausend Dank
4. pompöse Bar – kompletter Guss – teurer Dip

# Grammatik: Das Wichtigste auf einen Blick

**G 3.7, 4.10** **1** **Irreale Bedingungssätze – Gegenwart / Vergangenheit**

- Irreale Bedingungssätze (irreale Konditionalsätze) drücken aus, dass der Sprecher seine Aussage nicht als eine Aussage über etwas Reales sieht, sondern sich die Umstände nur vorstellt, d. h. auch, dass die Bedingung im Nebensatz nicht erfüllt ist. Das bedeutet: Die Folge wird nicht oder nur vielleicht realisiert.

- In Irrealen Bedingungssätzen steht das Verb im Haupt- und Nebensatz im Konjunktiv II.

- Der Nebensatz wird z. B. mit **wenn**, **falls** oder **sofern** eingeleitet. Er kann vor oder nach dem Hauptsatz stehen.
  z. B. Wenn es keine Kurzarbeit gäbe, müsste Herr May nicht zu Hause arbeiten.
  z. B. Herr May müsste nicht zu Hause arbeiten, wenn es keine Kurzarbeit gäbe.

- Irreale Bedingungssätze kann man auch ohne Nebensatzkonnektor (z. B. „wenn", „falls", „sofern") bilden. Der Nebensatz steht dann vor dem Hauptsatz und das Verb im Nebensatz steht auf Position 1.
  z. B. Gäbe es keine Kurzarbeit, müsste Herr May nicht zu Hause arbeiten.

**Irreale Bedingungssätze der Vergangenheit**

- **Aktiv:** Konjunktiv II von „haben" oder „sein" + Partizip Perfekt.
  z. B. Wenn die Nachbarn ihren Streit nicht beendet hätten, wäre es zum Prozess gekommen.

- **Passiv:** Konjunktiv II von „sein" + Partizip Perfekt + „worden".
  z. B. Wenn ein Prozess geführt worden wäre, hätte sich das Verhältnis der Nachbarn noch mehr verschlechtert.

**Konjunktiv II der Vergangenheit mit Modalverben**

- **Aktiv:** Konjunktiv II von „haben" + Infinitiv des Vollverbs + Infinitiv des Modalverbs.
  z. B. Herr May hätte nicht so viel Lärm machen sollen.

- **Passiv:** Konjunktiv II von „haben" + Partizip Perfekt des Vollverbs + „werden" (= Infinitiv Passiv) + Infinitiv des Modalverbs.
  z. B. Frau Wald hätte beruhigt werden müssen.

- In Nebensätzen mit Nebensatzkonnektor steht „hätte" nicht am Satzende, sondern vor den anderen Verben.
  z. B. Für Herrn May wäre es schlimm gewesen, wenn seine Firma die Kurzarbeit nicht hätte beenden können.
  z. B. Falls ihm hätte gekündigt werden müssen, hätte er sich selbstständig machen können.

**G 4.10** **2** **Irreale Wunschsätze**

- Irreale Wunschsätze drücken aus, dass ein Wunsch nicht erfüllbar ist. Man verstärkt sie oft mit den Modalpartikeln **doch**, **bloß** und **nur**. Am Satzende steht ein Ausrufezeichen.

- „**wenn**" am Satzanfang + konjugiertes Verb im Konjunktiv II am Satzende.
  z. B. Wenn ich doch jünger wäre!

- **ohne „wenn"**: konjugiertes Verb im Konjunktiv II auf Position 1.
  z. B. Hätte ich bloß genügend Kraft!

**G 3.13** **3** **Irreale Vergleichssätze mit „als" oder „als ob"**

- Mit **als** oder **als ob** drückt man irreale Vergleiche aus. Hier vergleicht man etwas mit etwas anderem, das nicht der Realität entspricht.

- Nach **als** oder **als ob** steht das Verb im Konjunktiv II der Gegenwart oder der Vergangenheit.

- **als** leitet einen Hauptsatz ein, das konjugierte Verb steht auf Position 2.
  z. B. Die Männer erschrecken, als wären sie kleine Kinder. (Aber sie sind keine Kinder.)

- **als ob** leitet einen Nebensatz ein, das konjugierte Verb steht am Satzende.
  z. B. Sie laufen so schnell davon, als ob ihnen der Teufel begegnet wäre. (Aber er ist ihnen nicht begegnet.)

# Minicheck: Das kann ich nun

**Abkürzungen**

| | | | | | |
|---|---|---|---|---|---|
| Im: | Interaktion mündlich | Rm: | Rezeption mündlich | Pm: | Produktion mündlich |
| Is: | Interaktion schriftlich | Rs: | Rezeption schriftlich | Ps: | Produktion schriftlich |

## Lektion 1

| | Das kann ich nun: | ☺ | 😐 | ☹ |
|---|---|---|---|---|
| Im | sich an Gesprächen und Diskussionen beteiligen sowie eigene Ansichten begründen und verteidigen | | | |
| Is | in privater Korrespondenz Gefühle, Erlebnisse und Erfahrungen ausdrücken bzw. kommentieren | | | |
| | einen anspruchsvolleren formellen Brief schreiben | | | |
| | komplexe Formulare oder Fragebögen ausfüllen und dabei freie Angaben formulieren | | | |
| Rm | längeren Gesprächen zu aktuellen, interessanten Themen folgen | | | |
| | (im Fernsehen) Informationen in Reportagen, Interviews oder Talkshows verstehen | | | |
| Rs | Anzeigen zu Themen eines Fach- oder Interessengebiets verstehen | | | |
| | in Texten Informationen, Argumente oder Meinungen ziemlich vollständig verstehen | | | |
| | in Korrespondenz die wesentlichen Aussagen verstehen | | | |
| | literarische Texte lesen, dabei die Gesamtaussage und viele Details verstehen | | | |
| Pm | Erfahrungen, Ereignisse und Einstellungen darlegen und die eigene Meinung mit Argumenten stützen | | | |
| | einen kurzen Text relativ spontan und frei vortragen | | | |
| | Informationen aus längeren Texten zusammenfassend wiedergeben | | | |
| | über aktuelle oder abstrakte Themen sprechen und Gedanken und Meinungen dazu äußern | | | |
| | komplexere Abläufe beschreiben | | | |
| Ps | eine zusammenhängende Geschichte schreiben | | | |

## Lektion 2

| | Das kann ich nun: | ☺ | 😐 | ☹ |
|---|---|---|---|---|
| Im | sich an Gesprächen und Diskussionen beteiligen sowie eigene Ansichten begründen und verteidigen | | | |
| | in einem offiziellen Gespräch oder Interview Gedanken ausführen | | | |
| | ein Interview führen und auf interessante Antworten näher eingehen | | | |
| Is | komplexe Formulare oder Fragebögen ausfüllen und dabei freie Angaben formulieren | | | |
| Rm | (im Fernsehen) Informationen in Reportagen, Interviews oder Talkshows verstehen | | | |
| Rs | in längeren und komplexeren Texten rasch wichtige Einzelinformationen finden | | | |
| | in Texten Informationen, Argumente oder Meinungen ziemlich vollständig verstehen | | | |
| Pm | mündlich Vermutungen über Sachverhalte, Gründe und Folgen anstellen | | | |
| | eigene Gedanken und Gefühle mündlich beschreiben | | | |
| | über aktuelle oder abstrakte Themen sprechen und Gedanken und Meinungen dazu äußern | | | |
| Ps | zu allgemeinen Artikeln oder Beiträgen eine Zusammenfassung schreiben | | | |
| | über aktuelle oder abstrakte Themen schreiben und eigene Gedanken und Meinungen dazu ausdrücken | | | |

## Lektion 3

| Das kann ich nun: | | ☺ | ☻ | ☹ |
|---|---|---|---|---|
| Im | den eigenen Standpunkt begründen und Stellung zu Aussagen anderer nehmen | | | |
| Rm | längeren Gesprächen zu aktuellen, interessanten Themen folgen | | | |
| | (im Fernsehen) Informationen in Reportagen, Interviews oder Talkshows verstehen | | | |
| | in einer Diskussion der Argumentation folgen und hervorgehobene Punkte im Detail verstehen | | | |
| Rs | in längeren und komplexeren Texten rasch wichtige Einzelinformationen finden | | | |
| | in Artikeln und Berichten über aktuelle Themen Haltungen und Standpunkte verstehen | | | |
| | literarische Texte lesen, dabei die Gesamtaussage und viele Details verstehen | | | |
| Ps | eine zusammenhängende Geschichte schreiben | | | |
| | über aktuelle oder abstrakte Themen schreiben und eigene Gedanken und Meinungen dazu ausdrücken | | | |

## Lektion 4

| Das kann ich nun: | | ☺ | ☻ | ☹ |
|---|---|---|---|---|
| Im | den eigenen Standpunkt begründen und Stellung zu Aussagen anderer nehmen | | | |
| | gezielt Fragen stellen und ergänzende Informationen einholen | | | |
| | anderen Personen Ratschläge oder detaillierte Empfehlungen geben | | | |
| Is | Informationen und Sachverhalte schriftlich weitergeben und erklären | | | |
| | detaillierte Informationen umfassend und inhaltlich korrekt weitergeben | | | |
| Rm | detaillierte Anweisungen und Aufträge inhaltlich genau verstehen | | | |
| | (im Fernsehen) Informationen in Reportagen, Interviews oder Talkshows verstehen | | | |
| | die Hauptaussagen von klar aufgebauten Vorträgen, Reden und Präsentationen verstehen | | | |
| | ausführliche Beschreibungen von interessanten Dingen und Sachverhalten verstehen | | | |
| Rs | in Texten neue Sachverhalte und detaillierte Informationen verstehen | | | |
| | literarische Texte lesen, dabei die Gesamtaussage und viele Details verstehen | | | |
| Pm | zu verschiedenen Themen ziemlich klare und detaillierte Beschreibungen geben | | | |
| | eine vorbereitete Präsentation gut verständlich vortragen | | | |
| | mündlich Vermutungen über Sachverhalte, Gründe und Folgen anstellen | | | |
| Ps | sich während eines Gesprächs oder einer Präsentation Notizen machen | | | |

## Lektion 5

| Das kann ich nun: | | ☺ | ☺ | ☹ |
|---|---|---|---|---|
| Im | sich an Gesprächen und Diskussionen beteiligen sowie eigene Ansichten begründen und verteidigen | | | |
| | klare und detaillierte Absprachen treffen und getroffene Vereinbarungen bestätigen | | | |
| Is | einen anspruchsvolleren formellen Brief schreiben | | | |
| | komplexe Sachverhalte für andere schriftlich darstellen und die eigene Meinung dazu äußern | | | |
| | Informationen und Sachverhalte schriftlich weitergeben und erklären | | | |
| Rm | komplexe Informationen über alltägliche und berufsbezogene Themen verstehen | | | |
| | detaillierte Anweisungen und Aufträge inhaltlich genau verstehen | | | |
| | im Radio Informationen aus Nachrichten- und Feature-Sendungen verstehen | | | |
| | (im Fernsehen) Informationen in Reportagen, Interviews oder Talkshows verstehen | | | |
| Rs | in Texten neue Sachverhalte und detaillierte Informationen verstehen | | | |
| | in längeren und komplexeren Texten rasch wichtige Einzelinformationen finden | | | |
| | Anzeigen zu Themen eines Fach- oder Interessengebiets verstehen | | | |
| | in Korrespondenz die wesentlichen Aussagen verstehen | | | |
| | literarische Texte lesen, dabei die Gesamtaussage und viele Details verstehen | | | |
| Pm | mündlich Vermutungen über Sachverhalte, Gründe und Folgen anstellen | | | |
| Ps | zu allgemeinen Artikeln oder Beiträgen eine Zusammenfassung schreiben | | | |
| | Anzeigen verfassen, die eigene Interessen oder Bedürfnisse betreffen | | | |

## Lektion 6

| Das kann ich nun: | | ☺ | ☺ | ☹ |
|---|---|---|---|---|
| Im | verschiedene Gefühle differenziert ausdrücken und auf Gefühlsäußerungen anderer reagieren | | | |
| | zu einem gemeinsamen Vorhaben beitragen und dabei andere einbeziehen | | | |
| | bei Interessenkonflikten oder Auffassungsunterschieden eine Lösung aushandeln | | | |
| | anderen Personen Ratschläge oder detaillierte Empfehlungen geben | | | |
| Rm | längeren Gesprächen zu aktuellen, interessanten Themen folgen | | | |
| | in einer Diskussion der Argumentation folgen und hervorgehobene Punkte im Detail verstehen | | | |
| Rs | in Texten neue Sachverhalte und detaillierte Informationen verstehen | | | |
| | in längeren und komplexeren Texten rasch wichtige Einzelinformationen finden | | | |
| | in Artikeln und Berichten über aktuelle Themen Haltungen und Standpunkte verstehen | | | |
| Pm | Sachverhalte systematisch erörtern sowie wichtige Punkte und relevante Details hervorheben | | | |
| | mündlich Vermutungen über Sachverhalte, Gründe und Folgen anstellen | | | |
| Ps | ein Thema schriftlich darlegen, Punkte hervorheben sowie Beispiele anführen | | | |
| | Informationen und Argumente schriftlich zusammenführen und abwägen | | | |
| | eine zusammenhängende Geschichte schreiben | | | |
| | über aktuelle oder abstrakte Themen schreiben und eigene Gedanken und Meinungen dazu ausdrücken | | | |

# Referenzgrammatik

## Hinweis

Diese Referenzgrammatik stellt zusammenfassend diejenigen Phänomene dar, die in den Lektionen behandelt werden. Dabei wird weniger Wert auf linguistische Vollständigkeit als auf Lernerorientierung gelegt. Die Grammatik beginnt mit den Elementen im Satz und stellt ihre Funktionen dar (Abschnitt 1). Dann wendet sie sich den Positionen dieser Elemente in Hauptsatz und Nebensatz zu (Abschnitt 2). Abschnitt 3 stellt eine Übersicht über die verschiedenen Möglichkeiten dar, Textteile durch Konnektoren miteinander zu verbinden. Die Abschnitte 4 bis 9 beschreiben einzelne Wortarten und ihre semantischen und syntaktischen Besonderheiten. Abschnitt 10 schließt mit der Darstellung einiger Wortbildungsverfahren ab.

# Referenzgrammatik

## Inhalt

**Abkürzungen**

| | | | | |
|---|---|---|---|---|
| **A/Akk.** = Akkusativ | **D/Dat.** = Dativ | **m** = maskulin | **f** = feminin | **HS** = Hauptsatz |
| **N/Nom.** = Nominativ | **G/Gen.** = Genitiv | **n** = neutrum | **Pl** = Plural | **NS** = Nebensatz |

# 1 Der Satz und seine Elemente

## 1.1 Verben und Ergänzungen

Die Elemente des Satzes sind **Subjekt**, **Verb**, **Ergänzungen (= Objekte)**, und **Angaben**. Das Verb bestimmt den Kasus der Ergänzungen im Satz.

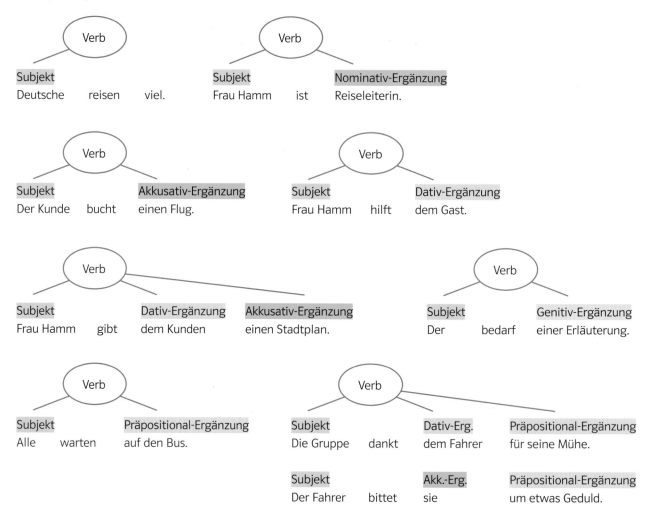

Bei den Präpositionalergänzungen wird die Präposition vom Verb bestimmt und hat meist ihre ursprüngliche Bedeutung verloren:

• Alle warten **auf** den Bus.

## 1.2 Nomen-Verb-Verbindungen

Einige Verben (sogenannte Funktionsverben) bilden zusammen mit Nomen eine **feste Verbindung**. Die Bedeutung des Verbs ist schwach, die Hauptbedeutung liegt auf dem Nomen. Diese Ausdrücke kommen oft in wissenschaftlichen oder journalistischen Texten vor: 2.1 ▸

• Ich möchte diese These hier zur Diskussion stellen. (= Ich möchte diese These hier diskutieren.)

• bringen:   in Erinnerung bringen (= erinnern), zu Ende bringen (= beenden)
• kommen:   zur Sprache kommen (= besprochen werden), ums Leben kommen (= sterben)
• nehmen:   einen (guten / schlechten) Verlauf nehmen (= gut / schlecht verlaufen)
• stellen:   eine Frage stellen (= fragen), in Frage stellen (= bezweifeln)
• treffen:   Vorbereitungen treffen (= vorbereiten), eine Wahl treffen (= wählen)

## 1.3 Angaben `2.3, 2.6, 3.4 – 3.12`

Während Ergänzungen vom Verb abhängig sind, können Angaben frei in den Satz eingefügt werden. Sie geben den Ort, die Zeit, den Grund oder die Umstände des Geschehens im Satz an:

- Frau Hamm gibt dem Kunden nach der Begrüßung einen Stadtplan.

Der Satz ist auch ohne die Angabe („nach der Begrüßung") grammatisch vollständig.

# 2 Positionen im Satz

## 2.1 Die Satzklammer im Hauptsatz

Satzklammer

| Position 1 (Subjekt / Angabe / Ergänzung) | Position 2 (konjugiertes Verb) | Mittelfeld (Subjekt +) Ergänzungen + Angaben | Satzende (Partizip II, Infinitiv oder Vorsilbe) |
|---|---|---|---|
| 1. **Wir** | haben | gestern das Hotelzimmer in Meran | reserviert. |
| 2. Gestern | haben | **wir** das Hotelzimmer in Meran | reserviert. |
| 3. Das Hotelzimmer in Meran | haben | **wir** gestern | reserviert. |
| 4. In Meran | werden | **wir** drei Tage | bleiben. |
| 5. Am Samstag | werden | uns vielleicht **Freunde** | besuchen. |
| 6. Am Sonntag | reisen | **wir** wieder | ab. |

Auf Position 1 steht meist entweder das **Subjekt** (Satz 1) oder eine Angabe (Satz 2). Wenn eine Ergänzung besonders betont werden soll, kann sie auch auf Position 1 stehen (Satz 3). Wenn das **Subjekt** nicht auf Position 1 steht, steht es im Mittelfeld, sehr oft direkt nach dem Verb.

Bei Nomen-Verb-Verbindungen steht das Nomen immer am Ende vom Mittelfeld:

- Er stellt das Thema zur Diskussion.
- Er stellt das Thema heute Abend zur Diskussion.
- Er stellt das Thema heute Abend auf der Versammlung zur Diskussion.
- Er wird das Thema heute Abend auf der Versammlung sicherlich zur Diskussion stellen.

## 2.2 Dativ- und Akkusativ-Ergänzungen im Mittelfeld

Bei zwei Nomen gilt meistens: Dativ vor Akkusativ.
Pronomen stehen vor den Nomen: **kurz** vor **lang**.
Bei zwei Pronomen gilt: Akkusativ vor Dativ.

| Position 1 | Position 2 | Mittelfeld | Satzende |
|---|---|---|---|
| Die Psychologin | hat | den Hörern Ratschläge | gegeben. |
| Die Psychologin | hat | ihnen Ratschläge | gegeben. |
| Die Psychologin | hat | sie den Hörern in der Radiosendung | gegeben. |
| Die Psychologin | hat | sie ihnen kostenlos | gegeben. |

Die Dativ-Ergänzung kann nach der Akkusativ-Ergänzung stehen, wenn sie besonders betont werden soll. `2.6`

## 2.3 Angaben im Mittelfeld

Angaben können entweder auf Position 1 oder im Mittelfeld stehen. Die Stellung der Angaben im Mittelfeld ist recht frei. Aber es gibt ein paar Tendenzen:

Die temporale Angabe (wann?) steht meist vor der lokalen Angabe (wo?): **Zeit** vor **Ort**:
• Gabi hat letztes Jahr in Italien Urlaub gemacht.

Die kausalen Angaben (warum?) und modalen Angaben (wie?) stehen oft zwischen den temporalen und lokalen Angaben im Mittelfeld:
• Gabi wollte letztes Jahr wegen Paolo unbedingt in Italien Urlaub machen.

**Leicht zu merken:** Die häufigste Reihenfolge der Angaben im Mittelfeld ist: te ka mo lo:

| temporal: wann? (Zeit-Angaben) | kausal: warum? (Kausal-Angaben) | modal: wie? mit wem? (Modal- und Instrumental-Angaben) | lokal: wo? wohin? woher? (Orts-Angaben) |
|---|---|---|---|
| heute, morgen, später, danach, jeden Morgen, … | aufgrund des Interviews, wegen ihrer Verspätung, aus Angst, vor Kälte, … | mit Freude, unter großen Anstrengungen, mit der Hand, gern, sicher, mit Freunden, … | in München, bei uns, dort, dorthin, nach Hause, aus Frankreich, … |

Stilistisch ist es nicht gut, wenn man jeden Satz in einem Text mit dem Subjekt beginnt. Die Angaben im Mittelfeld können deshalb auch auf Position 1 stehen. Dies ist abhängig von der Intention des Sprechers / Schreibers und vom Textzusammenhang:
• Letztes Jahr wollte Gabi wegen Paolo unbedingt in Italien Urlaub machen.
• Wegen Paolo wollte Gabi letztes Jahr unbedingt in Italien Urlaub machen.

te ka mo lo ist nur eine Lernhilfe. Es gibt noch viele andere Angaben, die auf unterschiedlichen Positionen im Mittelfeld stehen können. 2.6, 3.4 – 3.12 ▶

## 2.4 Negation

### Satznegation

Bei der Satznegation negiert **nicht** die Aussage des ganzen Satzes, es steht eher am Ende des Satzes, nach Akkusativ- und Dativobjekt:
• Ich verstehe dich nicht.
• Deine Ratschläge helfen mir nicht.

Die Satznegation mit **nicht** steht immer vor dem zweiten Verbteil (Partizip II, Infinitiv oder Vorsilbe eines trennbaren Verbs):
• Wir haben uns nicht gestritten.
• Du brauchst heute nicht zu kommen.
• Ich kaufe heute nicht ein.

**nicht** steht immer vor Prädikatsergänzungen:
• Die Autoren finden das Thema nicht wichtig.
• Das ist nicht das richtige Buch.

**nicht** steht meistens vor Präpositionalergänzungen:
• Wir haben uns nicht über ihre Zukunftspläne gestritten.

### Satzteilnegation

Mit **nicht** kann ein Satzteil negiert werden. Dabei steht **nicht** unmittelbar vor dem Element, das verneint werden soll. Auf die Satzteilnegation folgt häufig eine Korrektur, die durch die Konjunktion **sondern** eingeleitet wird:
• Nicht das Äußere eines Menschen ist das Wichtigste, sondern sein Charakter.
• Ich habe nicht mit ihm gesprochen (, sondern mit seiner Frau).

## 2.5 Das Nachfeld

Man kann Satzteile (z. B. Vergleiche, Präpositionalergänzungen) ins Nachfeld stellen, um sie besonders hervorzuheben.
Im Nachfeld stehen häufig:

| | | Nachfeld |
|---|---|---|
| **Vergleiche** | Er ist schneller als die anderen gelaufen. | |
| | Er ist schneller gelaufen | als die anderen. |
| **Präpositional-Ergänzungen** | Wir haben uns über dein Verhalten und deine Faulheit sehr geärgert. | |
| | Wir haben uns sehr geärgert | über dein Verhalten und deine Faulheit. |
| **Relativsätze** | Gestern wurde die neue Kollegin, die seit einer Woche im Vertrieb arbeitet, vorgestellt. | |
| | Gestern wurde die Kollegin vorgestellt, | die seit einer Woche im Vertrieb arbeitet. |
| **bestimmte, oft erklärende Zusätze** | Er kündigt seinen Rücktritt, d. h. seinen Abschied vom Leistungssport, an. | |
| | Er kündigt seinen Rücktritt an, | d. h. seinen Abschied vom Leistungssport. |

## 2.6 Besondere Wortstellungen im Satz

Die Wortstellung im deutschen Satz ist nicht streng syntaktisch gegliedert (z. B. Subjekt – Verb – Ergänzung), sondern auch semantisch, nach der Bedeutung. Dabei ist die Absicht der Sprecher entscheidend: Was soll besonders betont werden? Wie passt es besser in den Textzusammenhang?

### Angaben

Im Mittelfeld können die Angaben in einer anderen Reihenfolge als te ka mo lo stehen. Die Reihenfolge hängt davon ab, was man im Text hervorheben will: **2.3**
- Carla wollte unbedingt in Italien Urlaub machen. (= unbedingt in Italien)
- Carla wollte in Italien unbedingt Urlaub machen. (= unbedingt Urlaub machen)

Oder ist abhängig vom Textzusammenhang: Dabei steht Bekanntes eher vorn im Mittelfeld, die neue Information eher weiter hinten:
- Familie Funke ist im Sommer mit Roberto nach Italien gefahren. Denn sie wollten dort schon lange Robertos Familie kennenlernen.

### Ergänzungen

Die Dativ-Ergänzung kann **nach** der Akkusativ-Ergänzung stehen, wenn sie besonders betont werden soll. Das geht aber nur, wenn die Akkusativ-Ergänzung ein Artikelwort hat:
- Die Psychologin gibt diese Ratschläge allen unseren Hörern.

Sollen Ergänzungen besonders betont werden, können sie auch auf Position 1 stehen:
- Diese Ratschläge gibt die Psychologin allen unseren Hörern.
- Unseren Hörern hat die letzte Sendung besonders gut gefallen.
- Ein wirklich gutes Interview war das!

## 2.7 Die Frage

**Die Frage mit Fragewort (W-Frage)**

Das Fragewort steht auf Position 1, das finite Verb auf Position 2.

| Position 1 | Position 2 | Mittelfeld | Satzende |
|---|---|---|---|
| Was | hat | der Reiseleiter | gesagt? |

**Die Ja-/Nein-Frage**

Das finite Verb steht auf Position 1, direkt danach steht auf Position 2 das Subjekt.

| Position 0 | Position 1 | Position 2 | Mittelfeld | Satzende |
|---|---|---|---|---|
| | Haben | Sie | die neue Ausstellung schon | gesehen? |
| Und | möchten | Sie | noch einen Tag in dem Hotel | bleiben? |

## 2.8 Der Imperativ

Die Imperativ-Form des Verbs steht auf Position 1.
Der Imperativ allein klingt sehr direkt, das Wort **bitte** sowie die Modalpartikeln **doch** und **mal** machen aus einem Befehl eine höfliche Aufforderung. **9** ▶

| Position 1 | Position 2 | Mittelfeld | Satzende |
|---|---|---|---|
| Komm | | endlich nach Hause! | |
| Seid | | doch mal ruhig! | |
| Bleiben | Sie | bitte | stehen! |

Eine andere Möglichkeit, eine Aufforderung höflicher auszudrücken, ist der Konjunktiv II: **4.10** ▶
- Würden Sie bitte stehen bleiben?

# 3 Satzkombinationen

## 3.1 Mittel der Textverbindung: Die Konnektoren

Sätze und Satzteile können durch **Konnektoren** inhaltlich miteinander verbunden werden:

> Der Streit zu Weihnachten ist fast vorprogrammiert, denn Weihnachten ist das Fest der Liebe und da soll es so richtig schön, harmonisch und rund sein. Wenn diese überzogenen Vorstellungen nicht erfüllt werden, kracht es schneller als gedacht. Außerdem sind die üblicherweise geltenden Regeln von Nähe und Distanz über die Feiertage außer Kraft gesetzt, weil das ständige Beisammensein Pflicht ist. Rückzug ist also schwierig, aber dauerndes Beieinandersitzen auch, und aus diesem Grund geht man sich schneller auf den Wecker. Zudem möchte man an Weihnachten, dass auf die eigenen Bedürfnisse besonders Rücksicht genommen wird. Deswegen wünscht sich die Mutter, dass die Kinder ihr zuliebe zu Hause bleiben, während die das Gefühl haben, sowieso ständig bei den Eltern herumzusitzen, und wenigstens am Abend ausgehen möchten – somit entstehen Konflikte fast zwangsläufig.

- **Konjunktionen** verbinden Hauptsätze miteinander. Sie stehen auf Position 0 vor dem zweiten Satz. Konjunktionen können auch Satzteile miteinander verbinden. **3.2, 3.4, 3.12, 3.17** ▶
- **Nebensatzkonnektoren (= Subjunktionen)** leiten Nebensätze ein und stellen die logische Verbindung zum Hauptsatz her. **3.3 – 3.15** ▶

* **Verbindungsadverbien** können sowohl Hauptsätze als auch Satzteile miteinander verbinden. Als Adverbien stehen sie auf Position 1 oder im Mittelfeld des Hauptsatzes, hier sehr oft direkt nach dem Verb. Stehen Pronomen im Mittelfeld, steht das Verbindungsadverb nach den Pronomen. `3.4 – 3.12, 3.16, 3.17`

## 3.2 Satzgefüge „Hauptsatz – Hauptsatz": Die „aduso"- Konjunktionen

Zwei Hauptsätze können durch Konjunktionen verbunden werden. Die Konjunktionen stehen auf Position 0: `3.4, 3.12, 3.17`

| Hauptsatz 1 | Position 0 | Hauptsatz 2 |
|---|---|---|
| Wir **feiern** gemeinsam, | **aber** | wir **wollen** dieses Jahr nicht streiten. |

| Konjunktion | Bedeutung | Besonderheit / Beispiel |
|---|---|---|
| **aber** | Einschränkung, Gegensatz | • Wir haben immer in Österreich Urlaub gemacht, aber dieses Jahr fahren wir nach Spanien.<br>**aber** kann auch im Mittelfeld stehen:<br>• Wir haben immer in Österreich Urlaub gemacht, wir fahren aber dieses Jahr nach Spanien. / wir fahren dieses Jahr aber nach Spanien. |
| **denn** | Grund | • Wir sollten im Urlaub wandern, denn wir brauchen mal wieder Bewegung. |
| **und** | Verbindung, Aufzählung | **und** kann Sätze, Satzteile, Wörter oder Teile von Wörtern miteinander verknüpfen:<br>• Rom ist faszinierend und wir können dort viele Museen besuchen.<br>• Wir kennen nun die Vor- und Nachteile von Gruppenreisen. |
| **sondern** | Korrektur | **sondern** folgt immer auf eine Negation im ersten HS:<br>• Dieses Jahr machen wir keinen Strandurlaub, sondern (wir) entdecken die Berge Südtirols. |
| **oder** | Alternative | • Buchen wir das teure Hotel oder wollen wir mal wieder campen?<br>• Möchtest du lieber in Italien oder in Griechenland Urlaub machen? |

**Zur Zeichensetzung:** Vor **aber** (auf Position 0), **denn**, **sondern** muss ein Komma stehen, vor **und**, **oder** wird meistens kein Komma gesetzt.

## 3.3 Satzgefüge „Hauptsatz – Nebensatz"

**Hauptsatz vor Nebensatz**

| Satzgefüge | | | |
|---|---|---|---|
| Hauptsatz, | Nebensatz | | |
| | Nebensatzkonnektor | Mittelfeld | Satzende |
| Es ist schön, | dass | Max endlich eine eigene Wohnung | hat. |
| Ich mag meine Nachbarn, | weil | sie nicht immer alles | wissen wollen. |
| Es gab oft Streit, | als | ich noch bei meinen Eltern | gewohnt habe. |
| Es ist oft schwierig, | wenn | Lena mit ihren Eltern | wegfährt. |

Der Nebensatz ergänzt einen Hauptsatz. Ein Nebensatzkonnektor (= Subjunktion) leitet den Nebensatz ein.
Das konjugierte Verb steht ganz am Ende des Nebensatzes, Partizip oder Infinitiv stehen direkt davor.
Bei trennbaren Verben bleibt die Vorsilbe am Verb.
Die Wortstellung im Mittelfeld ist wie beim Hauptsatz.

**Nebensatz vor Hauptsatz**

| Satzgefüge | | | | | |
|---|---|---|---|---|---|
| **Nebensatz** | | | **Hauptsatz** | | |
| **Position 1 im Satzgefüge** | | | **Pos. 2 im Satzgefüge** | | |
| **Position 1: Nebensatz-konnektor** | **Mittelfeld** | **Satzende: Verb vom NS** | **Position 1 vom HS: Verb vom HS** | **Mittelfeld** | **Satzende** |
| Als | ich noch bei meinen Eltern | wohnte, | hat | es jeden Abend Streit | gegeben. |

Wenn der Nebensatz vor dem Hauptsatz steht, steht das Verb im Hauptsatz auf Position 1.
**Erklärung:** Im Satzgefüge besetzt der Nebensatz die Position 1. Deshalb steht direkt nach dem Komma das Verb des Hauptsatzes sozusagen auf Position 2 im Satzgefüge. Betrachtet man nur den Hauptsatz steht das Verb auf Position 1.

**Zur Zeichensetzung:** Zwischen Hauptsatz und Nebensatz muss ein Komma stehen.

## 3.4 Kausale Haupt- und Nebensätze (deswegen, weil, …)

Kausale Haupt- und Nebensätze leiten einen Grund ein oder beziehen sich auf ihn. Sie antworten auf die Fragen:
**Warum?**, **Wieso?**, **Weshalb?**, **Weswegen?**

Die Konjunktion **denn** leitet einen Grund ein: [3.2]
- Wir machen diesmal am Meer Urlaub, denn wir waren schon seit Jahren nicht mehr am Meer.

Das Verbindungsadverb **nämlich** nennt einen Grund und steht im 2. Hauptsatz. Es steht nie auf Position 1, sondern meist nach dem Verb oder weiter hinten im Mittelfeld:
- Wir machen diesmal am Meer Urlaub, wir waren nämlich schon seit Jahren nicht mehr am Meer.

Die Verbindungsadverbien **deshalb** / **deswegen** / **darum** / **daher** stehen im 2. Hauptsatz, nach dem Satz, in dem der Grund steht:
- Wir waren schon seit Jahren nicht mehr am Meer, deshalb /deswegen / … machen wir diesmal am Meer Urlaub.

Nebensätze mit **weil** und **da** geben einen Grund an. Nebensätze mit **da** stehen meist vor dem Hauptsatz:
- Da wir schon seit Jahren nicht mehr am Meer waren, machen wir diesmal am Meer Urlaub.

Im mündlichen Sprachgebrauch kann ein Nebensatz mit **weil** als Antwort ohne Hauptsatz stehen:
- Warum bist du mit dem Zug gefahren? – Weil mein Auto kaputt ist.

Im mündlichen Sprachgebrauch hört man auch: Weil … (Pause) mein Auto ist kaputt.

**Kausale Präpositionen**

**wegen + G (ugs., bes. bei Personalpronomen: + D) / aufgrund + G** leiten eine „neutrale" Begründung ein:
- Wegen / Aufgrund der gestiegenen Benzinpreise wird das Fliegen teurer.

**dank + G (ugs., bes. bei Personalpronomen: + D)** enthält eine positive Nebenbedeutung:
- Dank der netten Sitznachbarin wurde Tims Flugangst schwächer.

**aus + D** wird meist mit Abstraktem gebraucht: „aus Interesse", „aus Angst", „aus Dummheit":
- Aus ökologischen Gründen verzichten wir auf das Fliegen.

**vor + D** wird häufig bei spontanen Gefühls- und Körperreaktionen verwendet: „vor Angst zittern", „vor Freude weinen", „vor Anstrengung stöhnen":
- Vor Flugangst fing Tim an zu schwitzen.

| Nebensatzkonnektor | Konjunktion | Verbindungsadverb | Präposition |
|---|---|---|---|
| weil, da | denn | deshalb, deswegen, darum, daher, nämlich (nur im Mittelfeld) | wegen + G (ugs.: + D), aufgrund + G, dank + G (ugs.: + D), vor / aus + Nomen ohne Artikel |

## 3.5 Temporale Haupt- und Nebensätze (danach, nachdem, ...)

Temporale Haupt- und Nebensätze geben die Zeit des Geschehens an. Sie antworten auf die Fragen: **Wann?**, **Seit wann?**, **Bis wann?**, **Wie lange?**

### Gleichzeitigkeit

| | |
|---|---|
| **einmalige Handlung / einmaliger Zustand in der Vergangenheit** | • Als mein Vater gestern Abend nach Hause kam, war er schlecht gelaunt. |
| **einmalige Handlung / einmaliger Zustand in der Gegenwart / Zukunft** | • Wenn ich 18 bin, ziehe ich in eine WG. |
| **wiederholte Handlung / wiederholter Zustand in der Gegenwart / Zukunft / Vergangenheit** | • (Jedes Mal) wenn mein Bruder Geburtstag hatte, gab es die erste Erdbeertorte des Jahres.<br>• (Immer) wenn meine Mutter gute Laune hat, dürfen wir länger fernsehen.<br>• Sooft uns meine Tante besuchte, brachte sie kleine Geschenke mit. |
| **zwei Handlungen / Zustände gleichzeitig** | • Während meine Oma das Essen kochte, erzählte sie immer spannende Geschichten.<br>• Solange ich noch bei meinen Eltern wohne, muss ich keine Miete zahlen. |

### Vorzeitigkeit oder Nachzeitigkeit

| | A passiert zuerst | B passiert danach |
|---|---|---|
| **Zeit in HS und NS ist meist gleich** | • Er rief noch zu Hause an, | bevor er ins Flugzeug stieg. |
| | • Sie mussten noch warten, | ehe sie einchecken konnten. |
| **nachdem / als-Satz: Plusquamperfekt HS: Präteritum / Perfekt** | • Nachdem / Als sie sich angemeldet hatten, | konnten sie endlich auf ihre Zimmer gehen. / sind sie zuerst auf ihre Zimmer gegangen. |
| **nachdem / wenn-Satz: Perfekt HS: Präsens / Futur** | • Nachdem / Wenn du dich angemeldet hast, | kannst du aufs Zimmer gehen. / wird der Angestellte dein Gepäck ins Zimmer bringen. |
| **Zeiten wie bei „nachdem"** | • Sobald wir das Museum gefunden haben, | rufe ich dich an. |
| **Zeiten in HS und NS können auch gleich sein** | • Sobald der Reiseleiter kommt, | steigen wir in den Bus. |

### Eine Zeitdauer benennen

| | |
|---|---|
| **drückt eine Dauer von einem Zeitpunkt bis zu einem späteren Zeitpunkt aus** | • Wir bleiben zu Hause, bis das Wetter besser wird. |
| | • Wir spielten Karten, bis die langweilige Feier zu Ende war. |
| **drückt eine Dauer von einem vergangenen Zeitpunkt bis jetzt aus** | • Seit / Seitdem meine Mutter weniger arbeitet, streiten meine Eltern häufiger. |

**Überblick:**

| Nebensatzkonnektor | Verbindungsadverb | Präposition |
|---|---|---|
| während, solange, als | dabei, währenddessen, solange, gleichzeitig | während + G (ugs.: +D), bei + D |
| sooft, wenn, immer wenn, jedes Mal wenn | dabei | (immer) bei + D |
| nachdem, als | danach, anschließend, daraufhin, nachher | nach + D |
| sobald | gleich danach / darauf / anschließend | gleich nach + D |
| bevor | vorher, davor | vor + D |
| bis | bis dahin | bis (zu) + D |
| seit(dem) | seitdem, seither | seit + D |

## 3.6 Finale Haupt- und Nebensätze (dafür, um ... zu, ...)

Mit finalen Haupt- und Nebensätzen antwortet man auf die Fragen: **Mit welchem Ziel / Zweck?**, **Mit welcher Absicht?**, **Wozu?**. Sie geben einen Hinweis auf ein Ziel, einen Zweck oder eine Absicht.

Bei zwei verschiedenen Subjekten im Haupt- und Nebensatz verwendet man **damit**:
- **Ich** besuche einen Sprachkurs, damit **meine Kinder** sich nicht für das schlechte Englisch ihres Vaters schämen müssen.

Bei gleichen Subjekten kann man **damit** oder **um ... zu** verwenden; **um ... zu** ist meist die stilistisch bessere Variante:
- **Ich** lerne Spanisch, damit **ich** in der Firma besser zurechtkomme.
- **Besser: Ich** lerne Spanisch, um in der Firma besser zurechtzukommen.

In der mündlichen Umgangssprache kann der finale Nebensatz auch allein stehen:
- Warum gehst du in die Stadt?     – Um einzukaufen.
- Warum muss ich schon ins Bett?  – Damit du morgen ausgeschlafen bist.

Die finalen Verbindungsadverbien stehen im 2. Hauptsatz, d.h. **nach** dem Satz, in dem das Ziel / der Zweck steht:
- Ich möchte in der Firma besser zurechtkommen, dafür lerne ich Spanisch.

Ein Ziel / Einen Zweck kann man auch mit den Präpositionen **zum** + nominalisierter Infinitiv oder mit **zum / zur / für** + Nomen (das sich meist auf eine Aktivität bezieht) ausdrücken:
- Zum Üben treffe ich mich regelmäßig mit anderen Kursteilnehmern.
- Zum Training notiere ich mir den neuen Wortschatz auf Vokabelkärtchen.
- Für die Teilnahme am Sprachkurs nehme ich mir extra Zeit.

**Überblick:**

| Nebensatzkonnektor | Verbindungsadverb | Präposition |
|---|---|---|
| damit, um ... zu | dafür, dazu | zum + D, zur + D, für + A |

## 3.7 Konditionale Haupt- und Nebensätze (andernfalls, wenn, ...)

**Konditionalsätze (= Bedingungssätze)**

Konditionale Sätze geben Auskunft über Geschehen, die unter bestimmten Bedingungen stattfinden oder auch nicht.
Sie antworten auf die Frage: **Unter welcher Bedingung ...?**
- Wenn die Vorstellungen von einer guten Ehe nicht übereinstimmen, kommt es leicht zu Konflikten.

Konditionale Nebensätze werden vor allem schriftlich auch oft ohne Konnektor gebildet, das Verb steht dann auf Position 1:
- Stimmen die Vorstellungen von einer guten Ehe nicht überein, kommt es leicht zu Konflikten.

Die konditionalen Verbindungsadverbien stehen im 2. Hauptsatz, d.h. nach dem Satz, in dem die Bedingung steht:
- Ein Partner darf nicht ständig auf seiner Meinung beharren, sonst kommt es ständig zu Konflikten.

Eine Bedingung kann auch mit Präpositionen eingeleitet werden:

- Bei weiterer Lärmbelästigung kündige ich die Wohnung.
- Ohne eine Renovierung nehme ich die Wohnung nicht. *(= Wenn die Wohnung **nicht** renoviert wird, …)*

**Überblick:**

| Nebensatzkonnektor | Verbindungsadverb | Präposition |
|---|---|---|
| wenn, falls, sofern, vorausgesetzt, dass; es sei denn, dass; unter der Bedingung, dass | sonst, ansonsten, andernfalls, unter der Bedingung | bei + D, im Falle von + D, ohne + A |

### Irreale Konditionalsätze (= irreale Bedingungssätze) 4.10 ▸

Irreale Konditionalsätze drücken aus, dass der Sprecher seine Aussage nicht als eine Aussage über etwas Reales sieht, sondern sich Umstände nur vorstellt, d.h. auch, dass die Bedingung im Nebensatz nicht erfüllt ist. Das bedeutet: Die Folge wird nicht oder nur vielleicht realisiert. In Irrealen Konditionalsätzen stehen die Verben im Haupt- und Nebensatz im Konjunktiv II:

- Wenn wir beide pünktlicher wären, hätten wir mehr Zeit füreinander. *(Gegenwart)*
- Wenn wir gestern pünktlicher gewesen wären, hätten wir mehr Zeit gehabt. *(Vergangenheit)*

Irreale Konditionalsätze kann man auch ohne Nebensatzkonnektor bilden. Der Nebensatz steht dann vor dem Hauptsatz und das Verb im Nebensatz steht auf Position 1:

- Wären wir beide pünktlicher, hätten wir mehr Zeit füreinander.

## 3.8 Konzessive Haupt- und Nebensätze (trotzdem, obwohl, …)

Konzessive Satzverbindungen drücken einen „unwirksamen Gegengrund", d.h., einen Grund aus, der nicht die Wirkung hat, die man „normalerweise" erwartet, denn etwas geschieht bzw. folgt entgegen einer Erwartung.

Konzessive Nebensätze leiten einen unwirksamen Gegengrund ein:

- Obwohl viele Studenten Auslandsaufenthalte wichtig finden, entscheiden sich nur wenige dafür.

Der unwirksame Gegengrund steht in Hauptsätzen oder Satzteilen mit **zwar**. Diese stehen vor dem Hauptsatz bzw. Satzteil mit **aber**: 3.17 ▸

- Zwar finden viele Studenten Auslandsaufenthalte wichtig, aber nur wenige entscheiden sich dafür.

Die konzessiven Verbindungsadverbien **trotzdem**, **dennoch** stehen im 2. Hauptsatz, d.h. nach dem Satz, in dem der unwirksame Gegengrund steht:

- Viele Studenten finden Auslandsaufenthalte wichtig, trotzdem entscheiden sich nur wenige dafür.

Ein unwirksamer Gegengrund kann auch mit Präpositionen eingeleitet werden:

- Trotz der staatlichen Förderung studieren nur wenige junge Menschen im Ausland.

**Überblick:**

| Nebensatzkonnektor | Verbindungsadverb | Präposition |
|---|---|---|
| obwohl, obgleich, selbst wenn, auch wenn obschon, wenngleich (gehobene Sprache) | trotzdem, dennoch, nichtsdestotrotz, zwar – aber gleichwohl, nichtsdestoweniger (gehobene Sprache) | trotz + G (ugs.: + D) ungeachtet + G (gehobene Sprache) |

## 3.9 Konsekutive Haupt- und Nebensätze (folglich, sodass, …)

Konsekutive Haupt- und Nebensätze geben die Folge an, die sich aus einer vorangehenden Handlung ergibt. Sie antworten auf die Frage: **Was ist / war die Folge?**

- Es liegt keine eindeutige Definition von Burnout vor, infolgedessen muss jeder Arzt eigenständig entscheiden.

Der Nebensatz mit **sodass** steht immer nach dem Hauptsatz:
- Es liegt keine eindeutige Definition von Burnout vor, sodass jeder Arzt eigenständig entscheiden muss.

Den Nebensatzkonnektor **sodass** kann man trennen. Dann steht **so** + Adjektiv oder Adverb (betont) im Hauptsatz, **dass** im Nebensatz:
- Akupunktur wirkt so gut, dass man sie auch in der Schulmedizin einsetzt.

Konsekutive Präpositionen leiten ein Geschehen ein, auf das etwas folgt:
- Infolge ihrer positiven Wirkung wird Akupunktur auch in der Schulmedizin eingesetzt.

**Überblick:**

| Nebensatzkonnektor | Verbindungsadverb | Präposition |
|---|---|---|
| sodass, so …, dass; derart(ig) …., dass; solch …, dass | also, folglich, infolgedessen, somit, demzufolge, demnach | infolge + G, infolge von + D |

## 3.10 Modale Hauptsätze und Nebensätze (dadurch, indem, …)

Mit modalen Haupt- und Nebensätzen antwortet man auf die Fragen: **Wie …?, Auf welche Art und Weise …?**

Sie geben einen Hinweis auf ein Hilfsmittel, eine Methode oder eine Strategie:
- Das Eichhörnchen sorgt für den Winter vor, indem es viele Nüsse versteckt.
- Dadurch, dass wir unseren Garten nicht zu perfekt aufräumen, schaffen wir Lebensraum für Igel und viele Vögel.

Sie geben einen Hinweis darauf, dass etwas nicht geschieht oder nicht nötig ist:
- Das Essen meiner Mutter ist langweilig, denn sie kocht immer, ohne zu würzen.
- Der Webervogel baut sein kunstvolles Nest, ohne dass ihm andere Vögel helfen.

Die modalen Verbindungsadverbien stehen im 2. Hauptsatz, d.h. nach dem Satz, in dem der Hinweis auf das Hilfsmittel / die Methode steht:
- Wir räumen unseren Garten nicht perfekt auf, dadurch schaffen wir Lebensraum für Igel und viele Vögel.

Ein Modalsatz kann auch mit Präpositionen eingeleitet werden:
- Durch zahlreiche Versuche hat man viel über die Intelligenz der Tiere erfahren.
- Der Webervogel baut sein Nest ohne Hilfe.

**Überblick:**

| Nebensatzkonnektor | Verbindungsadverb | Präposition |
|---|---|---|
| indem; dadurch, dass ohne dass; ohne zu | so, dadurch, damit | durch + A, mit + D ohne + A |

## 3.11 Alternative Haupt- und Nebensätze (stattdessen, anstatt dass, …)

Alternative Haupt- und Nebensätze drücken eine Möglichkeit des Handelns aus, die als Ersatz für etwas anderes steht. Frage: **Wenn nicht das eine, was dann?**

Die Nebensatzkonnektoren leiten den Aspekt ein, den man nicht wählt. Wenn das Subjekt in Hauptsatz und Nebensatz identisch ist, kann man **(an)statt, dass** und **(an)statt … zu** verwenden. **(an)statt … zu** ist meistens die stilistisch bessere Variante:
- **Claudia** möchte abnehmen. Aber anstatt dass **sie** eine Diät macht, treibt sie Sport.
- **Besser: Claudia** möchte abnehmen. Aber anstatt eine Diät zu machen, treibt sie Sport.

Das alternative Verbindungsadverb steht im 2. Hauptsatz, d.h. in dem Satz, in dem die gewählte Alternative steht:
- Claudia möchte abnehmen. Aber sie macht keine Diät, stattdessen treibt sie Sport.

Die nicht gewählte Alternative kann auch mit Präpositionen eingeleitet werden:
- Anstelle von Vitamintabletten sollte man frisches Obst zu sich nehmen.

Überblick: `3.17` ▶

| Nebensatzkonnektor | Verbindungsadverb | Zweiteiliger Konnektor | Präposition |
|---|---|---|---|
| (an)statt dass, (an)statt zu | stattdessen | entweder – oder | statt + G (ugs.: + D), anstelle + G, anstelle von + D |

## 3.12 Adversative Haupt- und Nebensätze (jedoch, während, ...)

Adversative Haupt- und Nebensätze drücken einen Gegensatz bzw. eine Einschränkung aus. Sie antworten auf die Fragen: **Wie war es früher, wie ist es heute?**, **Wie macht es x, wie macht es y?**
* Während Peter nur der Schulmedizin vertraut, steht seine Frau der Akupunktur offen gegenüber.

**aber** kann als Konjunktion auf Position 0 stehen oder als Verbindungsadverb im Mittelfeld:
* Luise isst gern Obst, aber sie mag kein Gemüse. / Gemüse mag sie aber nicht.

**doch / jedoch** kann als Konjunktion auf Position 0 stehen oder als Verbindungsadverb auf Position 1. **jedoch** kann auch im Mittelfeld stehen:
* Luise isst gern Obst, doch sie mag kein Gemüse. / doch mag sie kein Gemüse. / sie mag jedoch kein Gemüse.

Wenn der Gegensatz besonders betont werden soll, können **doch / jedoch / hingegen / dagegen** zusammen mit dem Element im 2. Satz, das betont werden soll, auf Position 1 stehen:
* Luise isst gern Obst, Gemüse hingegen mag sie nicht.

Bei Einschränkungen / Einwänden, d. h., wenn jemand etwas gegen eine Sache sagt, kann man **aber**, **doch** und **jedoch** verwenden:
* Gemüse ist gesund, jedoch sollte man nicht nur Gemüse essen.

Bei Gegensätzen kann man **aber**, **doch**, **jedoch**, **dagegen** und **hingegen** verwenden:
* Vitamine in Obst und Gemüse sind gesund, künstlich erzeugte Vitamine können dagegen schädlich sein.

Die Präposition **entgegen** und der Ausdruck **im Gegensatz zu** beschreiben die Abweichung von einer Erwartung:
* Entgegen der Empfehlung seiner Ärztin hatte er nur Fertiggerichte gekauft.

Überblick: `3.2, 3.5` ▶

| Nebensatzkonnektor | Konjunktion | Verbindungsadverb | Präposition |
|---|---|---|---|
| während | aber, doch, sondern | doch (nur auf Pos. 1), jedoch, aber, dagegen, hingegen | entgegen + D, im Gegensatz zu + D |

## 3.13 Vergleichssätze (so ... wie, als ob, ...)

Mit Vergleichssätzen antwortet man auf die Frage: **Ist es genauso oder anders?** Vergleiche kann man so ausdrücken:
**so** + Adjektivgrundform im HS, **wie** im NS
* Das Fest war so schön, wie ich es mir vorgestellt hatte.
**Komparativ** im HS, **als** im NS
* Das Fest war **besser**, als ich es mir vorgestellt hatte.
**Komperativ** + **als** + **Partizip II**
* Das Fest war **besser** als **gedacht**.

Bei Irrealen Vergleichen vergleicht man etwas mit etwas anderem, das nicht der Realität entspricht: `4.10` ▶
Nebensatz: **als ob** + **Konjunktiv II**, konjugiertes Verb am Satzende:
* Sie laufen so schnell davon, als ob ihnen der Teufel **begegnet wäre**.
Hauptsatz: **als** + **Konjunktiv II**, konjugiertes Verb auf Position 2:
* Die Männer erschrecken, als **wären** sie kleine Kinder.
**wie** + **Nomen**:
* Die Männer erschrecken wie kleine **Kinder**.

## 3.14 Indirekte Fragen (ob, wer, worüber, …)

Nach Verben des Sagens, Fragens und Wissens können indirekte Fragesätze stehen. Sie stehen meistens nach dem Hauptsatz: 6.4 ▶

| Direkte Entscheidungsfrage: | Indirekte Entscheidungsfrage: |
|---|---|
| • **Kommst** du zu unserer Party? | • Ich habe Nora gefragt, ob sie zu unserer Party **kommt**.<br>• Jan wusste nicht, ob sie **kommt**. |
| **Direkte W-Frage (mit Fragepronomen):** | **Indirekte W-Frage (mit Fragepronomen):** |
| • Wann **fängt** die Party **an**?<br>• Wofür **benutzt** man diesen Kugelgrill?<br>• Mit wem **gehst** du zum Abschlussball? | • Sie hat mich gefragt, wann die Party **anfängt**.<br>• Kannst du mir sagen, wofür man diesen Kugelgrill **benutzt**?<br>• Ich habe sie gefragt, mit wem sie zum Abschlussball **geht**. |

In der Umgangssprache findet man oft verkürzte indirekte Fragen:
• Christoph geht zur Party. Egal, ob er Lust **hat** oder nicht.

Oder so genannte Echo-Fragen:
• Mit wem **gehst** du zur Party? – Mit wem ich zur Party **gehe**? Ich weiß es noch nicht.

In einem gehobenen Sprachstil findet man nach Einleitungssätzen wie „Ich habe sie gefragt, …" oder „Er wollte wissen, …" auch die indirekte Rede: 4.9 ▶
• Ich habe sie gefragt, mit wem sie zum Abschlussball gehe.

**Zur Zeichensetzung:** Nach der indirekten Frage steht ein Punkt, wenn der Einleitungssatz keine Frage ist. Nach der indirekten Frage steht aber ein Fragezeichen, wenn der Einleitungssatz eine Frage ist.

## 3.15 Relativsätze (der / das / die, was, wo, worauf, …)

Relativsätze mit „der" / „das" / „die"

Relativsätze mit „der" / „das" / „die" sind Nebensätze, die ein Nomen oder Pronomen im Hauptsatz erklären.

Das **Genus** (Maskulinum, Neutrum, Femininum) und der **Numerus** (Singular, Plural) des Relativpronomens richten sich nach dem Nomen, auf das sich das Relativpronomen bezieht (z. B. „der Mensch": Maskulinum, Singular):

• Sie ist ein Mensch, der alles sammelt und nichts wegwerfen kann.

Der **Kasus** (Nominativ, Akkusativ, Dativ, Genitiv) des Relativpronomens richtet sich nach dem Verb (z. B. **bekommen + Akkusativ**) oder nach der Präposition (z. B. **mit + Dativ**) im Relativsatz:
• Der Teddybär, den ich gestern **bekommen** habe, ist wirklich kuschelig.
• Ich habe heute das Fahrrad gekauft, **mit** dem ich über die Alpen fahren will.

**Die Formen des Relativpronomens:**

|  | m | n | f | Pl |
|---|---|---|---|---|
| **Nom.** | der | das | die | die |
| **Akk.** | den | das | die | die |
| **Dat.** | dem | dem | der | denen |
| **Gen.** | dessen | dessen | deren<br>derer | deren<br>derer |

**Das Nomen**, das auf die Relativpronomen **dessen** und **deren** folgt, hat keinen Artikel:
• Frau Elsner, deren **Mann** mit dir bei der Sparkasse arbeitet, ist in meinem Sportverein.

Außer den Relativpronomen im Genitiv mit possessiver Bedeutung gibt es noch die „reinen" Relativpronomen **dessen** (Singular Maskulinum und Neutrum) und **derer** (Singular Femininum und Plural). Man verwendet sie, wenn das Verb, die Präposition oder ein Ausdruck im Relativsatz eine Genitivergänzung erfordern:

- Die Probleme, aufgrund derer es mir so schlecht ging, sind gelöst.

Manchmal findet man bei diesem Gebrauch auch „deren".

### Relativsätze mit „wo", „wohin" und „woher"

Bei Ortsangaben kann man statt **Präposition + Relativpronomen (der / das / die)** auch **wo**, **wohin** und **woher** verwenden:

- Da vorn ist **der Laden**, in dem ich die tolle Sonnenbrille gekauft habe.
  - → Da vorn ist der **Laden**, wo ich die tolle Sonnenbrille gekauft habe.
- Wie heißt **das Kaufhaus**, in das deine Schwester gegangen ist?
  - → Wie heißt **das Kaufhaus**, wohin deine Schwester gegangen ist?
- In **der Region**, aus der meine beste Freundin kommt, spricht man Plattdeutsch.
  - → In **der Region**, woher meine beste Freundin kommt, spricht man Plattdeutsch.

Bezieht sich das Relativpronomen auf Städte und Länder, die ohne Artikel gebraucht werden, stehen immer die Relativpronomen **wo**, **wohin** und **woher**:

- Ich bin oft **in Zürich**, wo ich sehr gerne einkaufe.

### Relativsätze mit „wer", „was" und „wo(r)-" + Präposition

Wenn sich das Relativpronomen auf **Indefinitpronomen** (z. B. nichts, weniges, etwas, einiges, manches, vieles, alles), **das Demonstrativpronomen „das"**, substantivierte Superlative oder **ganze Sätze** bezieht, steht **was** oder **wo(r)-** + Präposition: `6.4 ▷`

- Das ist **alles**, was mir der Arzt gesagt hat.
- Das ist genau **das**, was ich meine.
- Ich verkaufe **alles**, wor**auf** ich verzichten kann. *(verzichten **auf**)*
- Das ist **das Beste**, was mir passieren konnte.
- **Er ist sehr früh gekommen**, wor**über** ich mich sehr gefreut habe. *(sich freuen **über**)*

Relativsätze mit **wer** (= jeder, der), **wem**, **wen** und teilweise auch mit **was** haben eine verallgemeinernde Bedeutung und stehen oft vor dem Hauptsatz. Wenn das Demonstrativpronomen im Hauptsatz denselben Kasus wie das Relativpronomen hat, kann es entfallen:

- Wer heute noch den neuen MP3-Spieler bestellt, (der) erhält einen Rabatt von 10 %.
- Wem unser Angebot zusagt, der muss sich noch diese Woche melden.

## 3.16 Verbindungsadverbien der Aufzählung und Ergänzung (außerdem, . . .)

Folgende Verbindungsadverbien drücken eine Aufzählung oder Ergänzung aus:
**außerdem, zudem, überdies, ferner, darüber hinaus, weiterhin**.

- Menschen mit hoher sozialer Kompetenz können gut zuhören, außerdem können sie andere motivieren.

## 3.17 Zweiteilige Konnektoren (zwar – aber, entweder – oder, . . .)

Die zweiteiligen Konnektoren können Hauptsätze, Nebensätze oder Satzteile miteinander verbinden.

**sowohl . . . als auch** ersetzt den Konnektor „und", beide Elemente sind gleich wichtig:
- Sowohl Karin als auch ihr Ehemann Dirk wollten raus aus Deutschland.

Die Konnektoren stehen vor den zu verbindenden Satzteilen.

**nicht nur . . ., sondern auch** ersetzt den Konnektor „und", das zweite Element wird betont:
- Klaus wollte in Mexiko nicht nur sein Spanisch verbessern, sondern (er wollte) auch viele Menschen kennenlernen.

„nicht nur" steht vor dem ersten Element, „sondern" steht auf Position 0 vor dem zweiten HS.

**entweder … oder** nennt zwei Alternativen: `3.11`

- Entweder fange ich sofort mit dem Studium an, oder ich mache zuerst eine Lehre.
- Ich fange entweder sofort mit dem Studium an, oder ich mache zuerst eine Lehre.

„entweder" steht auf Position 1 oder im Mittelfeld vom ersten HS, „oder" steht auf Position 0 vor dem zweiten HS.

**zwar … aber** beschreibt eine Einschränkung oder einen Gegensatz: `3.8`

- Der Professor ist zwar etwas langweilig, aber er ist ein exzellenter Wissenschaftler.
- Zwar ist der Professor etwas langweilig, er ist aber ein exzellenter Wissenschaftler.

„zwar" steht auf Position 1 oder im Mittelfeld vom ersten HS, „aber" steht als Konjunktion auf Position 0 vor dem zweiten HS oder als Verbindungsadverb im Mittelfeld.

**weder … noch** bedeutet, dass kein Element zutrifft:

- Mich haben weder meine Eltern noch der Staat beim Studium unterstützt.

Die Konnektoren stehen vor den zu verbindenden Satzteilen.

- Dieses Studienfach ist weder besonders interessant noch hat man damit gute Chancen auf dem Arbeitsmarkt.

„weder" steht vor dem ersten Element, „noch" steht auf Position 1 vom zweiten HS.

**je …, desto / umso** drückt ein Verhältnis aus, zwei **Komparative** werden zueinander in Beziehung gesetzt:

- Je kleiner eine Universität ist, desto persönlicher ist die Atmosphäre.

„je" steht vor dem ersten Komparativ und leitet einen NS ein, „desto"/„umso" steht zusammen mit dem zweiten Komparativ auf Position 1 vom HS.

## 3.18 Der Infinitivsatz

Man kann Infinitivsätze bilden, wenn das **Subjekt** im Hauptsatz und das implizite **Subjekt** im Nebensatz gleich sind. Im Infinitivsatz wird das Subjekt nicht genannt, **zu** steht direkt vor dem Infinitiv. Wenn möglich, verwendet man Infinitivsätze statt „dass"-Sätze, weil sie den Text kürzer machen und man sie leichter lesen kann: `4.3`

- **Ich** habe beschlossen, dass **ich** mehr auf mein Aussehen achte.
- **Besser: Ich** habe beschlossen, mehr auf mein Aussehen zu achten.

Infinitivsätze sind auch möglich, wenn die Subjekte in Haupt- und Nebensatz verschieden sind, aber eine Dativ- oder Akkusativergänzung im Hauptsatz sich auf das Subjekt im Nebensatz bezieht:

- Ich kann **jedem** nur raten, dass **er** auf sein Aussehen achtet.
- **Besser: Ich** kann **jedem** nur raten, auf sein Aussehen zu achten.

Der Infinitivsatz steht in der Regel nach dem Hauptsatz. Wenn man den Infinitivsatz besonders betonen möchte, kann er auch vor dem Hauptsatz stehen:

- Anderen Menschen zu gefallen, ist ihm sehr wichtig.

In Infinitivsätzen mit Modalverb steht **zu** zwischen Vollverb und Modalverb:

- Viele Menschen sind von der Idee besessen, schöner und perfekter aussehen zu müssen.

**Präpositionaladverbien** (darauf, dazu, …) im Hauptsatz können auf einen Infinitivsatz verweisen: `6.4`

- Ich freue mich darauf, im Wellness-Studio verwöhnt zu werden.
- Ich kann dir nur dazu raten, ins Wellness-Studio zu gehen.

Wenn das Geschehen im Infinitivsatz vor dem Geschehen im Hauptsatz stattfindet, verwendet man den Infinitiv Perfekt (Partizip II + „zu" + Infinitiv vom Hilfsverb „haben" oder „sein"):

- Ich bin zufrieden, eine Diät gemacht zu haben.
- Es freut mich, damit erfolgreich gewesen zu sein.

# 4 Das Verb

## 4.1 Modalverben: Objektiver Gebrauch

Struktur von Sätzen mit Modalverben `2.1, 4.4, 4.6, 4.8 – 4.10`

|  | Pos. 1 | Pos. 2 | Mittelfeld | Satzende |
|---|---|---|---|---|
| **Präsens** | Heute | muss | er für das Konzert | üben. |
| **Präteritum** | Er | wollte | als Kind Musiker | werden. |
| **Perfekt*** | Er | hat | als Kind Musiker | werden wollen. |
| **Plusquamperfekt** | Sein Vater | hatte | auch schon Musiker | werden wollen. |
| **Konjunktiv I der Gegenwart** | (Er sagte,) er | müsse | noch für das Konzert | üben. |
| **Konjunktiv I der Vergangenheit** | (Er sagte,) er | habe | gestern für das Konzert | üben müssen. |
| **Konjunktiv II der Gegenwart** | Ich | könnte | mir das gut | vorstellen. |
| **Konjunktiv II der Vergangenheit** | Ich selbst | hätte | allerdings nie Musiker | werden können. |

*Das Perfekt der Modalverben mit 2 Verbteilen am Satzende wirkt umständlich, in der Standardsprache wird hier fast immer das Präteritum verwendet.

**Nebensatz:** Das Modalverb steht am Satzende, nach dem Infinitiv des Vollverbs:

- Er kommt heute nicht zur Party, weil er für das Konzert üben muss.
- Er ist heute nicht zur Party gekommen, weil er für das Konzert üben musste.

### Objektiver Gebrauch der Modalverben

Modalverben modifizieren die Bedeutung eines anderen Verbs. Das Modalverb drückt zusammen mit dem Vollverb im Infinitiv zum Beispiel einen Wunsch, eine Erlaubnis oder eine Fähigkeit aus.

**können**

- Manche Menschen können drei Dinge gleichzeitig tun. *(Fähigkeit)*
- Du kannst jetzt die Bücher wieder zurückbringen, ich bin fertig. *(Erlaubnis)*
- Zu viel Sport kann enorme Schäden verursachen. *(Möglichkeit, Gelegenheit)*

**müssen**

- Er muss jeden Morgen um 5.00 Uhr aufstehen. *(Pflicht)*
- Sie musste nach der Trennung wieder ganz von vorne anfangen. *(Notwendigkeit)*
- Sie müssen sich am Montag beim Jobcenter melden. *(Befehl, Notwendigkeit)*
- Er hat drei Millionen im Lotto gewonnen und muss nicht mehr arbeiten. *(keine Notwendigkeit)*
    - → „nicht müssen" bedeutet das gleiche wie **nicht brauchen zu**: Er braucht nicht mehr zu arbeiten.
       Im mündlichen Sprachgebrauch wird das **zu** oft weggelassen: Er braucht nicht arbeiten.

**dürfen**

- Der Rasen darf nur werktags gemäht werden. *(Erlaubnis)*
- Als Kind durfte ich nicht alleine zur Schule fahren. *(Verbot)*

**sollen**

- Mein Ernährungsberater hat gesagt, dass ich mehr Obst essen soll. *(Ratschlag, Empfehlung)*
- Guten Tag, wir sollen Ihren Stromzähler ablesen. *(Auftrag)*
- Sollen wir heute Abend ins Kino gehen? *(Vorschlag – Reaktion erwartet)*

**wollen**

- Ich wollte schon immer etwas Neues ausprobieren. *(Wunsch, Absicht)*
- Wollen wir jetzt einen Kaffee trinken? *(Vorschlag – Reaktion erwartet)*

**möcht- / mögen**

- Herr Ober, ich möchte jetzt gerne zahlen! *(höfliche Bitte)*
- Ich möchte so gern einmal nach Südamerika reisen. *(Wunsch)*

„möcht-" ist der Konjunktiv II von „mögen"; es gibt keine Vergangenheitsform, hier wird dann „wollen" verwendet:

- Ich möchte einen Kaffee trinken. ⟷ Ich wollte einen Kaffee trinken.

Vor allem in Süddeutschland hört man auch:

- Ich mag jetzt mein Zimmer nicht aufräumen. *(Hier bedeutet „nicht mögen" „keine Lust haben".)*

Mit Modalverben klingen **Bitten** und **Wünsche** höflich, stehen die Modalverben im Konjunktiv II, wird es noch höflicher:

- Darf / Dürfte ich Sie um einen Rat bitten?
- Können / Könnten Sie mir bitte helfen?

Kann die Bedeutung des Satzes ohne Infinitiv aus dem Zusammenhang hergeleitet werden, kann der Infinitiv weggelassen werden, dies gilt besonders für den mündlichen umgangssprachlichen Sprachgebrauch:

- Er kann gut Italienisch (sprechen).
- Ich darf nicht in die Disco (gehen).
- Was soll das (bedeuten)?
- Mama, ich will kein Gemüse (haben / essen)!
- Ich möchte ein Eis (haben).

In diesem Fall wird das Perfekt mit dem Partizip Perfekt der Modalverben gebildet:

- Ich habe nicht in die Disko gedurft.

Diese Form hört man häufig umgangssprachlich in Süddeutschland, in der Standardsprache wird hier das Präteritum verwendet:

- Ich durfte nicht in die Disko.

**Alternativen zum Ausdruck von Möglichkeiten, Wünschen und Notwendigkeiten**

| | |
|---|---|
| Hans kann die Waschmaschine reparieren. | Hans ist fähig / in der Lage, die Waschmaschine zu reparieren. |
| Er muss die Arbeit heute abgeben. | Es ist (unbedingt) notwendig / erforderlich, dass er die Arbeit heute abgibt. / Er ist verpflichtet, die Arbeit heute abzugeben. |
| Man darf den Rasen nicht betreten. | Es ist verboten / untersagt / nicht erlaubt, den Rasen zu betreten. |
| Du solltest mehr Sport treiben. | Ich rate dir, / Es wäre ratsam, mehr Sport zu treiben. / Es wäre gut, wenn du mehr Sport treiben würdest. |
| Ich will dieses Jahr die Wände streichen. | Ich habe vor / beabsichtige, dieses Jahr die Wände zu streichen. |

## 4.2 Modalverben: Subjektiver Gebrauch

Modalverben können auch subjektiv gebraucht werden, d.h., der Sprecher oder die Sprecherin drückt damit eine persönliche Einschätzung eines Sachverhaltes aus oder gibt die Aussage einer anderen Person distanziert wieder.

Die Gegenwartsformen der Modalverben **müssen**, **dürfen**, **können**, **mögen** im subjektiven Gebrauch entsprechen dem Indikativ Präsens bzw. Konjunktiv II der objektiven Modalverben, den Unterschied erkennt man nur durch den Kontext.

Die Vergangenheitsformen der Modalverben **müssen**, **dürfen**, **können**, **mögen** im subjektiven Gebrauch bildet man mit dem Modalverb im Präsens und dem Infinitiv Perfekt (= Partizip Perfekt vom Vollverb + Infinitiv von „haben" oder „sein"):

| Objektiver Gebrauch: Es war notwendig, dass er gestern Abend im Büro arbeitete. | Subjektiver Gebrauch: Sprecher ist sicher, dass das so war. |
|---|---|
| Er musste gestern Abend im Büro arbeiten. | Er muss gestern Abend im Büro gearbeitet haben. |
| Er hat gestern Abend im Büro arbeiten müssen. | |
| Er hatte gestern Abend im Büro arbeiten müssen. | |

**müssen**

- Ruf doch mal an, Simon **muss** jetzt zu Hause **sein**. *(Indikativ, Gegenwart)*
- Simon **muss** schon **weggegangen sein**. *(Indikativ, Vergangenheit)*

Der Sprecher ist **sehr sicher**, dass Simon schon weggegangen / zu Hause ist.

- Ruf doch mal an, Simon **müsste** jetzt zu Hause **sein**. *(Konjunktiv II, Gegenwart)*
- Simon **müsste** schon **weggegangen sein**. *(Konjunktiv II, Vergangenheit)*

Der Sprecher ist **fast sicher**, dass Simon schon weggegangen / zu Hause ist.

**dürfen** *(nur im Konjunktiv II)*

- Es **dürfte** schwierig **sein**, mit Petra darüber zu sprechen. *(Gegenwart)*
- Es **dürfte** schwierig **gewesen sein**, mit Petra darüber zu sprechen. *(Vergangenheit)*

Das Gespräch mit Petra wird / war **wahrscheinlich** schwierig.

**können**

- Der Lehrer **könnte** sich **irren**. *(Konjunktiv II, Gegenwart)*
- Der Lehrer **könnte** sich **geirrt haben**. *(Konjunktiv II, Vergangenheit)*

Der Lehrer irrt / irrte sich **vermutlich**.

- Er **kann** im Stau **stehen**. *(Indikativ, Gegenwart)*
- Er **kann** im Stau **gestanden haben**. *(Indikativ, Vergangenheit)*

Er steht / stand **vielleicht** im Stau.

**mögen** *(nur im Indikativ)*

- Er **mag** ein reicher Mann **sein**. *(Gegenwart)*

Der Sprecher schätzt die jetzige finanzielle Lage des Mannes.

- Er **mag** ein reicher Mann **gewesen sein**, vielleicht sogar Milliardär. *(Vergangenheit: Variante I)*
- Er **mochte** ein reicher Mann **sein**, vielleicht sogar Milliardär. *(Vergangenheit: Variante II)*

Der Sprecher schätzt die frühere finanzielle Lage des Mannes.

- Er **mochte** ein reicher Mann **gewesen sein**. *(Vorvergangenheit)*

Der Sprecher schätzt die finanzielle Lage des Mannes in der Vorvergangenheit: Ganz früher war er vielleicht reich, aber später wurde er arm.

**sollen** *(nur im Indikativ)*

- Sie **soll** sehr viel Geld in der Schweiz **haben**. *(Gegenwart)*
- Er **soll** sein Geld mit Kupferminen **verdient haben**. *(Vergangenheit)*

Der Sprecher hat ein Gerücht gehört und gibt es weiter.

**wollen** *(nur im Indikativ)*

- Forscher **wollen** bei der Produktion von Gas aus Bioabfällen vor einem Durchbruch **stehen**. *(Gegenwart)*

Die Forscher behaupten, dass sie vor einem Durchbruch stehen, aber der Sprecher ist nicht überzeugt.

- Er war dabei, als der Unfall passiert ist. Aber jetzt **will** er nichts **gesehen haben**. *(Vergangenheit)*

Er behauptet, dass er nichts gesehen hat, aber der Sprecher bezweifelt das.

**Vermutungen mit „werden" + Infinitiv (= Futur I)**

Vermutungen kann man auch mit „werden" + Infinitiv (= Futur I) ausdrücken. `4.4` ▸

## 4.3 Verben mit einfachem Infinitiv (= Infinitiv ohne „zu")

Einige Verben können (wie die Modalverben und „werden") einen Infinitiv ohne „zu" nach sich haben. `3.18` ▸

Die Verben **lassen, sehen, hören, helfen** bilden das Perfekt mit einem doppelten Infinitiv (wie die Modalverben):

- Ich **lasse** mir heute die Haare **schneiden**. *(Präsens)*
- Sie **ließ** sich alle drei Wochen die Haare **schneiden**. *(Präteritum)*
- Er **hat** sich gestern die Haare **schneiden lassen**. *(Perfekt)*
- Ich **habe** den Unfall **kommen sehen**. *(Perfekt)*
- Ich **habe** das Telefon **klingeln hören**. *(Perfekt, hier auch „gehört")*
- Ich **habe** ihm die Koffer **tragen helfen**. *(Perfekt; hier eher „geholfen")*

Auch nach **bleiben**, **gehen**, **lehren**, **lernen** steht der Infinitiv ohne „zu". Das Perfekt dieser Infinitivkonstruktionen wird jedoch mit dem Partizip Perfekt des Vollverbs gebildet:

- Er bleibt plötzlich stehen. *(Präsens)*
- Er blieb plötzlich stehen. *(Präteritum)*
- Er ist plötzlich stehen geblieben. *(Perfekt)*
- Er ist immer gern schwimmen gegangen. *(Perfekt)*
- Sie hat Geige spielen gelernt. *(Perfekt)*
- Mein Geigenlehrer hat mich gut Geige spielen gelehrt. *(Perfekt)*

## 4.4 Präsens und Futur I

### Gebrauch des Präsens

Das Präsens wird verwendet, um Vorgänge und Zustände darzustellen, die **zum Sprechzeitpunkt andauern**:
- Ich wohne in Berlin.

Das Präsens wird auch verwendet, um **allgemeingültige Sachverhalte** wie Naturgesetze, Regeln oder anerkannte Wahrheiten auszudrücken:
- Wasser kocht bei 100 Grad.

**Zukünftiges** kann auch mit dem Präsens ausgedrückt werden. Um deutlich zu machen, dass von der Zukunft die Rede ist, werden dann Temporalangaben eingefügt (z. B. morgen, nächste Woche, nach der Arbeit):
- Nächste Woche besuche ich meine Eltern.

Das Präsens kann in Biografien oder Berichten auch für **Vergangenes** verwendet werden, um Ereignisse lebendiger und „gegenwärtiger" zu machen. Man spricht dann vom „historischen Präsens":
- Von 1767 bis 1769 arbeitet Gotthold Ephraim Lessing als Dramaturg am neu gegründeten Hamburger Nationaltheater. In dieser Zeit schreibt er seine Dramentheorie.

Das Deutsche hat keine Verlaufsform, aber um auszudrücken, dass sich ein Vorgang zum Sprechzeitpunkt im Verlauf befindet, also gerade stattfindet, können folgende Konstruktionen verwendet werden:
- Er ist (gerade) dabei, sich ein Haus zu bauen.
- Sie ist (gerade) beim Spülen.
- Lass mich in Ruhe, ich bin (gerade) am Essen! *(in der Umgangssprache)*

Zur besonderen Betonung der Aktualität kann die Temporalangabe „gerade" hinzugefügt werden.

### Formen

**Präsens: regelmäßige und unregelmäßige Verben**

|  | spielen | arbeiten | sehen | werden | fahren | laufen | sein | haben |
|---|---|---|---|---|---|---|---|---|
| **ich** | spiele | arbeite | sehe | werde | fahre | laufe | bin | habe |
| **du** | spielst | arbeitest | siehst | wirst | fährst | läufst | bist | hast |
| **er / sie / es** | spielt | arbeitet | sieht | wird | fährt | läuft | ist | hat |
| **wir** | spielen | arbeiten | sehen | werden | fahren | laufen | sind | haben |
| **ihr** | spielt | arbeitet | seht | werdet | fahrt | lauft | seid | habt |
| **sie / Sie** | spielen | arbeiten | sehen | werden | fahren | laufen | sind | haben |
|  | *regelmäßig* | *Verbstamm endet auf -d / -t* | *Vokalwechsel:* $e \rightarrow ie$ | $e \rightarrow i$ | $a \rightarrow \ddot{a}$ | $au \rightarrow \ddot{a}u$ |  |  |

## Präsens: „wissen" und Modalverben 4.1, 4.2 ▸

|  | wissen | können | müssen | dürfen | sollen | wollen | mögen | möcht- |
|---|---|---|---|---|---|---|---|---|
| **ich** | weiß | kann | muss | darf | soll | will | mag | möchte |
| **du** | weißt | kannst | musst | darfst | sollst | willst | magst | möchtest |
| **er / sie / es** | weiß | kann | muss | darf | soll | will | mag | möchte |
| **wir** | wissen | können | müssen | dürfen | sollen | wollen | mögen | möchten |
| **ihr** | wisst | könnt | müsst | dürft | sollt | wollt | mögt | möchtet |
| **sie / Sie** | wissen | können | müssen | dürfen | sollen | wollen | mögen | möchten |

## Verben mit trennbarer / nicht-trennbarer Vorsilbe (= Präfix)

| Position 1 | Position 2 | Mittelfeld | Satzende | |
|---|---|---|---|---|
| Heute | **hebe** | ich das Geld | **ab**. | (Verb mit trennbarer Vorsilbe) |
| Morgen | **be**zahle | ich meine Rechnung. | | (Verb mit nicht-trennbarer Vorsilbe) |

| trennbare Vorsilben (betont), z.B.: | nicht-trennbare Vorsilben (unbetont): |
|---|---|
| ab-, an-, auf-, aus-, ein-, her-, hin-, los-, mit-, raus-, rein-, vor-, weg-, zu-, zurück- | be-, emp-, ent-, er-, ge-, miss-, ver-, zer- |

### Gebrauch des Futur I

Das Futur I („werden" + Infinitiv) kann verwendet werden, um zukünftige Sachverhalte auszudrücken, hier wird jedoch der Zukunftsbedeutung häufig eine modale Komponente hinzugefügt. Mit dem Futur I kann man Prognosen, Absichten, Vorsätze, Ankündigungen und Zuversicht ausdrücken oder etwas mit Sicherheit vorhersagen.

- Prognose: Es wird die ganze Woche regnen.
- Absicht / Vorsatz / Ankündigung: Ich werde mein Studium im Oktober beginnen.
- Zuversicht: Die Prüfung wird schon nicht so schwer sein. (meistens mit Modalpartikel „schon")
- Sicherheit: Ich werde den Test bestehen. („werde" ist hier stark betont)

Das Futur I wird auch für Vermutungen (über die Gegenwart oder die Zukunft) verwendet, auch hier will der Sprecher keine Garantie dafür übernehmen, dass alles genau so passiert, wie prophezeit. „werden" als Vermutung wird häufig mit einer Modalangabe (z.B. bestimmt, wahrscheinlich, wohl, möglicherweise) verwendet.

- Der Film wird (wahrscheinlich) auch im Ausland Erfolg haben. (Vermutung über die Zukunft)
- Er wird (wohl) noch im Bett liegen. (Vermutung über die Gegenwart)
- Ich werde die Prüfung (vermutlich) nicht bestanden haben. (Vermutung über die Vergangenheit)

# 4.5 Perfekt

### Gebrauch

Das Perfekt wird vor allem **im mündlichen Sprachgebrauch** verwendet, um von Vergangenem zu berichten.

- Stell dir vor, gestern habe ich an der Uni Rebecca getroffen. Wir sind dann zusammen ins Uni-Café gegangen.

Das Perfekt wird **schriftlich** bei der Wiedergabe der gesprochenen Sprache und in Texten mit informellem Charakter verwendet (vor allem dann, wenn das geschilderte Ereignis wichtig für die Gegenwart ist). Typisch sind E-Mails, Blogs, Notizen und informelle private Briefe:

- Hi Petra – wir sind gut in Palermo angekommen und haben zuerst meinen Kumpel Francesco besucht.

### Formen

Das Perfekt wird gebildet mit den Hilfsverben **haben** oder **sein** im Präsens und dem **Partizip Perfekt (= Partizip II)** des jeweiligen Vollverbs:

| | | |
|---|---|---|
| **Regelmäßige Verben:**<br>• Sie haben das gut gemacht. | ge + Verbstamm (= V) + t<br>(bei -d/-t: + et) | machen – **ge**mach**t**<br>arbeiten – **ge**arbeit**et** |
| **Unregelmäßige Verben:**<br>• Er hat mir gestern geholfen. | ge + Verbstamm + en<br>oft mit Vokalwechsel | helfen – **ge**h**o**lf**en**<br>gehen – **ge**g**ang**en |
| **Gemischte Verben:**<br>• Er ist sehr schnell gerannt. | ge + Verbstamm + t<br>immer mit Vokalwechsel | rennen – **ge**r**a**nn**t** |
| **Verben mit trennbarer Vorsilbe:**<br>• Sie hat am Vormittag eingekauft.<br>• Er hat das Bild weggeworfen. | Vorsilbe + ge + V + t<br>Vorsilbe + ge + V + en | einkaufen – ein**ge**kauf**t**<br>wegwerfen – weg**ge**w**o**rf**en** |
| **Verben mit nicht-trennbarer Vorsilbe:**<br>• Er hat eine Geschichte erzählt.<br>• Ich habe das Paket bekommen. | Vorsilbe + V + t (kein ge-)<br>Vorsilbe + V + en (kein ge-) | erzählen – erzähl**t**<br>bekommen – bekomm**en** |

**Einige Verben bilden das Perfekt mit dem Hilfsverb „sein":**

Verben der Bewegung von Ort A nach Ort B, z. B.:
* gehen – ich bin gegangen
* kommen – sie ist gekommen
* laufen – er ist gelaufen

Verben der Zustandsveränderung, z. B:
* aufwachen – du bist aufgewacht
* passieren – etwas ist passiert
* wachsen – er ist gewachsen
* werden – sie ist geworden

Ausnahmen (keine Bewegung oder Veränderung):
* bleiben – sie ist geblieben
* sein – wir sind gewesen

**Achtung:** Im süddeutschen, österreichischen und Schweizer Sprachraum bilden auch die Verben „stehen", „liegen" und „sitzen" das Perfekt mit „sein".

## 4.6 Präteritum

### Gebrauch

Das Präteritum wird vor allem **in schriftlichen Texten** verwendet, in denen im Zusammenhang und eher distanziert erzählt wird. Typische Textsorten sind Märchen, Romane, Erzählungen sowie Berichte und Nachrichten.

**In der gesprochenen Sprache** werden „haben" und „sein" sowie die Modalverben meistens im Präteritum verwendet. Auch einige häufig verwendete Verben werden beim Sprechen häufig im Präteritum gebraucht: z. B. denken, geben, gehen, heißen, kennen, kommen, laufen, meinen, sitzen, stehen, wissen.

In Norddeutschland ist das Präteritum auch in Alltagssituationen häufiger zu hören.

Formen

### Präteritum: regelmäßige Verben

|          | machen   | spielen  | zeichnen   | arbeiten   | baden   |
|----------|----------|----------|------------|------------|---------|
| ich      | machte   | spielte  | zeichnete  | arbeitete  | badete  |
| du       | machtest | spieltest| zeichnetest| arbeitetest| badetest|
| er/sie/es| machte   | spielte  | zeichnete  | arbeitete  | badete  |
| wir      | machten  | spielten | zeichneten | arbeiteten | badeten |
| ihr      | machtet  | spieltet | zeichnetet | arbeitetet | badetet |
| sie/Sie  | machten  | spielten | zeichneten | arbeiteten | badeten |

### Präteritum: unregelmäßige Verben

|          | kommen | geben | werden  | haben   | sein  |
|----------|--------|-------|---------|---------|-------|
| ich      | kam    | gab   | wurde   | hatte   | war   |
| du       | kamst  | gabst | wurdest | hattest | warst |
| er/sie/es| kam    | gab   | wurde   | hatte   | war   |
| wir      | kamen  | gaben | wurden  | hatten  | waren |
| ihr      | kamt   | gabt  | wurdet  | hattet  | wart  |
| sie/Sie  | kamen  | gaben | wurden  | hatten  | waren |

### Präteritum: gemischte Verben und Modalverben

|          | kennen  | denken  | wissen  | können  | müssen  | dürfen  | mögen   | sollen* |
|----------|---------|---------|---------|---------|---------|---------|---------|---------|
| ich      | kannte  | dachte  | wusste  | konnte  | musste  | durfte  | mochte  | sollte  |
| du       | kanntest| dachtest| wusstest| konntest| musstest| durftest| mochtest| solltest|
| er/sie/es| kannte  | dachte  | wusste  | konnte  | musste  | durfte  | mochte  | sollte  |
| wir      | kannten | dachten | wussten | konnten | mussten | durften | mochten | sollten |
| ihr      | kanntet | dachtet | wusstet | konntet | musstet | durftet | mochtet | solltet |
| sie/Sie  | kannten | dachten | wussten | konnten | mussten | durften | mochten | sollten |

*„sollen" und „wollen" haben im Präteritum keinen Vokalwechsel.

## 4.7 Plusquamperfekt

### Gebrauch

Das Plusquamperfekt wird verwendet, um ein Ereignis zu beschreiben, das zeitlich **vor** einem anderen Ereignis in der Vergangenheit liegt. Signalwörter für die Verwendung des Plusquamperfekts sind Konnektoren wie „nachdem", „sobald", „vorher", „zuvor":

- **Nachdem** meine Freundin das Fahrrad repariert hatte, konnte die Radtour beginnen.
- Wir fuhren um 10.00 Uhr los, **vorher** hatte sie noch schnell das Fahrrad repariert.

### Formen

Das Plusquamperfekt wird gebildet mit den Hilfsverben **haben** oder **sein** im Präteritum und dem **Partizip Perfekt (= Partizip II)** des jeweiligen Vollverbs:

**Plusquamperfekt mit „haben"**

| ich | hatte | gekocht |
|---|---|---|
| du | hattest | gekocht |
| er / sie / es | hatte | gekocht |
| wir | hatten | gekocht |
| ihr | hattet | gekocht |
| sie / Sie | hatten | gekocht |

**Plusquamperfekt mit „sein"**

| ich | war | gelaufen |
|---|---|---|
| du | warst | gelaufen |
| er / sie / es | war | gelaufen |
| wir | waren | gelaufen |
| ihr | wart | gelaufen |
| sie / Sie | waren | gelaufen |

## 4.8 Passiv und Ersatzformen

### Gebrauch

Das Passiv beschreibt einen Vorgang. Die Person oder Sache, die etwas tut oder verursacht (das Agens) wird im Passivsatz häufig nicht genannt, sie ist entweder allgemein bekannt, unbekannt oder im Kontext nicht wichtig:

- Die Welt wurde in sieben Tagen erschaffen. *(Der Schöpfer der Welt ist allgemein bekannt.)*
- Der Minister wurde durch mehrere Stiche in den Rücken verletzt, die Attentäter konnten unerkannt entkommen. *(Der oder die Täter sind unbekannt.)*
- Ich wurde zum Vorstellungsgespräch eingeladen. *(Hier ist nicht wichtig, wer mich eingeladen hat, sondern dass ich eingeladen wurde.)*

### Formen

Das Passiv wird mit einer konjugierten Form von „werden" und dem Partizip Perfekt (= Partizip II) gebildet:

|  | Aktiv | Passiv |
|---|---|---|
| Präsens | sie lobt | sie wird gelobt |
| Präteritum | sie lobte | sie wurde gelobt |
| Perfekt | sie hat gelobt | sie ist gelobt worden |
| Plusquamperfekt | sie hatte gelobt | sie war gelobt worden |
| Futur I | sie wird loben | sie wird gelobt werden |

Das **Passiv mit Modalverben** wird mit dem konjugierten Modalverb und dem Infinitiv Passiv (= Partizip Perfekt + „werden") gebildet:

| Präsens | Das Fenster muss richtig geschlossen werden. |
|---|---|
| Präteritum | Das Fenster musste richtig geschlossen werden. |
| Perfekt* | Das Fenster hat richtig geschlossen werden müssen. |
| Plusquamperfekt | Das Fenster hatte richtig geschlossen werden müssen. |

* Das Perfekt mit dem doppelten Infinitiv wirkt sehr umständlich, daher wird meist das Präteritum verwendet.

### Das „Agens" im Passiv

Wenn man das „Agens" (also die Person oder Sache, die etwas tut oder verursacht) im Passivsatz besonders betonen will, kann man es mit der Präposition **von + Dativ** einfügen:
- Die Mitteilung wurde von der Bundeskanzlerin persönlich vorgelesen. *(und nicht von irgendeinem Pressesprecher)*

Bei nicht willentlich herbeigeführten Umständen oder wenn das Agens nur „als Vermittler" auftritt, verwendet man auch **durch + Akkusativ**.
- Wir wurden durch den Streik aufgehalten.
- Der Angestellte wurde vom Chef durch dessen Sekretärin informiert.

### Das „sein"-Passiv oder Zustandspassiv

Das Passiv mit **werden** beschreibt einen Prozess, das Passiv mit **sein** einen Zustand als Ergebnis einer Handlung:
- Das Museum wurde leider wegen eines Brands geschlossen. Nun ist es schon einen Monat geschlossen. Es war vor einem Jahr schon einmal wegen technischer Probleme für längere Zeit geschlossen.

### Das Passiv ohne Subjekt oder „unpersönliches Passiv"

Für allgemeine Aussagen und Regeln gebraucht man das Passiv ohne Subjekt:
- Im Labor wird geforscht. *(allgemeine Aussage)*
- Hier darf nicht geraucht werden. *(Regel)*
- Es wurde lange darüber diskutiert. *(„Es" auf Position 1: „Platzhalter" für das Subjekt)*

### Ersatzformen 10.2 ▶

Als Alternative zu Passivkonstruktionen kann man folgende Ersatzformen verwenden:

| | |
|---|---|
| **man**<br>= jede Person, alle Leute. Die konkrete Person ist nicht wichtig. | • Diese Aufgabe kann man in drei Monaten bewältigen.<br>*(statt: Diese Aufgabe kann in drei Monaten bewältigt werden.)* |
| **Verbstamm + „-bar" oder „-lich"**<br>= kann (nicht) gemacht werden | • Ist der Motor noch reparierbar?<br>*(statt: Kann der Motor noch repariert werden?)*<br>• Das Gemälde ist unverkäuflich.<br>*(statt: Das Gemälde kann nicht verkauft werden.)* |
| **„sein" + „zu" + Infinitiv**<br>= kann gemacht werden | • Das ist nur mit vereinten Kräften zu schaffen.<br>*(statt: Das kann nur mit vereinten Kräften geschafft werden.)* |
| **„sein" + „zu" + Infinitiv**<br>= muss gemacht werden | • Das Projekt ist bis morgen abzuschließen!<br>*(statt: Das Projekt muss bis morgen abgeschlossen werden.)* |
| **„lässt sich" + Infinitiv**<br>= kann gemacht werden | • Das lässt sich sofort erledigen.<br>*(statt: Das kann sofort erledigt werden.)* |

## 4.9 Konjunktiv I: Indirekte Rede

### Gebrauch

Im formelleren schriftlichen und mündlichen Sprachgebrauch werden die Aussagen von Dritten häufiger in der indirekten Rede wiedergegeben. Dies signalisiert eine Distanz: Man gibt eine Information weiter, ist aber nicht unbedingt selbst der gleichen Meinung. Das Verb steht dann oft im Konjunktiv.

Direkte Rede im Präsens:
- Der Bundespräsident: „Ich kann das Gesetz in der jetzigen Form nicht unterschreiben."

Indirekte Rede mit Konjunktiv I (Gegenwart):
- Der Bundespräsident sagte, er könne das Gesetz in der jetzigen Form nicht unterschreiben.
- Der Bundespräsident sagte, dass er das Gesetz in der jetzigen Form nicht unterschreiben könne.

Direkte Rede im Präteritum:

- Der Politiker: „Ich wusste nichts von illegalen Parteispenden."

Indirekte Rede mit Konjunktiv I (Vergangenheit):

- Der Politiker sagte, er habe von illegalen Parteispenden nichts gewusst.
- Der Politiker sagte, dass er nichts von illegalen Parteispenden gewusst habe.

Der Konjunktiv I wird auch manchmal in **Wunschsätzen**, **Aufforderungen** oder in **Rezepten** verwendet:

- Es lebe die Demokratie!
- Man möge mir das verzeihen.
- Man nehme ein Pfund Mehl, ein halbes Pfund Zucker und zwei Eier.

### Formen

Der Konjunktiv I wird meistens nur in der 3. Person Sing. gebraucht, bei den anderen Personen verwendet man in der Regel den Konjunktiv II.

Nur beim Verb „sein" wird er in allen Formen verwendet: **ich sei, du sei(e)st, er sei, wir seien, ihr seiet, sie seien**

|  | **arbeiten** | **spielen** | **fahren** | **nehmen** | **müssen** | **wissen** | **haben** |
|---|---|---|---|---|---|---|---|
| **er / sie / es** | arbeit**e** | spiel**e** | fahr**e** | nehm**e** | müss**e** | wiss**e** | hab**e** |

Die (einzige) Vergangenheitsform des Konjunktiv I wird mit „haben" oder „sein" im Konjunktiv I und dem Partizip Perfekt des Vollverbs gebildet:

- Er betonte, er habe die Kanzlerin rechtzeitig informiert.
- Sie sagte, sie sei pünktlich gekommen.

Folgende **Konjunktiv I-Formen** werden auch im weniger formellen Sprachgebrauch verwendet:

| **Modalverben** | Sie sagte,   sie könne, müsse, dürfe, solle, wolle, möge |
|---|---|
| **Hilfsverben** | Er meinte,   er habe, sei, werde, … |
| **einige häufig gebrauchte unregelmäßige Verben** | Sie erzählte, sie gehe, fahre, nehme, sehe, wisse, lasse, … |

Sonst verwendet man im weniger formellen Sprachgebrauch meistens den **Konjunktiv II** oder **würde + Infinitiv**:

- Sie hat gesagt, dass sie gleich käme. / dass sie gleich kommen würde.

Beim Wechsel von direkter zu indirekter Rede kann es einen Perspektivenwechsel geben. Die Pronomen, Zeit- und Ortsangaben ändern sich dann sinngemäß. Dabei ist zu beachten: Wer spricht zu wem? Wann und wo geschieht etwas?

- Der Umweltminister sagt am Dienstag in Hannover: „Gestern habe ich hier eine Fabrik für Windräder besichtigt."
  - → Eine Berliner Zeitung schreibt am Mittwoch: Der Umweltminister sagte gestern, dass er am Tag davor in Hannover eine Fabrik für Windräder besichtigt habe.

## 4.10 Konjunktiv II: Bitten, Ratschläge, Vermutungen und Wünsche

### Gebrauch

Der Konjunktiv II wird verwendet, wenn etwas Irreales ausgedrückt werden soll, wie z. B. in konditionalen Nebensätzen oder irrealen Vergleichssätzen. **3.7, 3.13**

Man kann diese Form auch gebrauchen, wenn man Bitten, Ratschläge und Wünsche vorsichtiger oder höflicher ausdrücken möchte.

### Höfliche Bitten

- Entschuldigung, hätten Sie vielleicht einen Moment Zeit?
- Wärest du so nett, mir dein Auto zu leihen?
- Entschuldigen Sie, könnten Sie mir bitte kurz helfen?
- Würdest du mir bitte das Salz geben?

### Ratschläge

- Wenn ich du wäre, würde ich mir einen neuen Job suchen.
- Wie wäre es damit, mehr Sport zu treiben?
- Du solltest dich wirklich mehr bewegen!
- An deiner Stelle hätte ich mich bei dieser Firma beworben.

### Vermutungen

- Es könnte sein, dass Richard sich bald eine Stelle im Ausland sucht.
- Das dürfte nicht so schwer sein.
- Lisa müsste bald kommen.

| Wunschsätze mit „wenn" | Wunschsätze ohne „wenn" |
|---|---|
| - **Wenn** ich doch noch hier bleiben könnte. | - Könnte ich doch noch hier bleiben! |
| - **Wenn** nur schon Sonntag wäre! | - Wäre nur schon Sonntag! |
| - **Wenn** er doch endlich käme! | - Käme er doch endlich! |
| - **Wenn** wir bloß schon gestern losgefahren wären! | - Wären wir bloß schon gestern losgefahren! |

Die Modalpartikeln „doch", „nur", „bloß" machen den Wunsch intensiver.  9 ▶

### Formen

#### Konjunktiv II der Gegenwart

Bei Modalverben und einigen frequenten unregelmäßigen Verben wird meist die Konjunktiv-II-Form gebraucht:
Präteritum (+ Umlaut) + Konjunktivendungen:

|  | Präteritum | Konjunktiv II | *ebenso:* | |
|---|---|---|---|---|
| **ich** | kam | käm**e** | nahm – n**ä**hme | konnte – k**ö**nnte |
| **du** | kamst | käm**est** | ging – ginge | musste – m**ü**sste |
| **er / sie / es** | kam | käm**e** | ließ – ließe | durfte – d**ü**rfte |
| **wir** | kamen | käm**en** | wusste – w**ü**sste | mochte – m**ö**chte |
| **ihr** | kamt | käm**et** | hatte – h**ä**tte | sollte – sollte *(kein Umlaut)* |
| **sie / Sie** | kamen | käm**en** | war – w**ä**re | wollte – wollte *(kein Umlaut)* |

Bei regelmäßigen Verben und vielen unregelmäßigen Verben verwendet man für den Konjunktiv II meistens
**würde + Infinitiv**:

- Wenn ich mehr Zeit hätte, würde ich das Buch heute noch kaufen.

**Mit Modalverb:** Das müsste nicht so sein. *(Modalverb im Konjunktiv II + Infinitiv)*
**Passiv:** Würde das Haus noch dieses Jahr fertiggestellt, könnten wie im Januar umziehen. *(„würde" + Partizip Perfekt)*
**Passiv und Modalverb:** Das könnte bis morgen erledigt werden. *(Modalverb im Konjunktiv II + Infinitiv Passiv)*

#### Konjunktiv II der Vergangenheit

- Wenn es nicht so spät gewesen wäre, hätte ich dich noch besucht. *(„hätte"/„wäre" + Partizip Perfekt)*
- Wäre es nicht so spät gewesen, hätte ich dich noch besucht. *(Konditionalsatz ohne „wenn")*

**Mit Modalverb:** Das hätte nicht so kommen müssen. *(„hätte" + Infinitiv des Vollverbs + Infinitiv des Modalverbs)*
**Passiv:** Wäre das Haus im letzten Jahr fertiggestellt worden, hätten wir im Januar umziehen können. *(„wäre" + Partizip Perfekt + „worden")*
**Passiv und Modalverb:** Das hätte schneller erledigt werden können. *(„hätte" + Partizip Perfekt + Infinitiv von „werden" + Infinitiv des Modalverbs)*
**Nebensatz mit Modalverb:** Er sagte, dass er das nicht hätte tun sollen. / dass das nicht hätte getan werden müssen.
*(„hätte" steht vor den anderen Verben)*

# 5 Das Adjektiv

## 5.1 Deklination

Diese **Signalendungen** von Artikelwörtern und Adjektiven zeigen den Kasus an:

|  | m | n | f | Pl |
|---|---|---|---|---|
| **Nominativ** | -r | -s | -e | -e |
| **Akkusativ** | -n | -s | -e | -e |
| **Dativ** | -m | -m | -r | -n |
| **Genitiv** | -s | -s | -r | -r |

Wenn die **Signalendung** beim **Artikelwort** steht, hat das Adjektiv die Endung „-e" oder „-en". Dies gilt auch nach „dieser", „jener", „jeder", „mancher", „welcher", „alle".

Wenn es kein Artikelwort gibt oder das Artikelwort keine Endung hat, hat das **Adjektiv** die **Signalendung**. Dies gilt auch nach „wenig", „viel" und „mehr". **Ausnahmen:** Genitiv Singular Maskulinum und Neutrum: Endung „-en"

|  | m: der Inhalt | n: das Spielzeug | f: die Form | Pl: die Kerzen |
|---|---|---|---|---|
| **N** | der praktische<br>(k)ein praktischer<br>praktischer | das bekannte<br>(k)ein bekanntes<br>bekanntes | die schöne<br>(k)eine schöne<br>schöne | die bunten<br>keine bunten<br>bunte |
| **A** | den praktischen<br>(k)einen praktischen<br>praktischen | das bekannte<br>(k)ein bekanntes<br>bekanntes | die schöne<br>(k)eine schöne<br>schöne | die bunten<br>keine bunten<br>bunte |
| **D** | dem praktischen<br>(k)einem praktischen<br>praktischem | dem bekannten<br>(k)einem bekannten<br>bekanntem | der schönen<br>(k)einer schönen<br>schöner | den bunten<br>keinen bunten<br>bunten |
| **G** | des praktischen -(e)s[1]<br>(k)eines praktischen -(e)s[1]<br>praktischen -(e)s[1] | des bekannten -(e)s[1]<br>(k)eines bekannten -(e)s[1]<br>bekannten -(e)s[1] | der schönen<br>(k)einer schönen<br>schöner | der bunten<br>keiner bunten<br>bunter |

[1]Das Nomen hat die Signalendung.

Bei mehreren Adjektiven vor dem Nomen werden alle Adjektive gleich dekliniert:
- schöner reicher Mann gesucht
- ein beliebtes, praktisches Geschenk

Adjektive auf **-a** werden nicht dekliniert: z. B. rosa, lila, prima, …
- der lila Rock
- ein prima Geschenk

Adjektive, die von Ortsnamen abgeleitet sind, werden groß geschrieben und enden immer auf **-er**:
- der Kölner Dom
- beim Brandenburger Tor
- statt des Dresdener Stollens

## 5.2 Partizip I und II als Attribute

Das **Partizip I (= Partizip Präsens)** bildet man mit dem Infinitiv vom Verb + **d** (arbeiten**d**, suchen**d**, eintreffen**d**, gelten**d**, …). Es steht als Attribut direkt vor dem Nomen und beschreibt einen Vorgang im Aktiv, der im Sprechmoment stattfindet bzw. stattgefunden hat: **5.1** ▶

- Im Park sitzen überall grillen**de** Menschen.
- Auf der Wiese spielten lachen**de** Kinder.

Auch das **Partizip II (= Partizip Perfekt)** kann als Attribut vor dem Nomen stehen. Es beschreibt meist passivische Vorgänge oder Zustände: **4.5** ▶

- Würstchen werden gegrillt. → Im Park riecht es überall nach gegrillten Würstchen.
- Der Mietvertrag wurde unterschrieben. → Ich sende Ihnen hiermit den unterschriebenen Mietvertrag zurück.

Das Partizip II von Verben, die das Perfekt mit **sein** bilden, kann auch einen Vorgang im Aktiv beschreiben, der im Sprechmoment schon vergangen ist:

- Das Ehepaar **ist** ausgewandert. → Das ausgewanderte Ehepaar will nie wieder nach Deutschland zurückkehren.

### Erweiterte Partizipien

Die Partizipien als Adjektive können – besonders in juristischen oder wissenschaftlichen Texten – durch weitere Informationen ergänzt werden. Man versucht damit, möglichst knapp zu schreiben und Nebensätze zu vermeiden (Nominalstil). Das Partizip mit seinen Erweiterungen steht zwischen dem **Artikelwort** bzw. der **Präposition** und dem **Nomen**, auf das es sich bezieht:

- Sie finden in der Anlage **den Mietvertrag**, der von mir unterschrieben worden ist. *(Relativsatz im Passiv, Perfekt)*

  → Sie finden in der Anlage **den** von mir unterschriebenen **Mietvertrag**. *(erweitertes Partizip II)*

- **Der Zug**, der gerade abgefahren ist, musste eine Notbremsung machen. *(Relativsatz im Aktiv, Perfekt)*

  → **Der** gerade abgefahrene **Zug** musste eine Notbremsung machen. *(erweitertes Partizip II)*

- **Trotz Mietpreise**, die seit Jahren steigen, ist München als Wohnort noch immer sehr beliebt. *(Relativsatz im Aktiv, Präsens)*

  → **Trotz** seit Jahren steigender **Mietpreise** ist München als Wohnort noch immer sehr beliebt. *(erweitertes Partizip I)*

# 6 Das Adverb

## 6.1 Adverbien beim Verb

Adverbien beim Verb beschreiben, **wie** eine Aktivität gemacht wird. Sehr oft liegt ihnen ein Adjektiv zugrunde. Adverbien haben im Deutschen keine Endung:

- Er schläft gut und arbeitet regelmäßig.

> Ebenso: gut, schlecht, genau, gründlich, zuverlässig, hektisch, ordentlich, freundlich, so, anders, …

**Stellung im Satz:** meist im Mittelfeld **2.3** ▶

- Er hat die Arbeit höchst zuverlässig erledigt.

## 6.2 Adverbien beim Satz

**Funktion und Bedeutung**

Viele Adverbien modifizieren einen ganzen Satz.

> **Modale Adverbien:** normalerweise, gern, lieber, am liebsten, glücklicherweise, leider, womöglich, wahrscheinlich, vermutlich, hoffentlich, …

- Normalerweise geht sie nicht allein ins Kino.

> **Lokaladverbien:** links – rechts, vorn – hinten, oben – unten, hier – da – dort, drinnen – draußen, irgendwo – nirgendwo, überall, …; *Kombinationen:* hier oben, dort unten, rechts hinten, …

- Drinnen war es gemütlich warm, aber draußen spürte man schon den Herbst.

> **Direktionaladverbien:** her – hin, herauf – herunter / hinauf – hinunter (rauf – runter), herein – heraus / hinein – hinaus (rein – raus), vorwärts – rückwärts, nach rechts – nach links, dorthin, geradeaus, …

- Sie können schon rein (hinein) gehen, Herr Müller wartet bereits auf Sie.

> **Temporaladverbien:** heute – morgen – übermorgen, gestern – vorgestern, damals, meistens, oft, manchmal, selten, nie, täglich, montags, dienstags, …

- Heute gehe ich nicht mehr zur Arbeit, es ist schon zu spät.

> **Verbindungsadverbien zwischen Sätzen:** deswegen, darum, daher, nämlich, also, trotzdem, sonst, stattdessen, jedoch, vorher, … `3.4–3.12`

- Heute beginnen die Sommerferien. Deswegen gibt es auf der Autobahn viele Staus.

**Stellung der Adverbien im Satz:** Position 1 oder im Mittelfeld:
- Hier kann man sehr gut Ski fahren. / Man kann hier sehr gut Ski fahren.
- Trotzdem würde ich lieber nach Davos fahren. / Ich würde trotzdem lieber nach Davos fahren.

Lokaladverbien können auch direkt **nach** dem Nomen stehen:
- Der **Vogel** dort oben füttert seine Jungen.

## 6.3 Adverbien der Verstärkung und Fokussierung

**Diese Adverbien können Adjektive verstärken oder abschwächen:**
- Gestern habe ich einen sehr / höchst interessanten Film gesehen!
- Das war ein besonders gelungenes Konzert. Aber es war recht kurz. *(= ziemlich kurz)*
- Ich möchte Ihnen recht herzlich danken. *(= sehr herzlich)*
- Der Urlaub war dieses Mal nur sehr kurz!

Umgangssprachlich:
- Das war echt toll! *(= extrem gut)*
- Das Kleid ist super schön!
- Ich bin total beeindruckt!

> **Adverbien der Verstärkung / Abschwächung:** ganz, ziemlich, einigermaßen, etwas, nur, relativ, recht, besonders, sehr, höchst, absolut, wirklich, super, total, echt, …

**Diese Adverbien können Nomen fokussieren:**
- Der Film war sehr gut – nur der Hauptdarsteller war nicht sehr überzeugend.
- Und auch die Musik fand ich nicht so gut. Das hat sogar Bernhard gesagt.

> **Adverbien der Fokussierung:** nur, auch, sogar

## 6.4 Präpositionaladverbien (darauf, dazu, …; worauf, wozu, …)

### Bildung und Gebrauch

Präpositionaladverbien bildet man mit **„da-" + Präposition**, wenn die Präposition mit einem Konsonanten beginnt (dabei, dafür, damit, …) und mit **„dar-" + Präposition**, wenn die Präposition mit einem Vokal beginnt (daran, darauf, darüber, …).

Präpositionaladverbien stehen für einen präpositionalen Ausdruck und können sich auf ein **Nomen** oder eine **ganze Aussage** beziehen: `1.1, 8.3`
- Dort steht noch ein altes Atomkraftwerk, viele Menschen haben Angst davor. *(Angst haben vor)*
- Der BUND setzt sich dafür ein, die Umwelt zu schützen. *(sich einsetzen für)*

Präpositionaladverbien können **vorwärtsverweisend** verwendet werden:
- Der „Verein Deutsche Sprache" will die Menschen in Deutschland daran erinnern, wie wertvoll und schön ihre Muttersprache ist. *(erinnern an)*

Präpositionaladverbien können **rückverweisend** verwendet werden:
- Im Deutschen werden immer mehr Wörter aus dem Englischen verwendet, dagegen protestiert der Verein immer wieder. *(protestieren gegen)*

Präpositionaladverbien können auch auf einen Nebensatz mit „dass" oder einen Infinitivsatz verweisen: `3.18`
- Der Verein will dafür sorgen, **dass** mehr junge Menschen in Deutschland eine gute Ausbildung bekommen. *(sorgen für)*
- Ich habe nicht daran gedacht, den Vereinsbeitrag **zu überweisen**. *(denken an)*

Nach Nomen und Adjektiven mit Präposition können auch Präpositionaladverbien stehen:
- Er zeigte sein Entsetzen darüber, **dass** die Wahlbeteiligung so gering war. *(Entsetzen über)*
- Alex ist sehr daran interessiert, ein Semester im Ausland zu studieren. *(interessiert an)*

In einigen Fällen ist das Präpositionaladverb als Hinweis nicht obligatorisch:
- Ich freue mich (darauf), dass du kommst. *(sich freuen auf)*
- Sie war froh (darüber), mit ihrer Freundin über ihre Probleme sprechen zu können. *(froh über)*

Statt „da(r)" + Präposition gibt es auch die seltenere Form **„hier" + Präposition**:
- Hiermit protestieren wir gegen den Ausbau der Autobahn A2. *(= mit dieser Handlung, mit diesem Brief)*

**Das Präpositionaladverb steht nicht für Personen und Institutionen**, hier verwendet man die **Präposition + Personalpronomen**:
- Einer meiner besten Freunde in Burkina Faso ist ein alter Mann, ich denke oft **an ihn**. *(denken an)*
- Unterstützt du die Bürgerinitiative? – Ja, ich arbeite ehrenamtlich **für sie**. *(arbeiten für)*

### Fragen

**Die Frage nach Abstrakta und Sachen:** „wo(r)-" + Präposition (wofür, worüber, …):
- Worüber wurde in der Talkshow diskutiert? – Die Gäste haben **über** den neuen Bahnhof in Stuttgart diskutiert.

**Die Frage nach Personen und Institutionen:** Präposition + Fragewort (für wen, mit wem, …):
- Mit wem hast du denn eben so lange am Telefon gesprochen? – Ich habe **mit** Julie gesprochen, aber das geht dich eigentlich nichts an!

# 7 Artikelwörter und Pronomen

## 7.1 Artikelwörter (der, das, die ...; ein, kein, mein, ...)

Artikelwörter stehen **vor** dem Nomen:

* der Hund, ein grünes Haus, dieser Fußball, deine CD, ...

**Indefinit-Artikel** verwendet man, wenn eine Person oder eine Sache nicht näher identifiziert ist oder in einem Text neu eingeführt wird:

* Es war einmal ein kleines Mädchen.

Den Indefinit-Artikel gebraucht man auch, wenn eine Person oder Sache als Teil einer Gruppe beschrieben wird:

* Die Tanne ist ein Nadelbaum.
* Maren ist eine sportliche Frau.

**Definit-Artikel** verwendet man, wenn eine Person oder Sache näher identifiziert wird oder vorher schon erwähnt wurde:

* Ich kenne den Mann am Nachbartisch.
* Es war einmal ein kleines Mädchen. Das Mädchen trug oft eine rote Kappe.

Den Definit-Artikel kann man auch **generalisierend** gebrauchen:

* Der Dinosaurier ist ausgestorben.

### Deklination des Definit-Artikels

|  | m | n | f | Pl |
|---|---|---|---|---|
| **Nom.** | der | das | die | die |
| **Akk.** | den | das | die | die |
| **Dat.** | dem | dem | der | den |
| **Gen.** | des | des | der | der |

*Ebenso: dieser, jener (Demonstrativartikel), jeder, mancher, alle (Plural), welcher? (Frage)*
→ immer mit Signal-Endung

### Deklination des Indefinit-Artikels

|  | m | n | f | Pl |
|---|---|---|---|---|
| **Nom.** | ein | ein | eine | – / keine |
| **Akk.** | einen | ein | eine | – / keine |
| **Dat.** | einem | einem | einer | – / keinen |
| **Gen.** | eines | eines | einer | – / keiner |

*Ebenso: kein (negativer Artikel), mein, dein, ... (Possessivartikel), irgendein, irgendwelche (Plural), was für ein? (Frage)*
→ nicht immer mit Signal-Endung

## 7.2 Artikelwörter als Pronomen (das ist meins, deins, ...)

Wenn Artikelwörter als **Pronomen** verwendet werden, haben sie **immer die Signal-Endungen**.

* Ist das dein Kuli? – Nein, das ist nicht meiner, der muss jemand anderem gehören.
* Ich habe keine Kulis, hast du welche? – Nein, ich habe auch keine. / Ja, ich habe welche.
* In der Gruppe wollte jeder etwas anderes machen. Aber man kann es nicht jedem recht machen.
* Ach so, das meinst du!
* Ich glaube, er wollte denen mal richtig die Meinung sagen.
* Die Zahl derer, die Deutsch lernen, steigt.

### einer, keiner, meiner, jeder, mancher, ... alle

|  | m | n | f | Pl |
|---|---|---|---|---|
| **Nom.** | einer | eins | eine | welche |
| **Akk.** | einen | eins | eine | welche |
| **Dat.** | einem | einem | einer | welchen |
| **Gen.** | – | – | – | welcher |

### Definit-Artikel als Pronomen

|  | m | n | f | Pl |
|---|---|---|---|---|
| **Nom.** | der | das | die | die |
| **Akk.** | den | das | die | die |
| **Dat.** | dem | dem | der | denen |
| **Gen.** | dessen | dessen | derer | derer |

## 7.3 Indefinitpronomen (man, jemand, irgendjemand, ...)

Indefinitpronomen werden verwendet, wenn eine Person oder eine Sache nicht spezifiziert werden können.

**irgend-** verstärkt die Unbestimmtheit:

- Wie sagt man das auf Deutsch? *(allgemein, alle Leute)*
- Hat jemand / irgendjemand meine schwarze Tasche gesehen? *(unbestimmte Person)*
- Ich muss noch etwas / irgendetwas für seinen Geburtstag finden. *(unbestimmte Sache)*
- Diese Melodie habe ich irgendwo schon mal gehört. *(ich weiß nicht mehr, wo)*
- Gehst du eigentlich irgendwann auch mal aus? *(unbestimmter Zeitpunkt)*
- Das Projekt muss irgendwie bis Samstag fertig werden. *(egal, wie)*

### Negation der Indefinitpronomen

|  | negativ |  | negativ |
|---|---|---|---|
| (irgend)jemand, irgendwer, irgendein- | niemand, kein- | irgendwie | gar nicht / in keiner Weise |
| etwas / irgendetwas / irgendwas | nichts | irgendwann | nie / niemals |
| irgendwohin / irgendwoher | nirgendwohin / nirgendwoher | irgendwo | nirgends |

- Leider hat niemand deine Tasche gesehen. *(keine Person)*
- Ich habe noch nichts für seinen Geburtstag gefunden. *(keine Sache)*
- Ich kann meine Brille nicht finden. Ich habe sie nirgends gesehen. *(an keinem Ort)*
- Herbert ist langweilig, er geht nie mit uns aus. *(zu keinem Zeitpunkt)*
- Die Krankheit vom Chef hat das Projekt in keiner Weise beeinträchtigt. *(auf keine Art und Weise)*

### Deklination von „jemand" / „niemand" und „man"

|  | m | Abk. | m |  | m |  |
|---|---|---|---|---|---|---|
| **Nom.** | jemand | jd. | niemand |  | man | Das kann man sich ja denken! |
| **Akk.** | jemand(en) | jdn. | niemand(en) |  | einen | Wenn man neu ist, stellen Sie einen erstmal vor. |
| **Dat.** | jemand(em) | jdm. | niemand(em) |  | einem | Man weiß ja nie, was einem passieren kann! |
| **Gen.** | (jemandes) | jds. | (niemandes) |  | – |  |
|  | *Die Endung ist nicht obligatorisch.* *Der Genitiv wird nur selten verwendet.* |  |  |  | *„einen", „einem" vor allem umgangssprachlich* |  |

## 7.4 Präpositionalpronomen (= Präpositionaladverbien)

(vgl. dazu Abschnitt 6.4)

# 8 Präpositionen

Präpositionen kann man nach syntaktischen Gesichtspunkten (**Welchen Kasus erfordern sie?**) oder nach semantischen Gesichtspunkten (**Was bedeuten sie?**) betrachten. Im Folgenden finden Sie typische Beispiele.

## 8.1 Syntaktisch

| Präpositionen mit Akkusativ | Präpositionen mit Dativ | Präpositionen mit Genitiv |
|---|---|---|
| • Wir haben einen Spaziergang durch den Park gemacht.<br>• Gehen Sie immer den Fluss entlang.<br>• Er war für höhere Löhne aber gegen einen Streik.<br>• Wir kamen gegen 21 Uhr an. | • Ab dem nächsten Monat will sie regelmäßig Sport treiben.<br>• Außer meinem Bruder kommt noch ein Kollege mit.<br>• Johanna wohnt noch bei ihren Eltern.<br>• Morgen komme ich zu dir. | • Aufgrund eines dummen Missverständnisses reden sie jetzt nicht mehr miteinander.<br>• Außerhalb der Bürozeiten ist Frau Mayer nicht erreichbar.<br>• Entlang des Flusses zog sich ein schmaler Weg. |
| bis, durch, für, gegen, ohne, um; entlang (*nach dem Nomen*) | ab, aus, außer, bei, entgegen, gegenüber, mit, nach, seit, von, wegen, zu | aufgrund, außerhalb, infolge, innerhalb, (an)statt, anstelle, trotz, ungeachtet, während, wegen, dank; entlang (*vor dem Nomen*) |

„bis" wird meist mit einer zweiten Präposition verwendet:
• Er bringt sie bis zur Haustür.

„wegen", dank", „trotz" und„ „statt" kann man umgangssprachlich auch mit Dativ verwenden:
• Sie musste wegen ihrem Job schon oft umziehen.

Eine weitere Gruppe von lokalen Präpositionen, die sogenannten **Wechselpräpositionen**, können **je nach Kontext den Dativ oder den Akkusativ** bei sich haben.

> an, auf, hinter, in, neben, über, unter, vor, zwischen

| Wohin? →<br>Akkusativ | Wo? ◎<br>Dativ |
|---|---|
| • Pinnen Sie bitte die Karten an die Wand! | • Die Karten hängen an der Wand. |
| • Anne hat einen Spiegel über den Kamin gehängt. | • Der Spiegel über dem Kamin gefällt ihr. |
| • Tim stellte sich zwischen seine beiden Freunde. | • Es gab kaum Platz zwischen ihnen. |

## 8.2 Semantisch

| Lokale Präpositionen | an, auf, aus, außerhalb, bei, durch, gegen, hinter, in, innerhalb, nach, neben, über, unter, vor, zu, zwischen | • Lisa musste lange an der Haltestelle warten. |
|---|---|---|
| Temporale Präpositionen | ab, an, bei, bis, in, nach, seit, um, vor, während, zwischen | • Wir treffen uns am Montag um 16 Uhr. |
| Kausale Präpositionen | aufgrund, aus, dank, durch, vor, wegen | • Vor lauter Angst schrie Eva laut auf. |

| Finale Präpositionen | für, zu | • Alles Gute für das neue Lebensjahr!<br>• Zum Training mache ich täglich Gymnastik. |
|---|---|---|
| Konditionale Präpositionen | bei, ohne | • Bei gutem Wetter kann man die Alpen sehen. |
| Konzessive Präpositionen | trotz, ungeachtet (gehobene Sprache) | • Trotz guter Angebote gehen viele Studenten nicht ins Ausland. |
| Konsekutive Präpositionen | infolge, infolge von | • Infolge einer Fehlbehandlung musste Alex wieder ins Krankenhaus. |
| Modale Präpositionen | auf, aus, außer, durch, in, mit, nach (vor oder nach dem Nomen), ohne | • Nach meiner Überzeugung / Meiner Überzeugung nach funktioniert das nicht. |
| Adversative Präpositionen | entgegen | • Entgegen meinen Erwartungen ist er pünktlich gekommen. |
| Alternative Präpositionen | statt, anstelle, anstelle von | • Anstelle einer Flugreise buchen sie eine Schiffsreise. |

## 8.3 Feste Präpositionen bei Verben, Adjektiven und Nomen

Ebenso wie Verben können Adjektive und Nomen feste Präpositionen haben. Solche festen Präpositionen haben meist ihre ursprüngliche Bedeutung verloren.

• Der Ausgang der Wahl ist abhängig vom Wetter.
• Sie war zuerst sehr wütend auf ihn, aber dann verstand sie sein Verhalten.

**Beispielauswahl:**

| Verben | Adjektive | Nomen |
|---|---|---|
| abhängen von + D | abhängig von + D | die Abhängigkeit von + D |
| sich ängstigen vor + D | | die Angst vor + D |
| sich ärgern über +A | ärgerlich über + A | der Ärger über + A |
| sich befreunden mit + D | befreundet mit + D | die Freundschaft mit + D |
| | beliebt bei + D | die Beliebtheit bei + D |
| sich freuen über + A | froh über + A | die Freude über + A |
| | reich an + D | der Reichtum an + D |
| sich sehnen nach + D | | die Sehnsucht nach + D |
| | wütend auf + A | die Wut auf + A |

Manchmal haben Verb, Adjektiv und Nomen unterschiedliche Präpositionen, z. B.:

| Verben | Adjektive | Nomen |
|---|---|---|
| sich interessieren für + A | interessiert an + D | das Interesse an + D |
| sich begeistern für + A | begeistert von + D | die Begeisterung für + A |

Bei einigen Adjektiven kann statt der Präposition auch ein Genitiv oder Dativ stehen, z. B.:

• voll von + D: voll von tiefstem Mitleid
  voll + G: voll tiefsten Mitleids
  voll + D: voll tiefstem Mitleid

# 9 Modalpartikeln

Modalpartikeln, auch Abtönungspartikeln, sind kurze Wörter, die dem Satz eine besondere, oft emotionale Färbung geben. Die Aussage wird verstärkt, abgeschwächt oder in Frage gestellt.

| | | |
|---|---|---|
| **ja** | • Hey, Paul, du bist ja schon da! | Überraschung |
| | • Peter sieht sehr glücklich aus. – Ja, ich weiß. Er hat ja gerade geheiratet. | Bekanntes: Beide wissen, dass Peter gerade geheiratet hat. |
| | • Ich komme ja schon! | Ungeduld, Genervtsein, Verärgerung: Du siehst, dass ich schon komme. |
| **denn (in Fragen)** | • Sie reisen viel? Was sind Sie denn von Beruf? | Interesse, genauere Nachfrage |
| | • Stehst du denn immer so früh auf? | Überraschung |
| | • Schon wieder zu spät. Hast du denn keine Uhr? | verneinte Frage: Vorwurf |
| **doch** | • Schlaf noch ein bisschen, heute ist doch Sonntag! | Sprecher erinnert Hörer an eine Tatsache / an Bekanntes |
| | • Lern doch mit anderen zusammen! | höflicher Ratschlag |
| | • Jetzt komm doch endlich! | Insistierend, mit Ungeduld: das habe ich schon einmal gesagt |
| | • Wenn ich doch mehr Zeit hätte! | macht einen Wunsch intensiver |
| **eigentlich** | • Du könntest mir eigentlich ein bisschen helfen. | macht eine Aufforderung vorsichtiger |
| | • Ich kenne Harry kaum. Was ist er eigentlich von Beruf? | genauere Frage, oft Themawechsel |
| | • Ich muss eigentlich schon gehen, / Eigentlich muss ich schon gehen, aber einen Kaffee nehme ich noch. | Einwand (= im Grunde genommen) *(In dieser Bedeutung auch auf Position 1 möglich.)* |
| **bloß / nur** | • Komm bloß / nur nicht zu spät! | Drohung, Warnung |
| | • Wie komme ich bloß / nur nach Hause? | in Fragen: Ratlosigkeit |
| | • Hätte ich bloß / nur einen Job! | macht einen Wunsch intensiver |
| **einfach** | • Das ist einfach schrecklich! | verstärkt eine Aussage |
| **mal** | • Komm mal bitte her! | macht eine Aufforderung freundlicher; abgeschwächt |
| **schon** | • Das wird schon funktionieren! | drückt Zuversicht aus |
| **wohl** | • Es ist 10.00 Uhr, er ist wohl schon unterwegs. | Vermutung: Ich nehme es an. |

Oft werden Modalpartikeln auch kombiniert:

• Das ist doch mal was anderes!

Modalpartikeln stehen fast immer im Mittelfeld (außer z.B. „eigentlich" in Einwänden), sehr oft direkt nach dem Verb. Sie sind immer unbetont (Ausnahme: „eigentlich", wenn es auf Position 1 steht, und die Modalpartikeln „bloß" und „nur" in Wünschen und Drohungen).

# 10 Wortbildung

## 10.1 Nomen

### Komposita

Nomen können mit anderen Nomen oder anderen Wortarten Komposita bilden. Der letzte Teil ist immer ein Nomen und bestimmt den Artikel des Gesamtwortes.

| | | |
|---|---|---|
| **Nomen + Nomen:** | **das** Kinder**zimmer** | *(ein Zimmer für Kinder (wofür?))* |
| **Verb + Nomen:** | **die** Bohr**maschine** | *(eine Maschine, mit der man bohren kann (wozu?))* |
| **Adjektiv + Nomen:** | **die** Schnell**straße** | *(eine Straße, auf der man schnell fahren kann (wie?))* |
| **Präposition + Nomen:** | **der** Um**weg** | *(ein Weg, der um etwas herumgeht (wohin?))* |

Manche Komposita haben aus phonetischen Gründen einen **Verbindungsbuchstaben**, ein sogenanntes Fugen-s, -d oder -n:

• das Arbeit-s-zimmer, der Schwein-e-braten, die Sonne-n-brille

### Nomen mit Suffixen

Nomen können aus Adjektiven, Verben oder anderen Nomen gebildet werden, indem man eine Silbe anhängt (das Suffix). Das Suffix bestimmt den Artikel des Nomens.

#### Feminine Suffixe

| **Adjektiv** | **+ -heit** | | | **Adjektiv** | **+ -keit** | | |
|---|---|---|---|---|---|---|---|
| schön | + -heit | → | die Schönheit | eitel | + -keit | → | die Eitelkeit |
| klug | + -heit | → | die Klugheit | großzügig | + -keit | → | die Großzügigkeit |

| **Verb** | **+ -ung** | | | **Verb** | **+ -e (sehr oft: fem.)** | | | **Verb** | **+ -t (sehr oft: fem.)** | | |
|---|---|---|---|---|---|---|---|---|---|---|---|
| wohn(en) | + -ung | → | die Wohnung | lieb(en) | + -e | → | die Liebe | fahr(en) | + -t | → | die Fahrt |
| hoff(en) | + -ung | → | die Hoffnung | sprech(en) | + -e | → | die Sprache | sehen | + -t | → | die Sicht |

| **Nomen** | **+ -schaft** | | |
|---|---|---|---|
| der Freund | + -schaft | → | die Freundschaft |
| der Vater | + -schaft | → | die Vaterschaft |

> Weitere feminine Suffixe: z.B. -ade, -age, -anz, -ei, -enz, -esse, -ie, -ik, -(t)ion, -ose, -tät, -ur, -üre

#### Maskuline Suffixe

| **Verb** | **+ -er** | | | **Nomen** | **+ -ler** | | |
|---|---|---|---|---|---|---|---|
| lehr(en) | + -er | → | der Lehrer | die Kunst | + -ler | → | der Künstler |
| fahr(en) | + -er | → | der Fahrer | der Sport | + -ler | → | der Sportler |

> Weitere maskuline Suffixe: z.B. -and, -ant, -asmus, -ent, -ismus, -ist, -or

#### Neutrale Suffixe

| **Nomen** | **+ -chen** | | | **Nomen** | **+ -lein** | | |
|---|---|---|---|---|---|---|---|
| das Kind | + -chen | → | das Kindchen | der Vogel | + -lein | → | das Vöglein |
| das Haus | + -chen | → | das Häuschen | das Buch | + -lein | → | das Büchlein |

> Weitere neutrale Suffixe: z.B. -ing, -ma, -ment, -um

## 10.2 Adjektive

### Komposita

Adjektive können wie Nomen ebenfalls Komposita bilden. Die häufigsten Typen sind:

**Farben:** dunkel**grün** / hell**grün**, tiefschwarz, zartrosa, knallrot, …

**Vergleiche:** blitz**schnell** (= schnell wie ein Blitz), bildschön, glasklar, steinhart, …

**Ergänzungen:** fett**arm** (= arm an Fett), baum**reich** (= reich an Bäumen), liebe**voll** (= voller Liebe), schadstoff**frei** (= frei von Schadstoffen), schmerz**los** (= ohne Schmerzen), …

### Adjektive mit Suffixen (-ig, -isch, -lich, -bar)

Viele Adjektive werden aus einem Grundwort (Nomen, Verb, Adverb) und einem Suffix gebildet.

| Nomen | + **-ig** | | | Verb | + **-ig** | | | Adverb | + **-ig** | | |
|---|---|---|---|---|---|---|---|---|---|---|---|
| die Ruhe | + -ig | → | ruhig | abhäng(en) | + -ig | → | abhängig | dort | + -ig | → | dortig |
| der Geist | + -ig | → | geistig | auffall(en) | + -ig | → | auffällig | heute | + -ig | → | heutig |

| Nomen | + **-isch** | | | Verb | + **-isch** | | |
|---|---|---|---|---|---|---|---|
| Europa | + -isch | → | europäisch | regn(en) | + -isch | → | regnerisch |
| das Kind | + -isch | → | kindisch | wähl(en) | + -isch | → | wählerisch |

| Nomen | + **-lich** | | | Verb | + **-lich** | | |
|---|---|---|---|---|---|---|---|
| die Sprache | + -lich | → | sprachlich | versteh(en) | + -lich | → | verständlich |
| das Kind | + -lich | → | kindlich | ertrag(en) | + -lich | → | erträglich |

- Er hat sich den ganzen Abend über kindisch (= albern, dumm) verhalten. (negativ)
- Die kindliche Entwicklung durchläuft vorherbestimmbare Phasen. (neutral)

| Verb | + **-bar** | | |
|---|---|---|---|
| machen | + -bar | → | machbar (= man kann es machen) |
| erkennen | + -bar | → | erkennbar (= man kann es erkennen) |

### Adjektive mit Präfix (un-, miss-)

Die Präfixe „un-" und „miss-" machen ein Adjektiv negativ:

- freundlich ≠ **un**freundlich (= nicht freundlich)
- möglich ≠ **un**möglich (= nicht möglich)
- lösbar ≠ **un**lösbar (= nicht lösbar)

- gut gelaunt ≠ **miss**gelaunt (= schlecht gelaunt)
- verständlich ≠ **miss**verständlich (= nicht gut verständlich)

# Arbeitsbuchteil – Lösungen

## Lektion 1 – 1A Reisen

**2a** nach Wortarten • nach Wortfamilien

**2b** *Mögliche Ordnungskriterien:* Synonyme • Antonyme • nach graduellen Unterschieden • nach Oberbegriffen / Themen

**2c** *Vorschläge für Lerntechniken:* Gegenstände mit Kärtchen bekleben, auf denen deren Bezeichnung steht • Loci-Technik • Geschichte zu Wörtern ausdenken • Wörter aufnehmen und anhören • Lernkarten mit z.B. Vorderseite: deutsches Wort, Rückseite: muttersprachliche Übersetzung • Vorderseite: Zeichnung, Rückseite: passendes Wort • Vorderseite: Wort, Rückseite: Antonym • Vorderseite: Frage, Rückseite: Antwort • Vorderseite: Satz mit Lücke, Rückseite: vollständiger Satz

**5** *Mögliche Lösungen:* 2. Vielleicht könnten sie eine Ferienwohnung mieten, da können sie auch selbst kochen. • 3. Ich denke, sie sollten campen, da sind sie unabhängiger. • 4. Sie sollten in eine Privatunterkunft gehen, das ist billiger. • 5. Es wäre gut, wenn sie während der Fahrt eine Unterkunft suchen, sonst ist es zu anstrengend. • 6. Ich bin der Meinung, sie sollten im Motel übernachten, das ist weniger gefährlich. • 7. Ich glaube, sie sollten ein Doppelzimmer nehmen, das ist preiswerter. • 8. Ich bin der Ansicht, sie sollten über das Internet buchen, denn da gibt es ein größeres Angebot. • 9. Es wäre gut, wenn sie weiter überlegen. Nur so können sie eine Lösung finden.

## 1B Urlaubsreisen

**1** 2. sich bewegen • 3. Sport treiben • 4. sich erholen • 5. aktiv sein • 6. sich entspannen • 7. viel erleben • 8. Abenteuer erleben • 9. neue Leute kennen lernen / Bekanntschaft mit neuen Leuten schließen

**2** 1b • 2c • 3d • 4b • 5c • 6a

**4** *Mögliche Lösung:* Sehr geehrte Damen und Herren,
mit Interesse habe ich im Internet Ihr Angebot „sechstägiger Wellnessurlaub" gelesen und wollte fragen, ob vom 09.09 bis zum 15.09. noch ein Einzelzimmer frei ist. Wäre es evtl. möglich, den Aufenthalt zu verlängern und wie viel würde das pro Nacht kosten? Darüber hinaus hätte ich noch einige Fragen: Bieten Sie außer dem Wellnessbereich noch weitere Freizeitangebote an? Kann man zu Ihnen mit öffentlichen Verkehrsmitteln anreisen? Außerdem möchte ich noch wissen, ob man von Ihnen aus Tagesausflüge nach Graz bzw. Klagenfurt machen kann? Ich danke Ihnen im Voraus für Ihre Mühe.
Mit freundlichen Grüßen Olga Czaja

## 1C Reiseplanung

**1** Wie wär's, wenn … • Entschuldige, wenn ich dich unterbreche. • Das kann ich gut verstehen. • Sei nicht böse, wenn ich dich noch mal unterbreche. • Dein Einwand ist sicher berechtigt, aber … • Entschuldigung, … wärest du einverstanden, wenn … • Also, ich würde eigentlich gern … • Ich würde am liebsten … • Entschuldige, wenn ich dir widerspreche. • Sorry, … • Wir könnten zum Beispiel … • Wäre es nicht mög-lich, dass …? • Wenn ich dich richtig verstehe, … • Entschuldige, …, eigentlich ist die Idee von … doch sehr gut. • Ich glaube auch, … • Allerdings: Ein kleines Problem habe ich noch. • Seid mit bitte nicht böse, wenn …

**2** *Mögliche Lösungen:* **Dialogteil 1:** 3. Meiner Meinung nach fliegen wir am besten, weil es nicht so anstrengend ist. • 4. Entschuldige, wenn ich dir widerspreche, aber fliegen ist doch viel zu teuer. • 5. Dein Einwand ist sicher berechtigt, aber heutzutage gibt es doch so viele Billigangebote. Wir können doch einen Billigflug buchen. • 6. Dein Vorschlag ist gut, aber ich habe leider keine Zeit, nach einem Billigflug zu suchen. • 7. Entschuldigung, ich habe leider im Moment auch keine Zeit. Wie wäre es, wenn wir ins Reisebüro gehen? • **Dialogteil 2:** 1. Ich bin der Meinung, wir sollten dieses Mal in die Berge fahren, denn letztes Mal waren wir am Meer. • 2. Also ich würde eigentlich wieder gern an die See. Du weißt doch, ich habe immer so leicht Erkältung und da hilft Seeluft am besten. • 3. Sorry, aber Seeluft hilft gegen Erkältung nicht, da ist Bergluft viel besser. • 4. Entschuldigung, wenn ich dir widerspreche. Der Arzt hat mir erst neulich gesagt, dass Seeluft bei Erkältung am besten ist. • 5. Wie wäre es, wenn du noch einmal einen anderen Arzt fragst, um zu hören, was der sagt.

**4a**

| Position 1 | Position 2 | Mittelfeld | Satzende |
|---|---|---|---|
| 1. Susanne | wollte | Rom schon immer | kennenlernen. |
| 2. Carla | findet | Urlaub in südlichen Ländern schrecklich. | |
| 3. Peter | möchte | seinen Urlaub gern in Frankreich | verbringen. |
| 4. Jens | liebt | besonders Natur und Bewegung. | |
| 5. Die vier | haben | sich am Ende auf eine Reise in die Provence | geeinigt. |
| 6. Ihr Gespräch | ist | die ganze Zeit freund-lich und höflich | verlaufen. |

**4b** *Mögliche Lösungen:* 1. Rom wollte Susanne schon immer kennenlernen. • 2. Urlaub in südlichen Ländern findet Carla schrecklich. • 3. Seinen Urlaub möchte Peter gern in Frankreich verbringen. • 4. Natur und Bewegung liebt Jens besonders. • 5. Am Ende haben sich die vier auf eine Reise in die Provence geeinigt. • 6. Die ganze Zeit ist ihr Gespräch freundlich und höflich verlaufen.

**5a** 2. Dass sie Freunde in Rom hat. • 3. Dass sie dort umsonst wohnen kann. • 4. Wenn er an der Uni ist. • 5. Wenn sie Urlaub am Meer macht. • 6. Weil sie eine Hausarbeit schreiben muss.

**5b** 2. Dass sie Freunde in Rom hat, findet Susanne günstig. • 3. Dass sie dort umsonst wohnen kann, gefällt Carla gut. • 4. Wenn er an der Uni ist, hat Jens zu wenig Bewegung. • 5. Wenn sie Urlaub am Meer macht, erholt sich Carla am besten. • 6. Weil sie eine Hausarbeit schreiben muss, ist Susanne im Stress.

## 1D Mobilität im globalen Dorf

**1a / b** der Umzug – ziehen / einziehen / ausziehen / umziehen • der Aufbruch – aufbrechen – losgehen / losfahren / losziehen • im Aufbruch sein • die Beweglichkeit / die Bewegung – (sich)

bewegen – beweglich – flexibel – unbeweglich – in Bewegung sein • die Flexibilität – flexibel sein – flexibel – beweglich – unflexibel • die Veränderung – (sich) verändern – veränderlich – variabel – unveränderlich – zu Veränderungen führen • der Pendler – pendeln – zwischen … und … pendeln • das Hin und Herr – das Vor und Zurück / das Auf und Ab • Fahrt – fahren

**1c** 1. auf Achse sein • 2. aufbrechen • 3. der Ballast • 4. autark sein • 5. die Voraussetzung • 6. sich auf (etwas Neues) einstellen • 7. der Pendler • 8. eine Verbindung lösen • 9. die Autonomie

**2** **Vorteile benennen:** Ein Aspekt, den ich als sehr / besonders positiv empfinde, ist … • In … liegt die Chance, dass … • Von Vorteil ist (aber) … • Dafür spricht, dass … • **Nachteile benennen:** Dagegen spricht, dass … • Es besteht (aber) die Gefahr, dass … • Ein (wirklich) negativer Aspekt ist … • Ein Riesennachteil ist …

**3** *Mögliche Lösung:* Liebe Nadja, lieber Peter, lieber Thorsten, ich hoffe, euch geht es gut. Wegen meines Umzugs habt ihr leider lange nichts von mir gehört. Inzwischen habe ich mich in Hamburg gut eingelebt und habe schon viele Kontakte. Auch mit meinen Kollegen verstehe ich mich gut und wir haben schon einiges unternommen. Ich fühle mich nicht so einsam, trotzdem fehlt ihr mir sehr! Deswegen möchte ich euch für nächstes Wochenende nach Hamburg einladen. Antwortet bitte schnell!
Ich freue mich schon, Sandra

### 1E Wenn einer eine Reise tut …

**1** 2. machen • 3. führen • 4. sein • 5. machen • 6. aufschrecken • 7. bekommen • 8. geraten

**2a** 2. (H), daher (H) • 3. (H), nämlich (H) • 4. (H), denn (H) • (H), da (N)

**2b** 2. Teil 1 • nein • 3. Teil 2 • nein • 4. Teil 2 • nein • 5. Teil 2 • ja: „Da sie am Wochenende nicht arbeitete, konnte sie sogar den Strand genießen."

**2c** 2. Da sie noch nie in Südamerika war, war sie über den Auftrag sehr froh. • 3. Sie hat sich ein bisschen Sorgen gemacht, denn sie kann nur wenig Portugiesisch. • 4. In Recife fühlte sie sich sehr wohl, die Kollegen waren nämlich alle sehr nett. • 5. Sie arbeitete am Wochenende nicht, deshalb konnte sie sogar den Strand genießen.

**2d** 1b. …, Pia hat deswegen lange nichts von ihr gehört. • 2a. Der Bus hatte einen technischen Defekt, daher fiel die Fahrt einfach aus. • 2b. …, die Fahrt fiel daher einfach aus. • 3a. Der nächste Bus kam erst viel später, darum konnte Eva ihn nicht nehmen. • 3b. …, Eva konnte ihn darum nicht nehmen. • 4a. Eine Kollegin kannte sich in Caruaru gut aus, deshalb konnte Eva noch früh genug mit dem Privatflugzeug von einem jungen Deutschen zurückfliegen. • 4b. …, Eva konnte deshalb noch früh genug mit dem Privatflugzeug von einem jungen Deutschen zurückfliegen.

**2e** 3. Er wollte nach Recife fliegen, in Caruaru konnte man ihn nämlich nicht so gut behandeln. • 4. Eva hatte große Angst in dem kleinen Flugzeug, es war nämlich sehr stürmisch. • 5. Eva lernt jetzt Portugiesisch, sie möchte Brasilien nämlich unbedingt besser kennenlernen.

**3a** 1b • 2b • 3a • 4a • 5a

**3b** 2. aufgrund ihrer häufigen Besuche • 3. wegen des enormen Lärms • 4. aufgrund ihrer seltenen Anrufe

**3c** 2. Aufgrund der sehr großen Verspätung des Zuges verpasste sie fast ihren Flug. • 3. Dank der vielen Einladungen lernte sie die Stadt gut kennen. • 4. Aus Angst schaute Eva nicht nach draußen. • 5. Nach der sicheren Landung fing Eva vor Freude an zu weinen.

### 1F Arbeiten, wo andere Urlaub machen

**2** 2. weil / da • 3. selbstständig zu machen • 4. warum / weswegen / wieso • 5. Besonderes machen • 6. aus diesem Grund / deshalb / deswegen • 7. nämlich • 8. vor • 9. weil • 10. weswegen / wieso / warum • 11. da / weil • 12. wieso / warum / weswegen • 13. aufgrund / wegen • 14. wegen / aufgrund • 15. interessiert • 16. deshalb / deswegen / aus diesem Grund • 17. deswegen / deshalb / aus diesem Grund

### Aussprache

**1b** 1. Im Mo<u>ment</u> machen wir hier <u>Ur</u>laub. • 2. <u>Dieses</u> Jahr ist es ganz <u>wun</u>derbar! <u>Schau</u>en Sie! • 3. Ganz <u>vor</u>ne am <u>Wasser</u> steht unser <u>Strand</u>korb Nr. 66. • 4. Den haben wir schon <u>letztes</u> Jahr bei Frau <u>Jahn</u>ke bestellt. • 5. Es ist <u>herr</u>lich, hier zu <u>sitzen</u> und das Meer anzuschauen. • 6. <u>Nächstes</u> Jahr kommen wir bestimmt <u>wie</u>der hierher.

### Lektion 2 – 2A Einfach schön

**1** 1. leiden • 2. betrachten + A • 3. abweichen von + D • 4. etwas liegt im Auge des Betrachters • 5. streben nach + D • 6. die Tugend

**2** 1c • 2b • 3a • 4a • 5c • 6b

**3b** 2. Du würdest im Traum nicht daran denken, … • 3. … dich übertrieben schick zu machen, … • 4. … hältst du zwar für wichtig, … • 5. … zu kreieren und immer schneller zu sein als die meisten, … • 6. Du musst das Beste kaufen … • 7. … und du hast eine Schwäche für … • 8. …, bedeutet dir sehr viel. • 9. … findest du schrecklich. • 10. Vor so genannten „Trendsettern" hast du keinen Respekt. • 11. Das ist dir nicht so wichtig, denkst … • 12. … sehr sorgfältig angezogen bist.

### 2B Schön leicht?

**1** *Mögliche Lösungen:* vor dem Lesen Bilder und Überschriften anschauen • dadurch eigenes Vor- und Weltwissen zum Thema aktivieren

**2a** *Mögliche Lösungen:* überfliegen • ersten Eindruck • Einzelheiten oder unbekannte Wörter nicht wichtig • schnell lesen • Titel • Vorspann • Zwischenüberschriften • die ersten und letzten Sätze • Zeichnungen • Fotos • hervorgehobene Textstellen • Textsorte

**2b** 1s • 2s • 3n • 4s • 5n

**3a** 2. als + A • 3. auf + A • 4. bei + D • 5. als + A • 6. als + N • 7. auf + A / bei + D • 8. zu + D

**3b** *Mögliche Lösungen:* 1. Meine Freundin Lena wird oft mit Sandra Bullock verwechselt. • 2. Daniel wird als ein hilfsbereiter Mensch eingeschätzt, weil er hübsch ist und immer lächelt. • 3. Ärzte sollten auf die Probleme bei Schönheitsoperationen hinweisen. • 4. Schöne Menschen sind bei anderen oft sehr beliebt. • 5. Attraktive Menschen werden öfters als bessere Menschen bewertet. • 6. Max gilt als ein attraktiver Mann. • 7. Schöne Menschen habe bessere Chancen auf eine gute Stelle. • 8. Die unterschiedliche Bewertung von attraktiven und weniger attraktiven Menschen führt zu Ungerechtigkeiten.

**4a** beliebt • unbeliebt • erfolgreich • erfolglos • umwerfend • wertvoll • wertlos • durchschnittlich • glaubwürdig

**4b** 1C • 2E • 3G • 4A • 5D • 6B • 7H • 8F

**4c** 1. Adjektiv (adjektivisch) • 2. Erklärung 1 • anziehend • 3. die • 4. kein Plural • 5. jemandem • jdm.

## 2C Schönheitskult

**1a** 2. Es ist nicht besonders empfehlenswert, Fernsehstars und Models als Vorbild zu nehmen. • 3. Vielen Leuten ist es wichtig, schöner und perfekter auszusehen. • 4. Es ist problematisch, sich ständig mit seinem Aussehen zu beschäftigen. • 5. Es ist ratsam, sich selbst freundlicher zu betrachten und die eigenen Vorzüge hervorzuheben. • **Liste:** Es ist wichtig, … zu … • Es ist problematisch, … zu … • Es ist ratsam, … zu … • Es ist hilfreich, … • Es ist gut / schlecht, …

**1b** 2. A • 3. B, C, D • 4. B, C, D, F • 5. C, D • 6. A, E

**1c** *Mögliche Lösungen:* Ich empfehle Ihnen, ausreichend zu schlafen. • Ich würde vorschlagen, viel Obst und Gemüse zu essen. • Sie sollten sich so akzeptieren, wie Sie sind! • Ich kann jedem nur raten, öfter mal zu lachen. • Jeder sollte darauf achten, sich möglichst viel zu bewegen. • Ich kann jedem nur raten, mehr Selbstbewusstsein zu entwickeln. • Ich empfehle Ihnen, dem Schönheitswahn zu widerstehen.

**1d** 1. Frau Bauer freut sich, das Radiointerview geben zu können. • 2. Sie sagt: „Es ist nicht richtig, von ‚Schönheitswahn' zu sprechen." • 3. Sie rät ihren Klienten, sich mit dem übertriebenen Streben nach Schönheit auseinanderzusetzen. • 4. Diesen Satz kann man nicht umformulieren, weil die Subjekte in Haupt- und Nebensatz verschieden sind und sich keine Dativ- oder Akkusativergänzung im Hauptsatz auf das Subjekt im Nebensatz bezieht.

**1e** 1a, Satz: 1 • 2a, Satz: 3 • 3b, Satz: 4 • 4b, Satz: 2

**1f** 2. Sie betont, dass jeder Mensch eine bestimmte Form von Schönheit besitzt. • 3. Man sollte darauf achten, Kleidung geschickt einzusetzen. • 4. Frau Bauer empfiehlt jedem, sich nicht zu stark mit anderen zu vergleichen. • 5. Sie spricht von der Erfahrung, dass ständiges Vergleichen unglücklich macht.

**2a** 2. Viele Menschen haben Angst davor, für hässlich gehalten zu werden. • 3. Es ist schrecklich, wegen seines Aussehens schlechter beurteilt zu werden. • 4. Es ist nützlich, von einer Fachfrau beraten zu werden.

**2b** 2. …, früher für hässlich gehalten worden zu sein. • 3. …, in der Schule wegen ihres Aussehens schlechter beurteilt worden zu sein. • 4. …, von einer Fachfrau beraten worden zu sein.

**2c** 1g • 2v • 3v • 4g • 5v • 6g • 7g • 8v

**2d** 2. Sie freut sich, zum Interview eingeladen worden zu sein. • 3. Sie erinnert sich, das schon ganz anders erlebt zu haben. • 4. Der Interviewer bittet sie darum, „Schönheit" zu

definieren. • 5. Sie glaubt nicht, eine wirklich gute Definition gelesen zu haben. • 6. Viele ihrer Klienten bestätigen, vom Aussehen von Models beeinflusst zu werden. • 7. Frau Bauer empfiehlt ihnen, zu versuchen, an sich selbst Gefallen zu finden. • 8. Viele sind froh, diesen Rat bekommen zu haben.

## 2D Schöne Diskussionen

**1** 3V • 4V • 5Ü • 6V • 7V • 8Ü • 9Ü • 10V • 11Ü • 12V

**2** 2a: Dann sehen Sie vermutlich vollkommen durchschnittlich aus. • 3b: Durchschnittliche Gesichter werden zweifellos als attraktiv bewertet. • 4b: Gelten gut aussehende Menschen also unter Umständen auch als intelligenter, kreativer und fleißiger? • 5b: Genauso ist es. Sicherlich ist deshalb das Thema „Schönheit" für viele so wichtig.

**3a** richtige Artikel: 2. eine • 3. eine • 4. eine • 5. Die • 6. die • 7. eine • 8. das • 9. der • 10. der • 11. Das

## 2E Was ist schön?

**1** *Mögliche Lösungen:* 1. Textsorte: Zeitungskommentar • Erscheinungsort: Frauenzeitschrift • Vermutung über Textinhalt: Es geht um Schönheitsideale in verschiedenen Kulturen; darum, dass das als schön gilt, was nicht alle haben; und darum, dass viele auf Hilfsmittel zurückgreifen, um dem jeweiligen Schönheitsideal zu entsprechen. • 2. Schön ist, was nicht jeder hat, was man nur schwer erreichen kann. • Die Schönheitsideale Europas und Nordamerikas werden immer mehr zum Maßstab.

**2** 2. Ähnliches gilt auch heute noch in manchen weniger <u>wohlhabenden</u> Ländern. (Z. 7 / 8) • 3. Dicke Menschen gelten als <u>undiszipliniert und weniger belastbar</u>. (Z. 15 / 16) • 4. In manchen Regionen gilt eine helle Hautfarbe als <u>erstrebenswert</u>. (Z. 23) • 5. Das jeweilige Schönheitsbild <u>ist von</u> den gesellschaftlichen Verhältnissen <u>abhängig</u>. (Z. 41 / 42) • 6. Die weiße Oberschicht wollte sich vom Rest der Bevölkerung <u>abheben</u>. (Z. 45 / 46) • 7. Sie folgen einem Trend, <u>der</u> in vielen Kulturen <u>sichtbar ist</u>. (Z. 54 / 55)

**3** **Unterschiede:** Ich sehe hier einen (großen) Unterschied, und zwar: … • Im Vergleich zu … ist es bei uns etwas anders: … • **Parallelen:** Bei uns ist es ähnlich / genauso wie in … • Das Beispiel von … gilt auch bei uns. • Den Trend, … zu …, gibt es auch bei uns. • Dass Frauen / Männer sich …, kenne ich auch aus unserem Land.

**4a** 1. Carla hat schon immer wegen ihrer Figur Probleme gehabt. • 2. Sie ist diesen Monat aufgrund ihrer Gewichtsprobleme voller Hoffnung zu einer Ernährungsberaterin gegangen. • 3. Die Beraterin hat sie am Abend wegen ihrer Schwierigkeiten freundlicherweise in einem Café getroffen. • 4. Carla ist heute dank der guten Ratschläge der Beraterin sehr glücklich.

**4b** *Mögliche Lösungen:* 2. Sie hat gestern zufälligerweise dort ihre beste Freundin Anne getroffen. • Sie hat dort gestern zufälligerweise ihre beste Freundin Anne getroffen. • Sie hat zufälligerweise dort gestern ihre beste Freundin Anne getroffen. • Sie hat zufälligerweise gestern dort ihre beste Freundin Anne getroffen. • 3. Die beiden haben sich wegen der Wahlen sehr lange über Politik unterhalten • Die beiden haben sich sehr lange wegen der Wahlen über Politik unterhalten. • Die beiden haben sich wegen der Wahlen über Politik sehr lange unterhalten.

**4c** *Mögliche Lösungen:* Aufgrund ihrer Gewichtsprobleme ist sie diesen Monat voller Hoffnung zu einer Ernährungsberaterin gegangen. Die Beraterin hat sie am Abend wegen ihrer Schwierigkeiten freundlicherweise in einem Café getroffen. Dank der guten Ratschläge der Beraterin ist Carla heute sehr glücklich.

**5a** 1b. In Italien war Familie Funke im Sommer zum ersten Mal. • 2a. Seit einem Monat muss Carla aufgrund ihrer neuen Stelle pendeln. • 2b. Aufgrund ihrer neuen Stelle muss Carla seit einem Monat pendeln. • 3a. In der Küche trifft sich Carlas Wohngemeinschaft meistens zum Reden. • 3b. Meistens trifft sich Carlas Wohngemeinschaft zum Reden in der Küche. • 4a. Nach der Wende haben Herr und Frau Jahnke mit großem Erfolg einen Strandkorbverleih eröffnet. • 4b. Mit großem Erfolg haben Herr und Frau Jahnke nach der Wende einen Strandkorbverleih eröffnet. • 5a. Heute hat Frau Jahnke wegen des starken Windes besonders viele Strandkörbe vermietet. • 5b. Wegen des starken Windes hat Frau Jahnke heute besonders viele Strandkörbe vermietet.

**5b** 2a • 3a • 4b • 5a

**6a** 2. Schönheit sollte man nicht überbewerten. • 3. Viele stimmen daher dem modernen Schönheitskult nicht zu. • 4. Viele Stars würden es ohne Schönheits-OP nicht schaffen. • 5. Das bezweifelt die Autorin nicht. • 6. Den Schreibern im Internet ist das Thema nicht wichtig.

**6b** 2. Das Äußere eines Menschen sagt nicht <u>alles</u> über seinen Charakter. • 3. Ein hübscher Mensch wirkt nicht <u>anziehender</u> als ein „Durchschnittsbürger". • 4. Wenn man mit sich nicht <u>zufrieden</u> ist, sollte man nach den Gründen suchen. / Wenn man mit sich zufrieden ist, sollte man nicht <u>nach den Gründen</u> fragen. • 5. Wirklich selbstbewusste Menschen streben nicht <u>nach Attraktivität und Schönheit</u>.

## 2F (Un)Schöne Momente

**1a positiv:** herrlich • wunderschön • bewegend • großartig • überwältigend • gelungen • **negativ:** miserabel • fürchterlich • furchtbar • katastrophal • langweilig

**1b** 1. a, b • 2. a, c • 3. a, b • 4. b, c • 5. a, c

**2a** 1a • 2b • 3a • 4a • 5b

**2b** 1b • 2b • 3a • 4a • 5a

**2c** *Mögliche Lösungen:* 2. äußerst • 3. ziemlich • 4. wirklich • 5. extrem • unglaubliche

## Aussprache

**1** 1a: Ich habe gestern wegen meiner schweren Prüfung <u>nur sehr wenig</u> geschlafen. • b: <u>Wegen meiner schweren Prüfung</u> habe ich gestern nur sehr wenig geschlafen. • 2a: Ich bin vor der letzten Prüfung aus lauter Angst <u>viel zu früh</u> zur Uni gefahren. • b: <u>Aus lauter Angst</u> bin ich vor der letzten Prüfung viel zu früh zur Uni gefahren. • 3a: Ich werde vor der morgigen Prüfung bestimmt <u>viel früher</u> ins Bett gehen. • b: <u>Bestimmt</u> werde ich vor der morgigen Prüfung viel früher ins Bett gehen.

**2a** 1. Die Leistung der Mannschaft beim letzten Turnier in Hamburg war <u>großartig</u>. • 2. Die Mannschaft hatte zuerst <u>Startschwierigkeiten</u>, aber dann folgte <u>ein</u> Sieg auf den anderen. • 3. Als der Sieg am Ende <u>feststand</u>, war die Stimmung <u>überwältigend</u>. • 4. <u>Nach</u> dem Turnier gab es eine riesige Feier. Das war <u>toll</u>!

**2b** 1. <u>In Hamburg</u> beim letzten Turnier war die Leistung der Mannschaft <u>großartig</u>. („In Hamburg" leicht betont, da auf Position 1, Satzakzent liegt auf „großartig".) • 2. <u>Zuerst</u> hatte die Mannschaft <u>Startschwierigkeiten</u>, dann folgte <u>ein</u> Sieg auf den anderen. („Zuerst" leicht betont, da auf Position 1, Satzakzent liegt auf „Startschwierigkeiten".) • 3. Als am <u>Ende</u> der Sieg feststand, war die Stimmung <u>überwältigend</u>. • 4. Es gab eine <u>riesige Feier</u> nach dem Turnier. <u>Toll</u> war das!

**2c** 2. Nur mit ihr hat Maria bis jetzt darüber gesprochen. • 3. Noch eine Stunde lang hat die Freundin mit ihr am Abend aus Neugier telefoniert.

**2d** Immer das Element, das auf Position 1 steht, ist betont; andere Elemente können noch je nach Intention des Sprechers betont werden.

## Lektion 3 – 3A Freundschaft

**1a** 2. intelligent • 3. verschwiegen • 4. optimistisch • 5. humorvoll • 6. großzügig • 7. ehrlich • 8. unternehmungslustig • 9. fleißig • 10. gesellig • 11. nachdenklich • 12. hilfsbereit

**1b** 2. die Dummheit • die Intelligenz • 3. die Geschwätzigkeit • die Verschwiegenheit • 4. der Pessimismus • der Optimismus • 5. die Humorlosigkeit • es gibt kein Nomen zu „humorvoll" • 6. die Kleinlichkeit • die Großzügigkeit • 7. die Unehrlichkeit • die Ehrlichkeit • 8. die Lahmheit • die Unternehmungslust • 9. die Faulheit • der Fleiß • 10. die Ungeselligkeit • die Geselligkeit • 11. die Denkfaulheit • die Nachdenklichkeit • 12. der Egoismus • die Hilfsbereitschaft

**2** 1b • 2a • 3b • 4b • 5a • 6b

**3a/b** 2. Man sieht das in meiner Heimat anders als im Beitrag … (U) • 3. Der Beitrag von … ist unserer Vorstellung von Freundschaft am ähnlichsten. (G) • 4. Die Vorstellung von Freundschaft in … (Land) ist vergleichbar mit der von… (G) • 5. Einige Aspekte in Beitrag … stimmen (nicht) mit den Vorstellungen in meiner Heimat überein. (G/U)

## 3B Vereine

**1a** *Mögliche Lösung:* Setzt es ein, wenn man bestimmte Informationen sucht; hat man die gesuchte Information gefunden, muss man nicht weiterlesen.

**1b** bis Zeile 9

**1c** Zeile 29 bis 40

**2a** 1a • 2b • 3b • 4a • 5b

**2b** 2. das Klischee, -s • 3. das Grundrecht, -e • 4. weltanschaulich • 5. einem Verein beitreten • 6. die Bürgerinitiative, -n • 7. die Selbsthilfegruppe, -n

**2c** *Mögliche Lösungen:* in einen Verein eintreten • aus einem Verein austreten • sich in einer Vereinigung zusammenschließen • einen Verband gründen • sich in einem Verein engagieren • in einer Vereinigung zusammenkommen • in einer

Initiative vertreten sein • sich in einem Verband betätigen • jemanden aus einer Gruppierung ausschließen • einer Initiative angehören • einer Gruppierung beitreten

**3** 1. Ja, ich halte viel davon. • 2. Ja, davon habe ich schon gehört. • Nein, davon habe ich noch nicht gehört. • 3. Ja, darüber bin ich informiert. • Nein, darüber bin ich nicht informiert. • 4. Das Vereinswesen trug dazu bei, dass der Adel bürgerliche Werte übernahm. • 5. Der „BUND" setzt sich dafür ein, die Umwelt zu schützen. • 6. Die „Deutsche Krebshilfe" hilft dabei, diese Krankheit zu bekämpfen.

**4a** 2. davor • 3. Davor • 4. davon • 5. daran • 6. Dabei • 7. Daran • 8. Dagegen • 9. darauf • 10. dazu • 11. dafür • 12. dabei

**4b vorwärtsverweisend:** 2 • 5 • 9 • 10 • 11 • 12 • **rückverweisend:** 3 • 4 • 6 • 7 • 8

**4c** 1. dass Deutsch als eigenständige Kulturwissenschaftssprache erhalten bleibt und weiterentwickelt wird • 2. Personen aus unterschiedlichen Ländern, Kulturen, Parteien, Altersgruppen und Berufen • ein Drittel aus Asien und Afrika • 3. vieles auf Englisch auszudrücken, weil es schicker ist, obwohl es dafür Wörter im Deutschen gibt • 4. veröffentlicht Artikel, unterstützt Buchprojekte, bietet Arbeitsgruppen und Kulturveranstaltungen an, gewinnt Autoren für Lesungen und Vorträge, hilft Fördermittel für Projekte zu gewinnen

**5a** 1. worüber? • 2. über wen?

**5b** 2. Wogegen kämpft die Bürgerinitiative? • 3. Mit wem diskutiert sie? • 4. Für wen stellt der Kunstverein alte Fotos aus? • 5. Wobei helfen Freiwillige?

**5c** 2. Dagegen kämpft unsere Bürgerinitiative auch. • 3. Mit ihm diskutiert unsere nicht. • 4. Für sie hat das Heimatmuseum auch schon Fotos gezeigt. • 5. Dabei kann ich nicht helfen.

## 3C Nebenan und Gegenüber

**1a** 2. aufdringlich • 3. hilfsbereit • 4. egoistisch • 5. gleichgültig • 6. neugierig • 7. zurückhaltend • 8. zuvorkommend

**1b -schaft:** Hilfsbereitschaft • **-heit:** Zuvorkommenheit • **-keit:** Aufdringlichkeit • Gleichgültigkeit • **-ismus:** Egoismus • **-ung:** Zurückhaltung • **nicht feminin:** -ismus (maskulin) • **übrig:** die Neugierde

**2** B2 • C4 • D1 • E4 • F5 • G3 • H2 • I4 • J3

**3** *Mögliche Lösungen:* 2. Klingelschild beschriften • 3. Ordnung im Treppenhaus halten • 4. Hausmeister kontaktieren • 5. Lautstärke testen • 6. einen ausgeben • 7. Ruhezeiten einhalten • 8. sich über Parkplatz informieren • 9. Nachbarn über Einweihungsfeier informieren • 10. keine lauten Gespräche im Treppenhaus

## 3D Eltern und Kinder

**1a** 1b • 2a

**1b** *Mögliche Lösung:* Das Ergebnis der Studie war, dass Kinder einerseits gefühlsmäßig stärker an ihre Eltern gebunden sind, als man bislang angenommen hatte. Andererseits ist aber auch der Wunsch, sich voneinander abzugrenzen, viel stärker, als vermutet worden war, und mit zunehmendem Alter wird die Distanz meist größer.

**2a** *Mögliche Lösungen:* möglichst viele und ins Einzelne gehende Informationen entnehmen • sehr genau und gründlich • ermöglicht es „zwischen den Zeilen zu lesen" • die Meinung des Verfassers ermitteln

**2b** 2. Sie hat sich verantwortlich gefühlt und die Toleranz ihrer Eltern nie ausgenutzt. • 3. Bis sie ihr Studium beendet hat. • 4. Seine Mutter neigte dazu, sich überall einzumischen. • 5. Seinen Vater beschreibt er als übertrieben streng. • 6. Dass er das traurig findet, dass das Verhältnis zu seinem Vater nie mehr richtig vertrauensvoll sein wird. • 7. Bis sie ihre erste feste Stelle gefunden hat. • 8. Darauf, dass die Mutter dazu tendierte, Jana gute Ratschläge zur Kindererziehung zu geben. • 9. Dazu, dass alles besser ging und die Beziehung gut geblieben ist. • 10. Darauf, dass Jana da ist, wenn ihre Eltern sie brauchen, und alles für sie tun würde, wenn sie einmal alt sind.

**3a** 2.1 b • 2.2 a • 3.1 a • 3.2 b • 4.1 a • 4.2 b • 5.1 b • 5.2 a

**3b** 1b • 2a • 3b • 4b • 5a • 6a

**3c** 2. Wenn mein Vater nach Hause kam, war er schlecht gelaunt. • 3. Ich glaube, dass er sehr unglücklich war, nachdem er die Stelle gewechselt hatte. • 4. Sobald ich das Abitur gemacht hatte, suchte ich mir einen Job und zog aus. • 5. Als ich ein preiswertes Zimmer bei einer Familie gefunden hatte / fand, war ich überglücklich. • 6. Während ich dort lebte, machte ich eine Ausbildung als IT-Fachmann. • 7. Als ich die Ausbildung beendet hatte, suchte ich mir eine eigene Wohnung. • 8. Wenn ich heute meine Eltern besuche, verstehen wir uns ganz gut. • 9. Aber sooft ich an meine Kindheit denke, werde ich traurig.

**3d** 1. Wenn Eltern heute kleine Kinder haben, lesen sie viele Erziehungsratgeber. • 2. Als die Eltern selbst Kinder waren, waren die Erziehungsmethoden noch sehr autoritär. • 3. Sobald sie einen kleinen Fehler machten, wurden sie bestraft. • 4. Nachdem Christoph lange mit seinem Vater gesprochen hatte, bereute der Vater seine Strenge. • 5. Bis dieses Gespräch stattfand, war ihr Verhältnis schlecht.

**4** 2. Seitdem er ein neues Projekt hat. • 3. Bis zum Ende des Projekts. • 4. Bis ihre Kollegin wiederkommt. • 5. Nachdem eine neue Köchin eingestellt worden war. • 6. Wenn die Kinder krank sind. • 7. Nachdem sie sich begrüßt haben. • 8. Seitdem Janas Vater dabei war und richtig geschimpft hat. • 9. Bevor sie nach Kanada fährt.

**5a** 2. Seit meiner Pubertät hatte ich nur ein paar Auseinandersetzungen mit ihnen. • 3. Nach meinem ersten Versuch, abends alleine auszugehen, kam es zu einem Streit mit meinen Eltern. • 4. Vor einer Diskussion überlege ich mir meine Argumente immer gut. • 5. Meine Eltern zeigen bei solchen Gesprächen viel Verständnis, deshalb ist unser Verhältnis sehr gut. • 6. Und so werde ich vielleicht bis zum Studienende zu Hause wohnen bleiben.

**5b** 2. Sie hat eine Zusage in München bekommen. Davor hat sie ein Praktikum gemacht. • 3. Sie studiert in München. Seitdem muss sie lange Fahrzeiten in Kauf nehmen. • 4. Sie wartet auf ein Zimmer in einer WG. Solange bleibt sie zu Hause wohnen. • 5. Sie verbringt viele Stunden im Zug. Währenddessen kann sie gut lernen.

## 5c

| Nebensatzkonnektor | Verbindungsadverb | Präposition |
|---|---|---|
| während, solange, als | dabei, währenddessen, solange | während, bei |
| sooft, (immer) wenn | dabei | (immer) bei |
| als, nachdem | danach | nach |
| sobald | gleich danach | gleich nach |
| bevor | vorher, davor | vor |
| bis | bis dahin | bis |
| seit(dem) | seitdem | seit |

**6a** Deshalb • Das • sodass • sie • Er • deshalb • dadurch • Nun • Auf diese Weise • denn • von nun an • darüber • aber

**6b** *Mögliche Lösung:* … Seine Nachbarin im Haus rechts von ihm, Maren, ist in ihn verliebt, aber er beachtet sie nicht. Eines Tages zieht eine junge Frau, Sonja, in das Haus links von ihm. Die hat zwar einen Freund, aber dennoch flirtet er mit ihr. Darüber ist Maren sehr enttäuscht. Nach einiger Zeit kauft Christoph für Sonja einen großen Blumenstrauß und läutet an ihrer Tür. Sonja freut sich zwar, aber ihr Freund, der gleichzeitig im Haus ist, ist darüber nicht erfreut ist und wirft Christoph aus dem Haus. In dem Moment kommt Maren mit dem Fahrrad vorbei und verarztet Christoph. Auf diese Weise lernt Christoph Maren besser kennen und die beiden verlieben sich ineinander. Von Sonja will Christoph nun nichts mehr wissen.

## 3E Verliebt, verlobt, verheiratet – geschieden

**1** Aufgabe 2a

**2a** 2. eintreten • 3. hält • 4. einlassen • 5. führen • 6. abraten • 7. eingeschlagen • 8. machen

**2b Nachfrage:** 4. Wie wäre es damit? • 7. Würden Sie dem zustimmen? • **Überleitung:** 5. Hier regt sich Widerspruch nehme ich an. • 8. Zu diesem Punkt möchte ich noch etwas sagen. • **Zustimmung:** 3. Ich bin hundert Prozent Ihrer Meinung. • 6. Was Sie erwähnen, ist durchaus richtig. • **Widerspruch:** 2. Das würde ich nicht so sagen. • 9. Das sehe ich völlig anders.

## 3F Außenseiter

**1a** *Mögliche Lösungen:* 2. Schule • prügelte • 3. Schulhof • allein • ließ ihn in Ruhe • 4. Mutter • Probleme sprechen • 5. guter Schüler • 6. Ausbildung • Kontakte • 7. neuen Job • keine Kontakte • 8. neuer Chef • verantwortungsvollere Aufgaben • 9. Selbstvertrauen • leicht • auf andere zuzugehen • 10. Hilfe • Psychologin • Freunde • glücklich

**1b** 1r • 2f • 3f • 4f • 5r • 6f • 7r • 8r • 9f • 10r • 11r

**1c** **1. Psychologin:** Fred Beispiel dafür: Außenseitertum überwinden können • Außenseiter können neue, kreative Lösungen finden • sie können durch Diskussionen oder Konflikte, die sie erzeugen, die Leistungen der Gruppe positiv beeinflussen • **2. Reporter:** Freds Beispiel kann anderen Mut machen

**2** *Mögliche Lösungen:* 1. Musik war wichtig für ihn, um seine Probleme ein wenig zu vergessen. • 2. Für sein erstes Solo-Album gewinnt er einen Preis. • Sein zweites Album steht in der ersten Woche nach der Veröffentlichung auf Platz 1 der Charts in Deutschland. • 3. Er ist sensibel und thematisiert in seinen sehr persönlichen, emotionalen Texten Familien- und Beziehungsprobleme. • 4. Casper lebt heute in Berlin.

## Aussprache

**1a** Die Akzentsilbe ist lauter und deutlicher.

**1b Akzent auf der ersten Silbe:** Nachbarn • wirklich • arbeiten • deshalb • außergewöhnlich • angebunden • Kinderwagen • Türklinke • Gummiband • **Akzent auf der zweiten Silbe:** erzählen • Geschichte • beschäftigen • beklagen • nachdem • Idee • Geräusche • zufrieden • **Akzent auf der dritten Silbe:** separat • unterhalten • überschreiten

**1c** *Mögliche Lösungen:* bei einfachen Wörtern Betonung meist auf der ersten Silbe, z.B. arbeiten • bei trennbaren Verben wird die Vorsilbe betont, z.B. angebunden • bei Verben mit untrennbaren Vorsilben wird das Präfix nicht betont, z.B. erzählen, Geschichte, unterhalten • Komposita haben den Akzent auf dem Bestimmungswort, z.B. Dorffest, Kinderwagen

**1d** Rapper • Familie • Musikszene • Soloalbum • Probleme • vergessen • Beziehung • zurück • prekär • Album • Wohnwagenpark • Selbstreflexion

## Lektion 4 – 4A Dinge

**1** *Mögliche Lösung:* … Er malte und zeichnete seit seinem zwölften Lebensjahr. Von 1916 bis 1918 studierte er Kunst an der Brüsseler Akademie der Schönen Künste. 1922 heiratete er Georgette Berger, die auch sein Modell war. Bis 1926 verdiente er sein Geld mit Gelegenheitsjobs. 1927 hatte er seine erste Einzelausstellung. Von 1927 bis 1930 hielt er sich in Paris auf, wo er viele Kontakte mit französischen Surrealisten hatte. Er schloss Freundschaft mir André Breton, Paul Éluard, Joan Miró, Hans Arp und Salvador Dalí. Von 1929 bis 1966 war er als Redakteur tätig. Ab 1936 stellte Magritte international in großen Galerien und Museen aus. Seine Malerei und seine Ideen zur Kunst beeinflussen die Pop-Art und die Konzeptkunst der 60er-Jahre. Noch vor seinem plötzlichen Tod am 15. August 1967 durch Krebs, erstellt Magritte 1967 erstmals Entwürfe und Gussformen für Skulpturen zu seinen Bildern, die 1968 in Paris ausgestellt werden.

**2a** 2. Im Vordergrund • 3. dahinter • 4. Rechts davon • 5. im Hintergrund • 6. der Betrachter • 7. die Farbgebung • 8. einen Kontrast • 9. realistisch • 10. scheinen • 11. vermuten • 12. aus der Perspektive • 13. der Blick • 14. Absicht

## 4B Die Welt der Dinge

**1a** *Mögliche Lösungen:* spannender Film im Fernsehen • Radiointerview zu einem Thema, das einen sehr interessiert • Seminar an der Uni, wo Prüfungsstoff behandelt wird

**1b** Preis

**1c Lamina 20:** 1. feuchte Kaltwetterbedingungen • 2. Nylon • 3. Komfortbereich: +1°C • Extrem Limit: -22°C • 4. keine Informationen • 5. Mumienschnitt • zusätzlicher Wärmekragen • anpassbare Kapuze • 6. 1,39 kg • 7. sehr klein zusammenrollen • 8. 140 Euro • 150 Euro bei 213 cm Länge • **Mammut Denali 5-Seasons:** 1. raues und extrem kaltes Klima • 2. Polyamid • 3. Komfortbereich: -20°C • Extrem Limit: -49°C • 4. wasserdicht und atmungsaktiv • 5. Mumienschnitt • extra stark isolierter Fußteil • perfekt geschnittene Kapuze • 6. 3.800 g • 7. keine Informationen • 8. 380 Euro • **Mögliche Antwort:** Rolf soll den „Lamina 20" kaufen, weil man ihn in allen Jahreszeiten verwenden kann – außer es ist extrem kalt.

**2** 2. Er ist besonders gut isoliert. • 3. Das Material, das ausgezeichnet die Körperwärme speichert, ist sehr flauschig. • 4. Der „Mammut Denali 5-Seasons" bietet höchsten Schlafkomfort. • 5. Die große Kapuze bietet vollen Schutz vor extremer Kälte und Nässe.

**3a** 3. empfind(en) + lich • 4. Opt(ik) + isch • 5. Seit(e) + lich • 6. Automat + isch • 7. verkauf(en) + lich + Umlaut • 8. + ge + Raum + ig + Umlaut • 9. Techn(ik) + isch • 10. Ruh(e) + ig • 11. Pflanz(e) + lich • 12. nütz(en) + lich • 13. Aroma + t + isch • 14. Medizin + isch

**3b** **-isch:** stürmisch • exotisch • kindisch • praktisch • regnerisch • romantisch • klassisch • typisch • harmonisch • idyllisch • elektronisch • **-lich:** kindlich • gemütlich • lieblich • sommerlich • friedlich • freundlich • köstlich • gewöhnlich • **-ig:** bergig • abhängig • salzig • hügelig • sonnig • vorsichtig

**3c** **ein Gerät:** praktisch • elektronisch • **ein Lebensmittel:** exotisch • typisch • köstlich • gewöhnlich • lieblich (Wein) • salzig • **eine Landschaft:** typisch • romantisch • idyllisch • harmonisch • friedlich • bergig • hügelig • **das Wetter:** typisch • stürmisch • regnerisch • klassisch • sommerlich • freundlich • gewöhnlich • sonnig • **einen Menschen:** romantisch • kindisch • kindlich • friedlich • gemütlich • abhängig • vorsichtig • gewöhnlich

**3d** *Mögliche Lösung:* ein Geschäft für Bio-Produkte

**3e** **ohne (+ A):** cholesterinfrei = ohne Cholesterin • phosphatfrei = ohne Phosphat • **mit wenig (+ D):** fettarm = mit wenig Fett • kalorienarm = mit wenig Kalorien • **mit viel (+ D):** vitaminreich = mit vielen Vitaminen • proteinreich = mit vielen Proteinen • ballaststoffreich = mit vielen Ballaststoffen • **enthält (+ A):** proteinhaltig = enthält Protein

**3f** *Mögliche Lösungen:* … Wir führen ausgezeichneten fettarmen Käse und kalorienarme Desserts. Unser Müsli ist reich an Ballaststoffen und unsere Berglinsen reich an Proteinen. Außerdem bieten wie Ihnen cholesterinfreies Öl und proteinhaltige Sojabohnen. Und darüber hinaus finden Sie bei uns phosphatfreie Waschmittel.

**3g** 2 I: topmodern / 2 N: topaktuell • 3 E: supergroß / 3 F: superhübsch / 3 H: superschick / 3 I: supermodern / 3 J: superleise / 3 M: superschnell • 4 H: todschick / 4 B: todtraurig • 5 B: tieftraurig / 5 C: tiefblau • 6 G: nagelneu • 7 F: bildhübsch • 8 E: riesengroß • 9 C: himmelblau • 10 D: hochbrisant / 10 I: hochmodern / 10 N: hochaktuell • 11 A: vollautomatisch • 12 M: blitzschnell • 13 K: glasklar • 14 L: steinhart

**3h** *Mögliche Lösungen:* 1. hochbrisante / hochaktuelle / topaktuelle • 2. brandneu • topmodern / glasklar • 3. riesengroß • superschick / todschick • 4. todschick / superschick • bildhübsch • 5. nagelneuen • blitzschnell • 6. vollautomatisch • superschnell • 7. tiefblau • glasklar

**4a** taktvoll • stilvoll • humorvoll

**4b** 2. respektvoll • 3. fehlerhaft • 4. man hat Arbeit • 5. glücklich • 6. man hat ein oder mehrere Kinder (kinderreich) • 7. schuldig / schuldhaft • 8. liebevoll

**5** 2. unhöflich • 3. missverstanden • 4. unmöglich • 5. unglaublich • 6. missgünstige • 7. unglücklich • 8. unbeliebt • 9. unschöne • 10. misslingt

## 4C Die Beschreibung der Dinge

**1** 2. -e • 3. -en • 4. -er • 5. -es • 6. -e • 7. -er • 8. -en • 9. -en • 10. -en • 11. -en • 12. -en • 13. -e • 14. -en • -en • 15. -en • 16. -en • 17. -e • 18. -er • 19. -er • 20. -es • 21. -e • 22. -en • 23. -em • 24. -en • 25. -e • 26. -en • 27. -en • 28. -e • 29. -e • 30. -en

**2** *Mögliche Lösungen:* 1. Biete Spielzeug (Eisenbahn) mit zahlreichem Zubehör, kaum gebraucht. Preis: VB 100 €. Kontakt: s.baum@apl.de • 2. Antiker Kerzenleuchter zu verkaufen, klassisches Design, sehr gut erhalten. Preis: 15 €. Kontakt: lisa_scholz@xmail.de • 3. Biete trendigen Schmuck mit bunten Glassteinen, gebraucht. Preis: VB. Kontakt: m-bauer@kmt.de

**3a** leicht – leichter – am leichtesten • viel – mehr – am meisten • gut – besser – am besten • beliebt – beliebter – am beliebtesten • gern – lieber – am liebsten • teuer – teurer – am teuersten • nah – näher – am nächsten • hübsch – hübscher – am hübschesten • hoch – höher – am höchsten • dunkel – dunkler – am dunkelsten • heiß – heißer – am heißesten • groß – größer – am größten

**3b** 2. mehr • 3. schneller • 4. am teuersten • 5. am elegantesten • 6. besser • 7. höher • 8. hübscher • 9. kleiner • 10. niedriger • 12. mehr • 12. am liebsten • 13. am glücklichsten

## 4D Die Macht der Dinge

**1** 1 d • 2 b • 3 c • 4 a • 5 b • 6 d • 7 b

**2a** *Mögliche Lösungen:* Messies sind Leute, die nichts wegwerfen können und alles sammeln. • Das Messie-Syndrom ist eine Krankheit, die sich vom englischen Wort „mess" (Unordnung, Chaos) ableitet. • Besonders anfällig sind Leute, deren Arbeitsplatz keine Stabilität und Stetigkeit bietet. • Messies stammen aus allen gesellschaftlichen Schichten. • Messies isolieren sich oft selbst, weil sie sich schämen und versuchen, ihre Krankheit geheim zu halten. • Seit 1996 gibt es ein immer größer werdendes Netz an Selbsthilfegruppen.

**2b** 2. Bezug auf Bitte Ihrer Freundin • 3. Informationen aus 2a • 4. Ratschläge für Ihre Freundin • 5. aktuelle Infos über Sie selbst • 6. Vorschlag, sich zu treffen • 7. Grußformel

**3a** 1. Die Wohnung, deren Tür man kaum öffnen konnte, war in einem chaotischen Zustand. • Die Wohnung, aus der ein merkwürdiger Geruch kam, war in einem chaotischen Zustand. • 2. Das Schlafzimmer, in dem man kaum das Bett erreichen konnte, war völlig zugestellt. • Das Schlafzimmer, das mehr als 20 m² groß war, war völlig zugestellt. • Das Schlafzimmer, dessen Fenster man nicht öffnen konnte, war völlig zugestellt. • 3. Der Keller, in dem es nach verdorbenen Lebensmitteln roch, war vollkommen zugemüllt. • Der Keller, durch dessen Gitterstäbe man Kartonberge sah, war vollkommen zugemüllt. • Der Keller, über den die Nachbarn sich beklagten, war vollkommen zugemüllt. • 4. Die Nachbarn, deren Geduld am Ende war, riefen die Polizei. • Die Nachbarn, für die die Situation unerträglich war, riefen die Polizei. • Die Nachbarn, mit denen Meike nicht mehr sprach, riefen die Polizei.

**3b** 1. Regel: 2 • 2. Regeln: 2, 3 • 3. Regel: 4

**3c** 1. deren • 2. derer • 3. derer • 4. deren

**3d** 2. Sie versuchte, mit Meike, deren Krankheit sie erkannt hatte, ins Gespräch zu kommen. • 3. Meike, deren Leben gerade sehr kompliziert war, war aber nicht ansprechbar. • 4. Die Nachbarn, denen diese Gesprächsversuche zu lange dauerten, wollten nicht mehr warten. • 5. Die Polizei, bei der sie anriefen, riet ihnen, zuerst selbst mit Meike zu sprechen. • 6. Schließlich gelang es doch, mit Meike, die inzwischen eine Therapie angefangen hatte und langsam begann, ihr Leben zu ordnen, in Kontakt zu kommen. • 7. Es fällt ihr immer noch nicht leicht, mit den Nachbarn, vor denen sie sich schämt, zu sprechen. • 8. Leider hat ihr Vermieter, dem die Angelegenheit zu Ohren gekommen ist, ihr gekündigt. • 9. Die „Anonymen Messies", mit denen sie sich einmal pro Woche trifft, helfen ihr sehr. • 10. Sie hat nun ein ganz neues Leben in einem anderen Stadtteil, in den sie schon immer ziehen wollte, begonnen.

### 4E Die Ordnung der Dinge

**1a** *Mögliche Lösungen:* einen gründlicheren Überblick • liest man aufmerksam • hält sich nicht an Einzelheiten auf • zentrale Inhalte • seinen groben Aufbau • den roten Faden • entscheiden • noch einmal genauer liest

**1b** 1a • 2. kursorisches Lesen • 3. detailliertes Lesen

**2a Personen:** der Käufer, - • das Personal • der Verbraucher, - • der Händler, - • der Kunde, -n • der Vertreter, - • **Geld:** die Rechnung, -en • der Verlust, -e • der Gewinn, -e • der Rabatt, -e • der Profit, -e • die Quittung, -en • der Umsatz, ⸚e • das Angebot, -e • **Aktivität:** die Versteigerung, -en • die Bestellung, -en • der Import, -e • die Werbung

**2b** 1a • 2b • 3a • 4a • 5b

### 4F Die Präsentation der Dinge

**1a** Sonnenuhr • Armbanduhr • Kirchturmuhr • Sanduhr

**1c** Notizen B sind verständlicher.

**3a** 1. Einstieg und Schluss sind wichtig, damit die Präsentation beim Publikum ankommt. • 2. Durch Fragen oder eine Geschichte, die man am Anfang und am Ende erwähnt bzw. beantwortet. • 3. Dadurch, dass man die Gliederung transparent macht. • 4. Eine positive Wirkung. • 5. Damit die Zuhörer wach und aufmerksam bleiben. • 6. Durch Pausen, variierendes Sprechtempo und stimmliche Modulation. • 7. Um den Zuhörern Zeit zu lassen, alle Informationen aufzunehmen. • 8. Dass Sie selbst überzeugt sind von dem, was sie mitteilen wollen, und dass Sie sich Ihre persönliche Art bewahren. • 9. Man sollte nur Stichpunkte und nicht mehr als sieben Stichpunkte pro Folie formulieren. • 10. Man sollte den Vortrag laut sprechen und die Zeit messen. Am besten sollte man vor Testzuhörern üben.

### Aussprache

**1b** [e:]: Mehl • sehen • Krebs • Leben • Seele • Wege • her • mehr • weniger • [ə]: Fähre • sehen • Glätte • Städtchen • Leben • Seele • Wege • Reste • letzte • Ende • Rente • zählen • Helden • mähen • sprechen • denken • helfen • Kälte • Länge • Mädchen • Gäste • bezahlen • [ɛ]: Glätte • Städtchen • Ärger • Reste • letzte • Ende • Rente • Helden • sprechen • denken • Wetter • helfen • Kälte • Länge • Gäste • [ɛ:]: Fähre • später • zärtlich • jährlich • zählen • Käfig • mähen • nämlich • Mädchen • schräg

### Lektion 5 – 5A Arbeit

**1a** 1. Sie trennen die Silben. • 2. Der unterstrichene Buchstabe, hier das „ä", ist betont. Hier liegt der Wortakzent. • 3. adj. = Adjektiv (adjektivisch) • 4. Man kann das Adjektiv nicht steigern, also keinen Komparativ oder Superlativ bilden. • 5. kennzeichnet das Gegenteil eines Wortes • 6. mit Objekt: etwas (z. B. ein Geschäft) tätigen • 7. das Wort hat keine Pluralform • 8. a. als • tätig • b. übt ... aus • c. tätig • d. tätig • e. in Betrieb sein

**2a** 2. teamfähig • 3. fleißig • 4. flexibel • 5. gründlicher • 6. interessiert • 7. kreativ • 8. pflichtbewusst • 9. zuverlässig • 10. ausdauernd

**2b** 2. die Teamfähigkeit • 3. der Fleiß • 4. die Flexibilität • 5. die Gründlichkeit • 6. das Interesse • 7. die Kreativität • 8. das Pflichtbewusstsein • 9. die Zuverlässigkeit • 10. die Ausdauer

**3** 1. b, c • 2. a, b • 3. a, c • 4. a, c • 5. a, b • 6. a, c • 7. a, b • 8. a, c • 9. b, c

### 5B Welt der Arbeit

**1** *Mögliche Lösungen:* **2.** Verb, denn es steht auf Position 2 • in Großstädte gehen, fahren, ziehen • „in Großstädte gehen / ziehen" passt nicht wegen „im Tagesrhythmus" • das Wort „Wanderschneider" bedeutet, dass jemand von Stadt zu Stadt fährt • fahren **3.** Nomen, da es nach Adjektiv folgt • Gäste, Freunde, Kunden empfangen • „Gäste" / „Freunde" passt nicht, weil es um berufliche Beziehungen geht• wer etwas verkaufen möchte, braucht Kunden • Kunden **4.** Nomen, da es ein Kompositum sein muss • mögliche Komposita: Stoff-Fetzen, Stoff-Farbe, Stoff-Auswahl • ein Schneider präsentiert Stofffarben, Stoffauswahl • man bietet Kunden eine Auswahl an Produkten (von einfacher bis zu Luxus-Qualität) an • Auswahl → Stoffauswahl • **5.** Verb, denn es ist eine Aufzählung von Tätigkeiten • Verbkombinationen mit „Maß": Maß nehmen • Schneider nehmen Maß • der Schneider stellt „Maßanzüge" her • Maß **6.** Nomen (Pl. oder f. Sing.), denn davor steht der bestimmte Artikel „die" • Stoffe / Farben / Preise für Maßanzüge • Zahlen, Preise, Honorare etc. können im mehrstelligen Bereich sein • davor heißt es „vereinbaren den Preis", also ein Synonym für „Preis" • Honorar • **7.** Nomen (Pl. oder f. Sing.), denn davor steht der bestimmte Artikel „die" • die Arbeit, Produktion beginnt • „Arbeit" passt nicht, da es zu unspezifisch in diesem Kontext ist • wenn etwas verkauft werden soll, muss es auch produziert werden • Produktion • **8.** Verb, denn es steht auf Position 2 • per Post senden / schicken, kommen • „schicken" / „senden" passt nicht, da kein Agens erwähnt wird • der Anzug reist von Hongkong zum Kunden • kommen → kommt

**2a** 1n • 2n • 3? • 4n • 5j • 6? • 7j • 8j • 9n

**2b** 2. Sie wollen vor Ort eine eigene Verkaufsorganisation aufbauen. • 3. Sie wollen sich über die Produktion im Ausland Märkte erschließen. • 4. Der Mittelstand stellt in aller Welt Vorprodukte her. • 5. Man muss 40% des Umsatzes investieren. • 6. Fachleute aus der Heimat sind gefragt. • **übrig:** erhalten • Geschäft

**3a** 2. nehmen • 3. fassen • 4. erschließen • 5. gelangen • 6. nehmen • 7. vertreten

**3b** 2. Denn wir sind zur Überzeugung gelangt, dass … • 3. Wir haben deswegen den Entschluss gefasst, … • 4. … eines Beraters in Anspruch nehmen. • 5. Denn wir wollen den neuen Markt erfolgreich erschließen. • 6. Wir vertreten die Ansicht, dass … • 7. Wir sollten uns aber in Acht nehmen, dass …

## 5C Arbeiten auf Probe

**1** 2. sammeln • 3. suchen • 4. in Kauf nehmen • 5. ausnutzen • 6. anwenden • 7. eingliedern • 8. übernommen werden

**2** 2. Der Chef persönlich begrüßt die neuen Mitarbeiter. (wichtig ist, dass die neuen Mitarbeiter vom Chef begrüßt werden) • 3. Allen Praktikanten werden zunächst die einzelnen Abteilungen vorgestellt. (wichtig ist der Vorgang, also dass den Praktikanten die Abteilungen vorgestellt werden, und nicht die Person, die die Abteilungen vorstellt) • 4. Seit neuestem wird die Eingangstür schon um 19.00 Uhr abgeschlossen. (wichtig ist der Vorgang, also dass die Eingangstür abgeschlossen wird, und nicht die Person, die die Tür abschließt)

**3a** 2D • 3E • 4A • 5B

**3b** 1. Präsens • wird … eingestellt • 3. Präsens • ist … bezahlt worden • 4. Präteritum • war … versprochen worden • 5. Präsens • wird … verbessert werden

**3c** 2. Durch • wurden • erledigt • 3. wurde • von • begrüßt • 4. wurde • durch • aufgenommen • 5. wurde • von • eingestellt

**3d** 2. Die Bereitschaft junger Leute wird von vielen Unternehmen systematisch ausgenutzt. • 3. Raffaela Hönings Praktikum bei einem Hygieneproduktehersteller wurde sehr gut bezahlt. • 4. Von Praktikanten sind schon immer auch qualifizierte Tätigkeiten verrichtet worden. • 5. Häufig waren vorher Zusagen gemacht worden, die später nicht von den Firmen eingehalten wurden. • 6. In den letzten Jahren ist von Unternehmen viel Geld in die Betreuung von Praktikanten investiert worden.

**3e** 2. Es wird immer mehr gearbeitet. • 3. Über den Einsatz der Praktikanten wird oft gesprochen. • 4. In der Regel wird den Praktikanten gern geholfen. • 5. Es wurde viel diskutiert. • 6. Im Büro darf nicht geraucht werden.

**4a** 1. Von morgens bis abends <u>musste</u> das Telefon <u>bedient werden</u>. • 2. Eine dicke Gebrauchsanleitung <u>hat</u> schnell <u>übersetzt werden müssen</u>. • 3. Und davor <u>hatte</u> noch eine riesige Adressenkartei <u>aktualisiert werden sollen</u>. • 4. Die Bedingungen von Praktika <u>müssen</u> dringend <u>verbessert werden</u>.

**4b**

|  |  | Pos. 2 |  | Satzende |
|---|---|---|---|---|
| Präsens | 4. Die Bedingungen von Praktika | müssen | dringend | verbessert werden. |
| Präteritum | 1. Von morgens bis abends | musste | das Telefon | bedient werden. |
| Perfekt | 2. Eine dicke Gebrauchsanleitung | hat | schnell | übersetzt werden müssen. |
| Plusquamp. | 3. Und davor | hatte | noch eine riesige Adressenkartei | aktualisiert werden sollen. |

**4c** 1a • 2a

**4d** 2. Immer mussten mehrere Dinge gleichzeitig erledigt werden. • 3. Deshalb konnte nichts gründlich getan werden. • 4. Außerdem konnte wegen fehlender Ersatzteile nicht ordentlich gearbeitet werden. • 5. Die Reparaturen haben bisher noch nicht ausgeführt werden können!

**4e** Antwort b ist richtig.

**5a** 2. Die sind schon längst beschriftet! • 3. Die ist schon längst benachrichtigt! • 4. Der ist schon längst bestellt! • 5. Die sind schon längst eingewiesen! • 6. Die ist schon längst überprüft!

**5b** 2. Alle Räume waren schon eingerichtet. • 3. Die Zeitung war schon benachrichtigt. • 4. Der Gärtner war schon beauftragt. • 5. Die Hilfskräfte waren schon eingewiesen. • 6. Die Musikanlage war schon installiert. • 7. Alles war optimal geregelt.

## 5D Arbeit gesucht

**1a** 2D • 3C • 4A • 5E • 6G • 7B

**1b**

```
                        eigene Adresse
        Adresse des Empfängers
                                              Datum
        Betreff

        Anrede
        Textbereich
        Grußformel
        Unterschrift

        Anlagen
```

**2a** A: Erfahrung im Einkauf, Verkauf, Microsoft-Office, … Handel und Direktvertrieb, Fremdsprache Englisch … • B: Public Relations-Spezialistin, Master of Business Administration, 45 Jahre jung, langjährige Erfahrung in Finanzunternehmen, in ungekündigter Stellung, …, Organisation sucht feste freie Mitarbeit. Zuschriften erbeten unter … • C: Als Fahrer, Sekretär, Verkäufer, Hausmeister … 52 Jahre, gepflegtes … gute Englisch- und Personal Computer-Kenntnisse, belastbar, Personenkraftwagen vorhanden, sucht neue Herausforderung …

**2b** *Mögliche Anzeigen:* 1. Student/in su. Aushilfstätig. in Verk. od. Gastro. abends, Wochenende. Einsatzfreud., flexibel, E-Mail aushilfe@wlb.de • 2. Dipl.-Übersetzer/in (24), Span./Franz., Berufserf.: Praktikum bei Sprachenservice, Auslandserf., sehr gute MS-Office-, TRADOS-Kenntn., belastb., zuverl., flex., sucht feste Stelle, Zuschr. erb. unt. Chiffre 9575, Stadt-Anz. • 3. Neue Aufg. gesucht. Sekretär/in fest. angestellt, 5 J. Berufserf., sehr gute Kennt. in Bürokomm., Engl.: verhandlungssicher, Chin.: Grundkennt., belastbar, profes., teamorientiert. Erreichbar unt. ANeum@aco.de

**4a** 2. Angaben zur Person • 3. Schule und Studium • 4. Praxiserfahrung • 5. Sprachkenntnisse • 6. EDV-Kenntnisse 7. Interessen / Hobbys

## 5 E  Freude an der Arbeit

**1a** 2 C • 3 D • 4 A

**1b** 2. Dass <u>einem</u> die … • 3. … bringt <u>einen</u> mit … • 4. <u>Man</u> sollte sich fragen, was <u>einem</u> leichtfällt. • **Akkusativ:** einen • **Dativ:** einem

**1c** 2. einem • 3. einen • 4. einem • 5. man • 6. einem • 7. einem • 8. man • 9. einen

**2a** 2. Das lässt sich aber nicht bis morgen erledigen. • 3. Denn der Wagen ist nicht mehr reparierbar. • 4. Das glaube ich nicht. Das lässt sich sicher noch machen. • 5. Chef, das ist einfach nicht zu schaffen! • 6. Tut mir leid! Diese Sache ist einfach nicht verhandelbar!

**2b** 2. Es musste so viel repariert werden, das konnte in der kurzen Zeit nicht geschafft werden. • 3. Die Prüfung durch den TÜV konnte nicht verschoben werden. • 4. Der TÜV-Prüfer sagte: „Das Auto muss stillgelegt werden!" • 5. Der Werkstattchef argumentierte: „Die Ersatzteile können doch bis nächste Woche besorgt werden." • 6. Der TÜV-Prüfer konnte aber vom Werkstattchef nicht überredet werden, ein Auge zuzudrücken.

## 5 F  Erst die Arbeit, dann das Vergnügen

**1** *Mögliche Lösungen:* **etwas vereinbaren:** Wäre es möglich, dass …? • Es ist wirklich wichtig, dass … • Wenn Sie … machen / du … machst, übernehme ich … • **nachfragen:** Was verstehen Sie / verstehst du unter …? • Sie möchten / Du möchtest also, dass …? • Gibt es sonst noch etwas, was wir klären müssen? • Haben wir nichts vergessen? • **zum Schluss kommen:** Dann machen Sie es so. • Fehlt noch etwas? • So könnte es gehen. • Ich werde es versuchen.

**2** 1. Erst die Arbeit, … • 2. … aller Laster Anfang. • 3. … gut ruh'n. • 4. Was du heute kannst besorgen, … • 5. … dem Arzt die Türe zu.

**3** Sein Werk wird bis heute ununterbrochen aufgeführt.

## Aussprache

**1a** 1a • 2a • 3b • 4a • 5b • **Begründung:** In diesen Varianten kommt der Knacklaut vor.

## Lektion 6 – 6 A  Streiten oder kooperieren?

**1** die Rechthaberei • die Unhöflichkeit • die Kompromissbereitschaft • die Streitsüchtigkeit • kein „direktes" Nomen zu „verständnisvoll": „verständnisvoll" = „viel Verständnis haben"

**2** **verständnisvoll:** entgegenkommend • tolerant • einsichtig • nachsichtig • **unhöflich:** taktlos • flegelhaft • frech • **rechthaberisch:** dickköpfig • stur • eigensinnig • uneinsichtig •

**streitsüchtig:** aggressiv • herausfordernd • provokant • streitlustig

**3** 2. Das bringt mich echt auf die Palme! • 3. Da ist mir der Kragen geplatzt. • 4. Da ist er einfach explodiert. • 5. Da hat sie vor Wut gekocht. • 6. Bist du sauer auf mich?

**4** *Mögliche Lösungen:* **wenig verständnisvoll:** Das kann man jetzt sowieso nicht mehr ändern. • Das kann / darf doch nicht wahr sein! • Reiß dich zusammen! • Reg dich doch nicht so auf! • Jetzt ist es sowieso zu spät! • Das nervt unglaublich. • **ziemlich verständnisvoll:** Ich mache Ihnen / dir keine Vorwürfe, aber … • Das ist doch nicht so schlimm! • Halb so schlimm. • Ist schon in Ordnung. • **sehr verständnisvoll:** Da findet sich bestimmt eine Lösung. • Das macht wirklich nichts. • So etwas kann jedem passieren. • Ich würde Ihnen / dir wirklich gern helfen. • Kopf hoch! Wir finden einen Weg.

## 6 B  Konfrontation oder Verständigung?

**1a** 2c, Z. 25–29 • 3b, Z. 42–44 • 4a, Z. 48–51 • 5c, Z. 62 / 63

**1b** 2. vor • 3. mit + D • 4. für + A • 5. von + D • 6. vor • 7. zu + D • 8. auf + A • 9. zu + D • 10. auf + A

**1c** *Mögliche Lösungen:* 1. Aus der Untersuchung sind überraschende Ergebnisse hervorgegangen. • 2. Er hat vor dem Gericht geklagt. • 3. Das eine kann man gut mit dem anderen verbinden. • 4. Deine Regenjacke ist nicht für Kälte geeignet. • 5. Er hat sich mehr von dem Konzert erhofft. • 6. Sie hat sich vor ihren Freunden blamiert. • 7. Sie hat ihn zu der Arbeit gezwungen. • 8. Bitte achte auf die Kinder. • 9. Das hat zur Katastrophe beigetragen. • 10. Sie verzichtet auf den Urlaub.

**1d** 2. schließen • 3. übernehmen • 4. schaffen • 5. bieten • 6. legen • 7. geben • 8. finden

**2a** rückverweisend

**2b** 2. Denn • 3. die • 4. Daher • 5. Ihre • 6. Streit • 7. Da • 8. dies 9. dazu • 10. Aber • 11. die

**2c** Denn durch <u>Konflikte</u>, die erfolgreich gelöst werden, <u>entwickeln sich die Beteiligten weiter</u>. Daher sollten <u>Streitigkeiten</u> nicht nur negativ bewertet werden. <u>Ihre</u> positive Seite ist, dass sie, wenn sie konstruktiv bewältigt werden, die Beziehung eher stärken als schwächen. Wie nun <u>streiten</u>? Bei jedem <u>Streit</u> sollte man versuchen, sich in die Situation des anderen hineinzuversetzen. <u>Da man sich unter Umständen angegriffen fühlt</u>, fällt dies manchmal schwer. Denn aufgrund der Emotionslage neigt man eher <u>dazu</u>, <u>sich zu verteidigen</u>. Aber nur das gegenseitige Verständnis kann helfen, <u>eine gemeinsame Lösung</u> zu finden, <u>die</u> für beide Teile akzeptabel ist.

**3a** *Mögliche Lösungen:* **Einleitung:** Wenn von … die Rede ist, wird dies oft positiv / negativ bewertet. • Was spricht nun dafür / dagegen, … zu … • **Hauptteil: Argumente für / gegen:** Viele bewerten … als positiv / negativ, denn … • Häufig wird … positiv / negativ dargestellt, weil … • Auf der einen / anderen Seite … • Für / Gegen … kann man anführen, dass … • **Schluss / Persönliche Meinung:** Ich stehe auf dem Standpunkt, dass …, weil …

**3b** *Mögliche Lösungen:* Wenn von Streit die Rede ist, wird dies oft negativ bewertet. • Viele bewerten Streit als negativ, denn die meisten Leute streiten nicht gern. • Was spricht nun dafür,

Streit als positiv zu bewerten? • Häufig wird Streit negativ dargestellt, da er sehr weh tun kann. • Auf der einen Seite kann man sich bei einem Streit blamieren, auf der anderen Seite ist ein Streit besser, als klaglos zu leiden. • Ich stehe auf dem Standpunkt, dass es gut ist, manchmal zu streiten, weil dabei Konflikte offen ausgesprochen werden. • Gegen Streit kann man anführen, dass man sich dabei sehr verletzen kann.

## 6C Streit um jeden Preis

**1c** <u>Ihr</u> (SZ) Nachbar, Herr May, baut schon seit ein<u>em</u> (D) Jahr seine Wohnung (R) um und <u>er</u> (WS: Wdh.) arbeitet sogar in (SZ) der Nacht. Frau Wald hat schon mehrfach versucht, mit ihm <u>zu</u> (SZ) sprechen<u>,</u> (Z) aber vergeblich. Weil sie inzwischen ein schlechtes (D) Verhältnis haben, <u>will sie</u> (SB) es <u>heute</u> (R) noch einmal versuchen. Frau Wald hofft, dass (R / SZ) sie Glück hat und alles wieder gut (R) wird. <u>Sie</u> (WS: Wdh.) ist optimistisch und sagt: „<u>Es</u> (R) kann nur besser <u>werden</u> (D)<u>.</u> (Z)"

**2a / b** *Mögliche Lösungen:* 2. Meiner Ansicht nach sind die Argumente von Frau X insgesamt besser, weil … (S) • 3. Zusammenfassend lässt sich die Situation folgendermaßen bewerten: (S) • 4. Frau X ist der Meinung, dass … (H) • 5. Herr Y argumentiert aber, dass … (H) • 6. In dem Artikel geht es darum, dass … (E) • 7. Dieses Argument halte ich für besser als das von Herrn Y, weil … (H) • 8. Herr Y führt an, dass … (H) • 9. Deshalb ist Frau X meines Erachtens im Recht. (S) • 10. Das Argument von Herrn Y überzeugt mich mehr, denn … (S) • 11. Frau X bewertet … positiv / negativ, weil … (H) • 12. In dem Bericht nehmen Menschen Stellung zum Thema „Nachbarschaftshilfe". (E) • 13. Der Argumentation von Herrn May kann ich eher folgen, weil … (S) • 14. Also wäre es sicher gut, wenn … (S)

**3a** *Mögliche Lösungen:* **Worum geht es?** Nachbarschaftshilfe • **dafür / positive Aspekte:** soziale Verpflichtung • Selbstverständlichkeit • **dagegen / negative Aspekte:** Neugier • Schlimmeres • nicht den Nachbarn zur Last fallen • **Fazit / Meinung / Lösung:** Nachbarn sollten sich helfen, aber Grenzen respektieren

**3b** *Mögliche Lösungen:* **Einleitung:** In dem Artikel geht es darum, dass … • In dem Bericht nehmen Menschen Stellung zum Thema „Nachbarschaftshilfe". • **Hauptteil:** Frau X ist der Meinung, dass … • Herr Y argumentiert aber, dass … • Dieses Argument halte ich für besser als das von Herrn Y, weil … • Herr Y führt an, dass … • Frau X bewertet … positiv / negativ, weil … • **Schluss:** Meiner Ansicht nach sind die Argumente von Frau Wald insgesamt besser, weil … • Zusammenfassend lässt sich die Situation folgendermaßen bewerten: • Deshalb ist Frau X meines Erachtens im Recht. • Das Argument von Herrn Y überzeugt mich mehr, denn … • Der Argumentation von Herrn May kann ich eher folgen, weil … • Also wäre es sicher gut, wenn …

**4a** 2. er ginge • 3. ich führe • 4. wir würden • 5. sie gäbe • 6. ihr könntet • 7. sie wollten • 8. es sollte • 9. es müsste • 10. Sie brächten

**4b** würde sagen

**4c** 2. Frau Wald hat <u>viele</u> Übersetzungen, deshalb ist sie <u>sehr</u> stark unter Druck. • 3. Herr May verdient <u>nicht</u> gut, deshalb

muss er <u>zusätzlich</u> arbeiten. • 4. Frau Wald kann <u>keine</u> bezahlbare Wohnung finden, daher zieht sie <u>nicht</u> um.

**5a** 1. Würde die Firma verkauft, hätte Herr May <u>keine</u> Hoffnung <u>mehr</u>. • 2. Wenn seine Möbel <u>nicht so</u> oft bestellt würden, würde er Werbung machen. • Würden seine Möbel <u>nicht so</u> oft bestellt, würde er Werbung machen. • 3. Wenn seine Arbeit <u>nicht so</u> gelobt würde, bekäme er <u>keine</u> neuen Aufträge. • Würde seine Arbeit <u>nicht so</u> gelobt, bekäme er <u>keine</u> neuen Aufträge. • 4. Wenn die Rechnungen <u>schon</u> früh bezahlt würden, wäre sein Leben einfach. • Würden die Rechnungen <u>schon</u> früh bezahlt, wäre sein Leben einfach.

**5b** 1. Hätte Frau Wald noch nicht so oft mit Herrn May gesprochen, hätte sie noch Geduld gehabt. • 2. Wenn Herr May nicht so viel Lärm gemacht hätte, wäre es nicht zu Konflikten gekommen. • Hätte Herr May nicht so viel Lärm gemacht, wäre es nicht zu Konflikten gekommen. • 3. Wenn die Nachbarn sich beschwert hätten, wäre das eine große Hilfe für Frau Wald gewesen. • Hätten die Nachbarn sich beschwert, wäre das eine große Hilfe für Frau Wald gewesen. • 4. Wenn Herr May eine Werkstatt gehabt hätte, wäre es nicht zu den Problemen gekommen. • Hätte Herr May eine Werkstatt gehabt, wäre es nicht zu den Problemen gekommen.

**5c** 1. Wäre die Firma verkauft worden, hätte Herr May keine Hoffnung mehr gehabt. • 2. Wenn seine Möbel nicht so oft bestellt worden wären, hätte er Werbung gemacht. • Wären seine Möbel nicht so oft bestellt worden, hätte er Werbung gemacht. • 3. Wenn seine Arbeit nicht so gelobt worden wäre, hätte er keine neuen Aufträge bekommen. • Wäre seine Arbeit nicht so gelobt worden, hätte er keine neuen Aufträge bekommen. • 4. Wenn die Rechnungen schon früh bezahlt worden wären, wäre sein Leben einfach gewesen. • Wären die Rechnungen schon früh bezahlt worden, wäre sein Leben einfach gewesen.

**6a** Aktiv: Infinitiv • Passiv: Partizip Perfekt • Infinitiv

**6b** 1. aufheben • arbeiten müssen • 2. Hätte • geführt werden

**6c** 1. eine • 2. ohne • vor

**6d** 2. Hätte er das machen wollen, hätte er einen Kredit aufnehmen müssen. • 3. Hätte er den Kredit bekommen können, wäre er ein hohes Risiko eingegangen. • 4. Hätte Herr May seine Situation ändern können, hätte er das sicher getan.

**7a** 2. Sie sollten umziehen. / An Ihrer Stelle würde ich umziehen. / Wie wäre es, wenn Sie umziehen würden? • 3. Sie sollten eine Werkstatt im Keller einrichten. / An Ihrer Stelle würde ich eine Werkstatt im Keller einrichten. / Wie wäre es, wenn Sie eine Werkstatt im Keller einrichten würden? • 4. Sie sollten abends nicht so lange arbeiten. / An Ihrer Stelle würde ich abends nicht so lange arbeiten. / Wie wäre es, wenn Sie abends nicht so lange arbeiten würden?

**7b** 2. Sie hätten umziehen sollen. / An Ihrer Stelle wäre ich umgezogen. / Wäre es nicht besser gewesen, wenn Sie umgezogen wären? • 3. Sie hätten eine Werkstatt im Keller einrichten sollen. / An Ihrer Stelle hätte ich eine Werkstatt im Keller eingerichtet. / Wäre es nicht besser gewesen, wenn Sie eine Werkstatt im Keller eingerichtet hätten? • 4. Sie hätten abends nicht so lange arbeiten sollen. / An Ihrer Stelle hätte ich abends nicht so lange gearbeitet./Wäre es nicht besser gewesen, wenn Sie abends nicht so lange gearbeitet hätten?

**8** 3. Ich glaubte, sie wären keine Freunde geworden. • 4. Ich war der Meinung, sie würden nicht heiraten. • 5. Ich dachte, ihre Wohnung wäre nicht umgebaut worden. • 6. Ich hatte angenommen, Herr May wäre nicht sehr erfolgreich geworden. • 7. Ich glaubte, sie wären unglücklich.

**9** 2. Entschuldigung, würden Sie mir bitte das Kino auf der Karte zeigen?/Könnten Sie mir bitte das Kino auf der Karte zeigen?/Wären Sie so nett, mir das Kino auf der Karte zu zeigen? • 3. Entschuldigung, würden Sie das bitte noch einmal wiederholen?/Könnten Sie das bitte noch einmal wiederholen?/Wären Sie so nett, das noch einmal zu wiederholen? • 4. Entschuldigung, würden Sie mir das bitte erklären?/Könnten Sie mir das bitte erklären?/Wären Sie so nett, mir das zu erklären? • 5. Entschuldigung, könnten Sie das Fenster schließen?/Könnten Sie das Fenster schließen?/Wären Sie so nett, das Fenster zu schließen. • 6. Entschuldigung, hätten Sie einen Stift für mich?/Hätten Sie einen Stift für mich?/Wären Sie so nett, mir einen Stift zu geben. • 7. Entschuldigung, würden Sie mich bitte anrufen?/Würden Sie mich bitte anrufen?/Wären Sie so nett, mich anzurufen? • 8. Entschuldigung, dürfte ich Ihre Telefonnummer weitergeben?/Dürfte ich Ihre Telefonnummer weitergeben?

## 6 D  Verhandeln statt streiten

**1** 2 E • 3 B • 4 F • 5 A • 6 D • 7 C

**2** 2 a. ich kann auf keinen Fall • 2 b. denn • 3. Das leuchtet ein. • 4. schlage ich vor • 5. Da muss ich widersprechen./Das geht auf keinen Fall./Das ist keine Lösung. • 6. was halten Sie von folgender Lösung • 7. Das ist ein guter Vorschlag./Das könnte ein Ausweg sein./Das klingt sehr gut./Damit bin ich einverstanden. • 8. Was halten Sie von folgender Lösung • 9. Das wäre eine gute Lösung./Das ist ein guter Vorschlag./Das könnte ein Ausweg sein./Das klingt sehr gut./Damit bin ich einverstanden. • 10. Gut, dann machen wir es so.

## 6 E  Gemeinsam sind wir stark

**1** 2. Wenn ich doch nur Flügel hätte!/Hätte ich doch nur Flügel!/Wenn ich Flügel hätte, könnte ich fliegen./Hätte ich Flügel, könnte ich fliegen. • 3. Wenn ich nur Arme hätte!/Hätte ich nur Arme!/Wenn ich Arme hätte, könnte ich Obst pflücken./Hätte ich Arme, könnte ich Obst pflücken. • 4. Wenn ich doch eine Stimme hätte!/Hätte ich doch eine Stimme!/Wenn ich eine Stimme hätte, könnte ich singen./Hätte ich eine Stimme, könnte ich singen. • 5. Wenn ich bloß Beine hätte!/Hätte ich bloß Beine!/Wenn ich Beine hätte, könnte ich laufen./Hätte ich Beine, könnte ich laufen. • 6. Wenn ich doch nur Flossen hätte!/Hätte ich doch nur Flossen!/Wenn ich Flossen hätte, könnte ich schwimmen./Hätte ich Flossen, könnte ich schwimmen.

**2 a** 2. …, als wäre sie eine Hexe mit langen Krallen. • 3. …, als hätte er ein scharfes Messer. • 4. …, als wollten sie ein Rennen gewinnen. • 5. …, als hätten sie schon immer in dem Haus

gewohnt. • 6. …, als wären sie für ihr arbeitsreiches Leben belohnt worden. • 7. …, als wäre sie wirklich passiert. • 8. …, als hätte ich eine ähnliche Geschichte schon einmal gehört.

**2 b** 2. …, als ob sie eine Hexe mit langen Krallen wäre. • 3. …, als ob er ein scharfes Messer hätte. • 4. …, als ob sie ein Rennen gewinnen wollten. • 5. …, als ob sie schon immer in dem Haus gewohnt hätten. • 6. …, als ob sie für ihr arbeitsreiches Leben belohnt worden wären. • 7. …, als ob sie wirklich passiert wäre. • 8. …, als ob ich eine ähnliche Geschichte schon einmal gehört hätte.

## 6 F  Pro und Contra

**1** *Mögliche Lösungen:* 2. Eine Stoffsammlung machen und Pro- und Contra-Argumente sammeln • 3. Eine Gliederung erstellen und Argumente nach ihrer Wichtigkeit ordnen • 4. Einleitung: allgemeine Aussagen zum Thema und Problematik im Frageform • 5. Hauptteil: Argumente der Gegenposition aufführen und mit Beispielen illustrieren • 6. Argumente für eigenen Standpunkt darlegen, mit Argumenten begründen und mit Beispielen veranschaulichen • 7. Dabei Argumente der Gegenposition entkräften • 8. Schluss: wichtigste Argumente zusammenfassen und eigenes Urteil • 9. Korrekturlesen

## Aussprache

**1 a** 1. Pille • Paar • Bier • Oper • Gebäck • rauben • 2. Kern • Greis • Kuss • Egge • decken • legen • 3. Dank • Tipp • Tier • Weide • Marder • entern

# Arbeitsbuchteil – Transkriptionen

Im Folgenden finden Sie die Transkriptionen der Hörtexte im Arbeitsbuchteil, die dort nicht abgedruckt sind.

## Lektion 3

🔘 5 *Sprecher:* Gartenarbeit • Reparaturen • sozial • Menschen

## Lektion 4

🔘 7 *Radiosprecherin:* Für unsere Hörerinnen und Hörer, die erst jetzt eingeschaltet haben, fassen wir noch einmal zusammen. Wir haben heute zwei Schlafsäcke vorgestellt.

*Radiosprecher:* Den Lamina 20 von Mountain Hardwear. Er ist ein Dreijahreszeiten-Schlafsack und eignet sich hervorragend für feuchte Kaltwetterbedingungen. Der Komfortbereich liegt bei +1°C, das Extrem Limit liegt bei -22°C. Er bringt also auch bei kalten Bedingungen genug Wärmeleistung. Der Schlafsack im Mumienschnitt ist ausgezeichnet isoliert. Das Isoliermaterial aus widerstandsfähigem Nylon ist unglaublich flauschig und speichert sehr gut die Körperwärme. Ein zusätzlicher Wärmekragen und eine anpassbare Kapuze sorgen dafür, dass die gespeicherte Wärme nicht entweicht. Der Schlafsack hat ein Gewicht von einem Kilo, 39 Gramm bei einem Innenmaß von 198 cm, und man kann ihn sehr klein zusammenrollen. Er kostet 140 Euro. Es gibt ihn zu einem Aufpreis von 10 Euro auch in 213 cm Länge. Ein wirklich preiswerter und guter Schlafsack!

🔘 8 *Radiosprecher:* Unser zweiter Schlafsack: Der Mammut Denali 5-Seasons im Mumienschnitt ist ein Schlafsack aus der Expeditionslinie und besonders geeignet für raues und extrem kaltes Klima. Er bietet höchsten Schlafkomfort unter härtesten Bedingungen. Er besteht aus langlebigem und robustem Polyamid, das wasserdicht und atmungsaktiv ist. Die Konstruktion ist sehr gut durchdacht, mit einem extra stark isolierten Fußteil und einer perfekt geschnittenen Kapuze bietet er maximalen Schutz vor Kälte und Nässe. Der Komfortbereich liegt bei -20°C, das Extrem Limit bei -49°C. Er hat ein Gewicht von 3.800 g und ist für eine Körpergröße bis 210 cm geeignet. Bei seiner Leistungsfähigkeit ist der Preis von 380 Euro durchaus akzeptabel.

*Radiosprecherin:* Liebe Hörerinnen und Hörer, das war's für heute. Morgen hören Sie „Tunnelzelte im Vergleich". Wir danken Ihnen fürs Zuhören und wünschen Ihnen einen schönen Tag.

🔘 9 *Radiosprecher:* Geschichte der Uhr

Seit vorhistorischer Zeit versucht der Mensch durch Beobachtung der Himmelsgestirne, Sonne und Mond die Jahreszeiten und damit den Wetterverlauf besser einzuschätzen. Bereits 5.000 v. Chr. wurde im Altägyptischen Reich ein Kalender entwickelt. Mit zunehmendem Handel war eine genauere Form der Zeiterfassung notwendig. Mithilfe der Sonnenuhr wurde vermutlich ab dem 3. Jahrtausend v. Chr. der Tag in mehrere Zeiteinheiten aufgeteilt und ermöglichte so Verabredungen zu einem vorbestimmten Zeitpunkt.

Seit dem 14 Jhd. v. Chr. wurden in Ägypten neben Sonnen- auch die etwas ungenaueren Wasseruhren verwendet. Diese hatten den Vorteil, dass sie tageslichtunabhängig waren. Durch immer weitere Verbesserungen gelang es schließlich im 2. Jhd. v. Chr. eine relativ genaue Wasseruhr mit Zifferblatt und Zeiger herzustellen.

Neben der Sonnen- und Wasseruhr etablierte sich ab 900 n. Chr. in Europa auch die Kerzenuhr. Kerzen mit definierten Formen und Größen brannten in einer bestimmten und bekannten Zeitdauer ab. Diese Uhren konnten nicht nur unabhängig vom Tageslicht genutzt werden, sondern waren auch einfach im Umgang und verfügbar.

Im Mittelalter taucht die mechanische Uhr auf, aber ab wann sie genau verwendet wurde, ist nicht bekannt. Bei den ersten mechanischen Uhren handelte es sich um große Instrumente, welche zunächst in einigen Klöstern und großen Kirchen angebracht wurden. Ihrem Zweck nach sollten sie vor allem dem Klerus die Zeit für die sieben Tagesgebete, die sogenannten Horen, läuten.

Erst im 14. Jhd. tauchten Sanduhren in Europa auf. Die waren ganz unabhängig von den Temperaturen: bei diesen Uhren rieselt Sand durch einen schmalen Hals von der oberen Gefäßhälfte in die untere Gefäßhälfte. Die gute alte Sanduhr sieht man übrigens heute in unseren Computern als Symbol für den gerade stattfindenden Rechenvorgang.

Mit der Industrialisierung ab Mitte des 19. Jahrhunderts wurde auch die Massenproduktion von Uhren möglich. Fortschritte in der Feinmechanik ermöglichten auch die sehr anspruchsvolle Fertigung von Taschenuhren. Eine weitere Miniaturisierung des Uhrwerkes ließ zur Wende des 20. Jahrhunderts die Uhr auf Armbandgröße schrumpfen. 1923 entwickelte John Harwood die Automatikuhr.

Der nächste große Entwicklungsschritt war die Atomuhr, welche 1949 zum ersten Mal eingesetzt wurde. Seit 1967 sendet die Atomuhr in Braunschweig in regelmäßigen Abständen Funksignale mit kodierten Zeitinformationen, welche alle erreichbaren Funkuhren Mitteleuropas synchronisieren.

# Quellen

## Bildquellen

shutterstock (BestPhotoStudio), **Cover;** © Phototh.que R. Magritte - ADAGP, Paris /VG Bild-Kunst, Bonn 2011, Paris, **44;** adidas AG, Herzogenaurach, **47.4, 47.7;** akg-images (Frasnay), Berlin, **116;** Artothek (Christie's Images Ltd), Weilheim © VG Bild-Kunst, Bonn 2012, Weilheim, **117;** Avenue Images GmbH (Corbis RF), **32.5;** (Image Source RF), **28;** (Ingram Publishing), **47.8;** (Rubberball RF), **20.3, 94;** (stock disc), **32.2;** (StockDisc), Hamburg, **40.3, 40.5;** Corel Corporation Deutschland, Unterschleissheim, **9, 82;** Corel Corporation Kanada, Ottawa, Ontario, **11.1, 85;** CSIPL, New Delhi, **8.1;** DigitalVision, Maintal-Dörnigheim, **32.1;** dreamstime.com (Andres Rodriguez), **33.4;** (Lucian Coman), Brentwood, TN, **33.2;** © Dynevo GmbH. Ein Unternehmen der Bayer Business Services - Communication Services/ Graphic Services, Leverkusen, **46.2;** Fotex GmbH (Susa), Hamburg, **36.2;** Fotolia.com (Gregor Luschnat), **41;** (Ingo Bartussek), **64.1;** (Jason Walsh), **120;** (kliff & klaus), **130;** (lu-photo), **33.3;** (Souchon Yves), **125.3;** (WONG SZE FEI), **10.1;** (Yuri Arcurs), New York, **24;** Fotosearch Stock Photography (PhotoDisc), **23.2;** (RF), Waukesha, WI, **30.1;** PhotoDisc, München, **8.2, 11.3, 26.1, 97, 100;** Image 100 (RF), Berlin, **30.5;** Image Source Ltd (Imagesource), Soho, London, W1F 9NZ, **20.2;** © IKEA, Hofheim, **46.6;** iStockphoto ((mediaphotos)), **74;** iStockphoto, **20.6;** (Agnes Csondor), **30.2;** (Daniel Laflor), **23.1;** (egdigital), **14.1;** (FTwitty), **30.4;** (Henrik Jonsson), **125.4;** (Joshua Hodge Photography), **14.3, 86;** (Julia Savchenko), **20.1;** (kali9), **14.2;** (parema), **125.2;** (RF/ Jordan Chesbrough), **26.2;** (Rubberball), **30.6;** (Sharon Dominick), Calgary, Alberta, **56.4;** Ilse Sander, **16;** Klett-Archiv, **18.2, 90;** (Axel Reis), **134;** (Bernd Gallandi), **54.1, 54.2, 54.3;** (Julia Eden), Stuttgart, **12;** Roeckl Sporthandschuhe GmbH & Co. KG, **47.5;** Kurz, Helmut, Büttelborn, **47.2;** laif (Tom Strattman), Köln, **56.6;** Ludwig-Feuerbach-Gesellschaft e.V., Eschborn, **46.5;** Mauritius Images (Nonstock), **50.1;** (Tom Cockrem), Mittenwald, **20.4;** MEV Verlag GmbH, Augsburg, **10.3, 18.1;** Miele & Cie. KG, Gütersloh, Gütersloh, **46.8;** Okapia (Norbert Michalke/Imagebroker), Frankfurt, **30.3;** PantherMedia GmbH (Rita Maassen), München, **50.2;** PhotoAlto, Paris, **27;** Picture-Alliance (dpa), **43, 114;** (dpa-infografik), **40.1;** (Globus Infografik), Frankfurt, **34;** PRfact AG (SIGG), Zürich, **47.6;** shutterstock (agap), **10.2;** (Alexander Chaikin), **11.4;** (discpicture), **47.9;** (Gorilla), **8.3;** (Laurent Lucuix), **111;** (Lucky Business), **11.2;** (MAEADV), **47.1;** (Monkey Business Images), **8.4;** (Oleksii Zelivianskyi), **125.1;** (Phase4Photography), **8.5;** (RF / Galyna Andrushko), **8.6;** (Stefan Petru Andronache), **48;** (StockDisc), **40.2;** (Vojtech Vlk), **20.5;** (Warren Goldswain), New York, NY, **33.1;** Tchibo GmbH, Hamburg, **46.1;** Thinkstock (altrendo images), **36.1;** (Goodshoot), **32.4, 104;** (Hemera), **56.5;** (iStockphoto), **40.4, 42.1, 56.3, 109, 128, 146;** (Jupiterimages), **38, 56.2;** (Jupiterimages, Brand X Pictures), **42.2;** (Noel Hendrickson), **32.3;** (Pixland), **133;** (Polka Dot), **42.3;** (Ryan McVay), München, **56.1;** Ullstein Bild GmbH (Uselmann), Berlin, **64.2;** © haleko - Hanseatische Lebensmittel Kontor GmbH & Co. OHG, Hamburg, Hamburg, **47.3**

## Textquellen

S. 14/15: Nomaden der Neuzeit © www.jobandfuture.de • S. 19: Gedicht „Immer ein …" © Peter Reik, Berlin • S. 23: Die Macht der Schönheit © Kerstin Fels, in: www.scinexx.de • S. 34/35: Vereine in Deutschland, in: www.planet-wissen.de © Ana Rios, Karlsruhe • S. 45: Rainer Malkowski: Zwei Sessel. Aus: Rainer Malkowski: Die Herkunft der Uhr mit Beiträgen von Albert von Schirding © Carl Hanser Verlag München 2004 • S. 53: Ebay © Thomas Kniebe, SZ-Magazin Nr. 34/2005 • S. 95: Wörterbuchauszug aus: PONS Großwörterbuch Deutsch als Fremdsprache, Ernst Klett Sprachen GmbH, Stuttgart • S. 128: Wörterbuchauszug aus: PONS Großwörterbuch Deutsch als Fremdsprache, Ernst Klett Sprachen GmbH, Stuttgart

## Hörtexte

S. 18: Klopf, klopf, liebes Pärchen © Judka Strittmatter, Berlin • S. 43: Caspar: So Perfekt, Feat. Marteria; Griffey, Benjamin/Laciny, Marten; BUG Music Musikverlagsgesellschaft, München; No Limits One Guido Schulz • S. 50: Messie-Syndrom © Marion Kraske, SPIEGEL ONLINE • S. 60: Generation Praktikum © www.jobandfuture.de • S. 117: Produktbeschreibung Schlafsäcke © Alpinsport Basis GmbH, Garmisch-Partenkirchen • S. 125: Geschichte der Uhr © http://de.wikipedia.org/wiki/Uhr

Trotz intensiver Bemühungen konnten wir nicht alle Rechteinhaber ausfindig machen. Für Hinweise ist der Verlag dankbar.

# Audio-CD

**Aufnahmeleitung:** Ernst Klett Sprachen GmbH
**Produktion:** Bauer Studios GmbH, Ludwigsburg
**Sprecherinnen und Sprecher:** Charlotte Bär, Christian Büsen, Gabrijel Cabraja, Reinhard Froboes, Christoph Gawenda, Anuschka Herbst, Felix Herp, Natascha Kuch, Barbara Kysela, Regina Lebherz, Christiane Mauer-Timerding, Stephan Moos, Vivian Scheurle, Katrin Schlomm, Michael Speer, Inge Spaughton, Julian Trostorf, Renate Weber, Christiane Weiss, Johannes Wördemann
**Presswerk:** Osswald GmbH & Co., Leinfelden-Echterdingen
**Gesamtzeit:** ca. 20 Min.